Schritte international NEU 1+2

Niveau A1

Deutsch als Fremdsprache
Arbeitsbuch

Monika Bovermann
Daniela Niebisch
Angela Pude
Monika Reimann

Hueber Verlag

3. 2. 1. | Die letzten Ziffern
2021 20 19 18 17 | bezeichnen Zahl und Jahr des Druckes.
Alle Drucke dieser Auflage können, da unverändert, nebeneinander benutzt werden.
1. Auflage

Umschlaggestaltung: Sieveking · Agentur für Kommunikation, München
Zeichnungen: Jörg Saupe, Düsseldorf
Gestaltung und Satz: Sieveking · Agentur für Kommunikation, München
Druck und Bindung: Firmengruppe APPL, aprinta druck GmbH, Wemding
Printed in Germany
ISBN 978-3-19-111082-6

Art. 530_19319_001_01

Aufbau

Symbole und Piktogramme

Arbeitsbuch

1 🔊 12	Hörtext	◇	Vertiefungsübung zum binnendifferenzierenden Arbeiten
B2	Verweis ins Kursbuch	❖	Erweiterungsübung zum binnendifferenzierenden Arbeiten
		🌐	Aufgabe zur Mehrsprachigkeit

Inhaltsverzeichnis **Arbeitsbuch**

Inhaltsverzeichnis **Arbeitsbuch**

Liebe Leserinnen, liebe Leser,

mit *Schritte international Neu* legen wir Ihnen ein komplett neu bearbeitetes Lehrwerk vor, mit dem wir das jahrelang bewährte und erprobte Konzept von *Schritte international* noch verbessern und erweitern konnten. Erfahrene Kursleiterinnen und Kursleiter haben uns bei der Neubearbeitung beraten, um *Schritte international Neu* zu einem noch passgenaueren Lehrwerk für die Erfordernisse Ihres Unterrichts zu machen. Wir geben Ihnen im Folgenden einen Überblick über Neues und Altbewährtes im Lehrwerk und wünschen Ihnen viel Freude in Ihrem Unterricht.

Schritte international Neu ...

- führt Lernende ohne Vorkenntnisse in 3 bzw. 6 Bänden zu den Sprachniveaus A1, A2 und B1.
- orientiert sich an den Vorgaben des Gemeinsamen Europäischen Referenzrahmens.
- bereitet gezielt auf die Prüfungen *Start Deutsch 1* (Stufe A1), *Start Deutsch 2* (Stufe A2), das *Goethe-Zertifikat* (Stufe A2 und B1) und das *Zertifikat Deutsch* (Stufe B1) vor.
- bereitet die Lernenden auf Alltag und Beruf vor.
- eignet sich besonders für den Unterricht mit heterogenen Lerngruppen.
- ermöglicht einen zeitgemäßen Unterricht mit vielen Angeboten zum fakultativen Medieneinsatz (verfügbar im Medienpaket sowie im Lehrwerkservice und abrufbar über die *Schritte international Neu*-App).

Der Aufbau von *Schritte international Neu*

Kursbuch

Lektionsaufbau:

- Einstiegsdoppelseite mit einer rundum neuen Foto-Hörgeschichte als thematischer und sprachlicher Rahmen der Lektion (verfügbar als Audio oder Slide-Show) sowie einem Film mit Alltagssituationen der Figuren aus der Foto-Hörgeschichte
- Lernschritte A–C: schrittweise Einführung des Stoffs in abgeschlossenen Einheiten mit einer klaren Struktur
- Lernschritte D+E: Trainieren der vier Fertigkeiten Hören, Lesen, Sprechen und Schreiben in authentischen Alltagssituationen und systematische Erweiterung des Stoffs der Lernschritte A–C
- Übersichtsseite Grammatik und Kommunikation mit Möglichkeiten zum Festigen und Weiterlernen sowie zur aktiven Überprüfung und Automatisierung des gelernten Stoffs durch ein Audiotraining und ein Videotraining sowie eine Übersicht über die Lernziele
- eine Doppelseite „Zwischendurch mal ..." mit spannenden fakultativen Unterrichtsangeboten wie Filmen, Projekten, Spielen, Liedern etc. und vielen Möglichkeiten zur Binnendifferenzierung

Arbeitsbuch

Lektionsaufbau:

- abwechslungsreiche Übungen zu den Lernschritten A–E des Kursbuchs
- Übungsangebot in verschiedenen Schwierigkeitsgraden zum binnendifferenzierten Üben
- ein systematisches Phonetik-Training
- ein systematisches Schreibtraining
- Tipps zu Lern- und Arbeitstechniken
- Aufgaben zur Mehrsprachigkeit
- Aufgaben zum Selbstentdecken grammatischer Strukturen (Grammatik entdecken)
- Aufgaben zur Prüfungsvorbereitung
- Selbsttests am Ende jeder Lektion zur Kontrolle des eigenen Lernerfolgs der Teilnehmer
- fakultative berufsorientierte Fokusseiten

Anhang:

- Lernwortschatzseiten mit Lerntipps, Beispielsätzen und illustrierten Wortfeldern
- Grammatikübersicht

Außerdem finden Sie im Lehrwerkservice zu *Schritte international Neu* vielfältige Zusatzmaterialien für den Unterricht und zum Weiterlernen.

Viel Spaß beim Lehren und Lernen mit *Schritte international Neu* wünschen Ihnen

Autoren und Verlag

A Guten Tag.

A2 **1 Was hören Sie? Kreuzen Sie an.**

1 🔊 1

○ Guten Tag! ○ Tschüs! ○ Morgen! ○ Tag! ☒ Guten Morgen!
○ Hallo! ○ Gute Nacht! ○ Nacht! ○ Guten Abend! ○ Auf Wiedersehen!

A2 **2 Hören Sie und sprechen Sie nach. Achten Sie auf die Satzmelodie: ↗.**

1 🔊 2

Phonetik

Tag!	Guten Tag!	Morgen!	Guten Morgen!
Abend!	Guten Abend!		Guten Abend, meine Damen und Herren.
Nacht!	Gute Nacht!	Wiedersehen!	Auf Wiedersehen!
Frau Schröder	Guten Morgen, Frau Schröder!	Felix	Auf Wiedersehen, Felix!

A2 **3 Ordnen Sie zu.**

~~Tag~~ Morgen Abend ~~Hallo~~ Auf Wiedersehen Gute Nacht Morgen Tag Abend ~~Tschüs~~

Hallo

Guten
- Morgen — 06:00
- Morgen — 09:00
- Tag — 13:00
- Abend — 15:30
- Auf Wiedersehen — 19:00
- Gute Nacht — 23:45

Tschüs

A2 **4 Ergänzen Sie.**

A
- Gute Nacht, *Frau Moreno.*
- ..., *Herr Schneider.*

23:00

B
- ..., *Rasha!*
- ..., *Natalja!*

09:30

C
- ..., *Herr Frykberg.*
- ..., *Frau Persson.*

08:30

D
- ..., *Herr Celik.*
- Auf Wiedersehen, *Herr Johnson.*

16:00

E
- ..., *Klara!*
- ..., *Ana!*

14:30

B Ich heiße Lara Nowak.

B2 **5 Hören Sie und sprechen Sie nach. Achten Sie auf die Satzmelodie: ↗ ↘.**

1 🔊 3
Phonetik

a
- ◆ Entschuldigung. ↘ Wie heißen Sie? ↘
- ○ Ich heiße Eva Baumann. ↘ Und wie heißen Sie? ↗
- ◆ Ich heiße Angelika Moser. ↘

b
- ▲ Entschuldigung. ↘ Wie heißen Sie? ↘
- □ Ich bin Anna Lienert. ↘
- ▲ Guten Abend, Frau Lienert. ↘
- □ Und wie heißen Sie? ↗
- ▲ Mein Name ist Karl Huber. ↘

B2 **6 Hören Sie und sprechen Sie nach. Achten Sie auf die Betonung: ___.**

1 🔊 4
Phonetik

- ◆ Guten Tag. Ich bin Annalena.
- ○ Entschuldigung, wie heißen Sie?
- ◆ Annalena Adler.
- ○ Herzlich willkommen, Annalena.

B2 **7 Ordnen Sie zu.**

Das ist Frau Papadopoulos. ~~Ich bin Sandra Stein.~~ Entschuldigung, wie heißen Sie? Und wie heißen Sie? Guten Tag, Herr Weinert, freut mich. Mein Name ist Ulrike Springer.

a
- ◆ Hallo! Ich bin Sandra Stein. ....
Und ....
- ○ ....

b
- ▲ Ich heiße Akello Keki.
- □ ....
- ▲ Akello Keki.
- □ Ah, ja. Guten Tag, Herr Keki.

c
- ✚ ....
- ● Guten Tag, Frau Papadopoulos. Ich bin Till Weinert.
- ✚ ....
- ● Herzlich willkommen bei EasyComputer international.

B

B2 **8 Verbinden Sie und schreiben Sie.**

a Wie heißen — Sie? → Wie heißen Sie?
b Mein Name
c Und wie
d Ich
e Wer
f Das ist

ist das?
Finn.
Sie?
ist Lena Winter.
heißen Sie?
heiße Sina.

B4 **9 Ordnen Sie zu und ergänzen Sie die Satzzeichen: ? oder .**

wie · wer · Das ist · ~~bin~~ · ist · ist · heiße · heiße · heißen · Herr

a
- ◆ Ich bin Andreas Zilinski (.)
- ○ Entschuldigung, ______ heißen Sie (?)
- ◆ Andreas Zilinski, und das ______ Frau Kunz ( )

b
- ▲ Wer ______ das ( )
- ◻ ______ Felix ( )

c
- ✚ Ich ______ Laura Weber ( ) Und wie ______ Sie ( )
- ● Ich ______ Michaela Schubert ( )

d
- ▼ Das ist ______ Hoffmann ( )
- ■ Und ______ ist das ( )
- ▼ Frau Kunz ( )

◇ B4 **10 Schreiben Sie Sätze und ergänzen Sie die Satzzeichen: ? oder .**

a heißen – wie – Sie – Und — Und wie heißen Sie (?)
b ist – Mein – Name – Annika Bauer ______ ( )
c willkommen – bei Air-Jet – Herzlich ______ ( )
d ist – Und – das – wer ______ ( )
e Frau Kaufmann – Das – ist ______ ( )

❖ B4 **11 Ergänzen Sie.**

a
- ◆ Hallo, ich bin Tim.
- ○ Hallo, Tim. ______ heiße Len. Und ______ das?
- ◆ ______ Jannis.

b
- ▲ Guten Tag, ______ ist Mohammad Haaleh.
- ◻ Entschuldigung, ______ ______?
- ▲ Mohammad Haaleh.
- ◻ Ah, ja. Guten Tag, ______ Haaleh.

c
- ✚ Das ______ Frau Santos.
- ● Guten Morgen, Frau Santos. ______ Kolja Steffens.
- ▼ Guten ______, Herr Steffens, ______.
- ● Herzlich ______ bei Sona.

d
- ■ Wer ______ Dario Cologna?
- ❖ ______ ______ nicht.

C Ich komme aus Polen.

C1 12 Ordnen Sie zu.

bist du | ~~Ich heiße~~ | Ich komme | heißen Sie | kommen Sie | Ich bin | sind Sie | kommst du

a

◆ Hallo. Ich heiße Tom. Und du?
Wer .... ?

○ Ich heiße Hugo und komme aus Portugal.
Woher .... ?

◆ Aus den USA.

b

✚ .... Julia Springer von der Firma Teletec. Und Sie? Wie .... ?

● Ich bin Ala Charkova.

c

▲ Guten Tag. Ich heiße Arto Koskinen.
Wer .... ?

□ Ich bin Monique Laval.

▲ Freut mich. Woher ....
............, Frau Laval?

□ Aus der Schweiz. Und Sie?

▲ .... aus Finnland.

C2 13 *du* oder *Sie*? Ordnen Sie zu.

A

B

C

D

E

F

du + Lara/Henry/... : A .... *Sie* + Frau Nowak/Herr Baumann/... : ....

C2 14 *du* oder *Sie*? Ordnen Sie die Bilder zu, ergänzen Sie und vergleichen Sie.

Bild	Deutsch	Englisch	Meine Sprache oder andere Sprachen
	du	you	
		you	

A

B

C4 15 Schreiben Sie Gespräche.

a Nein, nur ein bisschen. Ich spreche Französisch und ein bisschen Arabisch. | Guten Tag, Frau Brandner. | ~~Guten Morgen. Mein Name ist Juliette Saidi.~~ | Sie sprechen gut Deutsch. | Freut mich, Frau Saidi. Ich bin Julia Brandner.

◇ Guten Morgen. Mein Name ist Juliette Saidi.
● …

b Woher kommst du, Ping-Fei? | Hallo, ich bin Ramon aus Mexiko. Und wie heißt du? | Ah, schön! | Aus China? Ich spreche ein bisschen Chinesisch. | Ich heiße Ping-Fei. | Aus China.

C4 16 Was ist richtig? Kreuzen Sie an.

a Ich ○ heißen ○ heißt ☒ heiße Maria.
b Was ○ spreche ○ sprechen ○ sprichst Sie?
c Wie ○ heiße ○ heißt ○ heißen du?
d Und wer ○ ist ○ bist ○ sind Sie?
e Ich ○ spreche ○ sprechen ○ sprichst Griechisch.
f Woher ○ kommst ○ komme ○ kommen du?
g Ich ○ ist ○ bin ○ bist Angelika.
h Was ○ spreche ○ sprichst ○ sprechen du?

C4 17 Ergänzen Sie in der richtigen Form: *sprechen – kommen – heißen*.

a
◆ Hallo. Ich heiße Ali. Wie ________ du?
○ Ich ________ Thomas.
◆ Und woher ________ du? Aus Deutschland?
○ Nein, ich ________ aus den USA.
Ich ________ Englisch und ein bisschen Deutsch. Was ________ du?
◆ Ich ________ Englisch und Französisch.

b
▲ Guten Morgen, Frau Ye.
Woher ________ Sie?
□ Ich ________ aus China.
▲ Und was ________ Sie?
□ Ich ________ Chinesisch.
▲ Und ein bisschen Deutsch.
□ Ja, stimmt.

C4 18 Was hören Sie? Kreuzen Sie an.

1 🔊 5

	Bernardo	*Sara*	*Max*
Österreich	○	○	○
Italien	○	○	○
Brasilien	☒	○	○
Hamburg	○	○	○
Wien	○	○	○
Udine	○	○	○
Berlin	○	○	○

	Bernardo	*Sara*	*Max*
Englisch	○	○	○
Spanisch	○	○	○
Italienisch	○	○	○
Russisch	○	○	○
Portugiesisch	○	○	○
Deutsch	○	○	○
Französisch	○	○	○

Bernardo

Sara

Max

C4 19 Welche Sprache passt? Ergänzen Sie.

China

Polen

Türkei

Griechenland

Spanien

a Chinesisch b ________ c ________ d ________ e ________

D Buchstaben

D2 20 Wie spricht man das? Hören Sie und sprechen Sie nach.

1 🔊 6
Phonetik

ei	Türkei	Ich heiße Einstein.	Schreiben Sie.
eu	Deutschland	Du sprichst gut Deutsch.	Guten Tag, freut mich.
au	Frau Maurer	Ich heiße Maurer.	Ich heiße Laura und bin aus Augsburg.

D2 21 Welche Namen hören Sie? Ergänzen Sie die Buchstaben.

1 🔊 7–12

a E w a ________
b ________
c ________
d ________
e ________
f ________

D2 22 Was schreibt man groß? Korrigieren Sie.

a
◆ M mein name ist anita. und wie heißt du?
○ ich heiße andreas.
◆ woher kommst du?
○ aus österreich.

b
▲ guten tag. wie ist ihr name, bitte?
□ mein name ist lukas bürgelin.
▲ woher kommen sie?
□ ich komme aus der schweiz.

D3 23 Ergänzen Sie: *Tut mir leid. – Entschuldigung.*

a
◆ Entschuldigung.

d
□ Sprechen Sie Russisch?
✚ Nein. ________ ________.

b
▲ Wer ist das?
○ ________ ________. Ich weiß es nicht.

e
▲ Guten Tag, Frau Schneider. Ist Laura da?
○ Nein. ________ ________.

c
● Mein Name ist Hubert Hubschmer.
▼ ________, wie ist Ihr Name?
● Hubert Hubschmer.

D3 24 Ergänzen Sie das Telefongespräch.

◆ F*irma* Ökotrans, Frederike Groß, guten M______.
○ Guten Morgen. M______ Name ist Nguyen. Ist H______ Stolpe d______?
◆ Guten Morgen Herr ... E______, wie h______ Sie?
○ Nguyen.
◆ Wie bitte? B______ Sie, bitte.
○ Ich b______: N – G – U – Y – E – N.
◆ Vielen Dank, Herr Nguyen. Einen M______, bitte. ... Herr Nguyen? T______ mir l______. Herr Stolpe ist n______ da.
○ Ja, gut. Danke. Auf W______.
◆ A______ Wiederhören, Herr Nguyen.

◇ D3 25 Markieren Sie die Wörter. Schreiben Sie Sätze.

a guten|tagmeinnameistbaumann *Guten* ______.
b istherrgülda ______?
c einenmomentbitte ______.
d tutmirleid ______.
e herrgülistnichtda ______.
f aufwiederhören ______.

❖ D3 26 Zwei Gespräche

a Markieren Sie noch sechs Sätze.

ICHBINGUTENTAGAUSUNDMEINNAMEISTBAUMANNICHKOMMEWIE
HEISSTDUFRAUSÖLLISTICHBINENTSCHULDIGUNG,WIEISTIHRNAME
UNDWASICHHEISSEMICHAELNBITTEAUSDERWOHERICHHRÖDER
GUTENICHBUCHSTABIERE:BAUMANNDANKICHBISTDUICHKOMMEAUS
DEUTSCHLANDSIEAUSWIEICHWOHERKOMMSTDUGUTENHERRIST
VIELENDANKUNDA

b Ordnen Sie die Sätze. Schreiben Sie zwei Gespräche.

◇ *Wie heißt du?*
● ...

◇ *Guten Tag. Mein ...*
● ...

D3 27 Das bin ich. Schreiben Sie Ihren Text.

Schreib-training

Ich heiße Irena Król. Ich komme aus Opole. Das ist in Polen. Ich spreche Polnisch, Englisch und Deutsch.

LERNTIPP Lesen Sie Ihren Text noch einmal. Sind die Wörter richtig geschrieben? Denken Sie auch an Komma (,) und Punkt (.).

E2 28 Vorname oder Nachname?

Markieren Sie die Vornamen gelb und die Nachnamen blau.

a Simon Drexler
b Julia Peters
c Gerner, Daniel
d Hänsler-Schubert, Bianca
e Sofia Flemmerer
f Forster, Nicolas

E2 29 Ein Brief

a Ordnen Sie zu.

~~Familienname/Nachname~~ | Stadt | Vorname | Land | Straße | Postleitzahl | Hausnummer

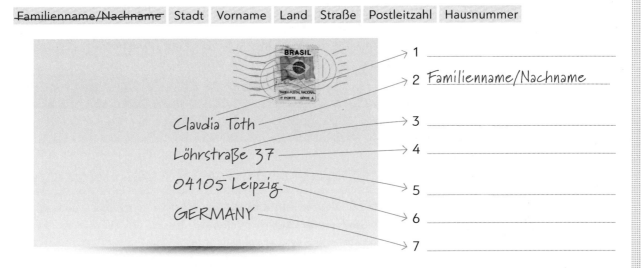

1 ....
2 Familienname/Nachname
3 ....
4 ....
5 ....
6 ....
7 ....

b Suchen Sie im Internet die Adresse vom Hueber Verlag in Deutschland und notieren Sie.

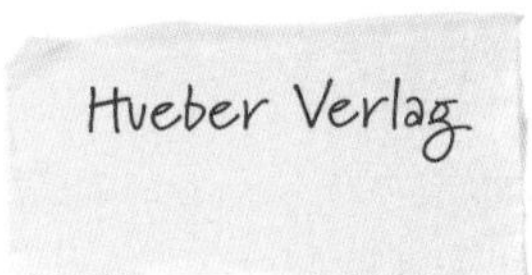

E2 30 Lesen Sie die Visitenkarte und füllen Sie das Formular aus.

Lucía Álvarez
Ärztin
Weserstraße 215 • 12047 Berlin
030/80 92 44 • l.alvarez@cc.de

☐ Herr ☐ Frau

Nachname: Álvarez

Vorname:

Straße: Hausnummer:

Postleitzahl: Stadt:

E-Mail:

Telefon:

Test Lektion 1

1 Ergänzen Sie.

1 ____ /5 Punkte

WÖRTER

a H a l l o
b G ___ ___ ___ ___ ___ r ___ ___
c ___ ___ t ___ ___ ___ ___ ___ ___ d
d A ___ ___ ___ ___ ___ ___ ___ ___ s ___ ___ ___ ___
e ___ ___ c ___ ___ ___
f ___ u ___ ___ ___ a ___ ___ ___

2 Ordnen Sie zu.

2 ____ /7 Punkte

Stadt Land ~~Vorname~~ ~~Familienname~~ Straße
Postleitzahl Hausnummer E-Mail Telefon

Alina Egger → a Vorname b Familienname
Bändelgasse 1 → c ________ d ________
4057 Basel → e ________ f ________
SCHWEIZ → g ________
+41 4161/822 94 33 → h ________
alina@egger.ch → i ________

____ 0–6 / 7–9 / 10–12

3 Ergänzen Sie.

3 ____ /3 Punkte

GRAMMATIK

a ◆ Wie heißen Sie? ○ Alina Egger.
b ◆ ________ kommen Sie? ○ Aus der Schweiz.
c ◆ Und ________ sprechen Sie? ○ Deutsch und Italienisch.
d ◆ ________ ist das? ○ Das ist Dario Egger.

4 Ergänzen Sie.

4 ____ /9 Punkte

a

◆ Hallo. Ich bin (1) Mercy. Wie h________ (2) du?
○ Ich h________ (3) Kim und k________ (4) aus China.
◆ Du s________ (5) gut Deutsch.
○ Nein, nur ein bisschen. Ich s________ (6) gut Englisch.

b

▲ Guten Morgen. Mein Name i________ (7) Hinata Numajiri.
□ Entschuldigung, wie h________ (8) Sie?
▲ Hinata Numajiri.
□ Ah, ja. Guten Morgen, Herr Numajiri. Ich b________ (9) John Winterfield und das i________ (10) Frau Bianchi.

____ 0–6 / 7–9 / 10–12

5 Ordnen Sie zu.

5 ____ /5 Punkte

KOMMUNIKATION

Einen Moment Tut mir leid Ich buchstabiere ~~Ja, gut~~ Entschuldigung Danke

◆ Firma Computec, Moritz Spengler, guten Tag.
○ Guten Tag. Mein Name ist Paulinho. Ist Frau Egger da?
◆ Guten Tag, Herr ... ________ (a), wie ist Ihr Name?
○ Paulinho. ________ (b): P – A – U – L – I – N – H – O.
◆ Ah, ja. ________ (c), Herr Paulinho. ________ (d), bitte .... Herr Paulinho? ________ (e), Frau Egger ist nicht da.
○ Ja, gut (f). Danke. Auf Wiederhören.

____ 0–2 / 3 / 4–5

A Wie geht's? – Danke, gut.

A1 1 Ergänzen Sie.

a Super! b ______ c ______ d ______ e ______

A2 2 Satzmelodie und Satzakzent

1 🔊 13 a Hören Sie und achten Sie auf die Betonung: ____.

Phonetik

1

◆ Wie geht es Ihnen? ↘

○ Sehr gut. ↘ Und Ihnen? ↗

◆ Auch gut. ↘ Danke. ↘

2

▲ Wie geht es dir? ↘

◻ Gut. ↘ Danke. ↘ Und dir? ↗

▲ Super! ↘

3

✚ Hallo, Tom. ↘ Wie geht's? ↘

● Nicht so gut! ↘ Und dir? ↗

✚ Na ja, ↘ es geht. ↘

1 🔊 14 b Hören Sie noch einmal und sprechen Sie nach.

◇ A2 3 Ordnen Sie zu.

Wie geht es dir? | ~~Wie geht es Ihnen?~~ | Und dir? | Und Ihnen? | Es geht. | Auch gut, danke.

a

◆ Guten Tag, Frau Jablonski.

Wie geht es Ihnen?

○ Danke, gut. ______

◆ ______

b

▲ Hallo, Tobias.

◻ Hallo, Tanja. ______

▲ Super! ______

◻ ______

❖ A2 4 Schreiben Sie Gespräche.

A

◆ Hallo, Jana. Wie ______

○ ______

◆ ______

B

▲ Guten Morgen, ______

◻ ______

▲ ______

B Das ist **mein Bruder**.

B1 5 Finden Sie noch sieben Familienmitglieder und ordnen Sie zu.

C	H	W	A	L	U	A	N	I	E	R
A	N	D	L	T	O	C	H	T	E	R
S	C	H	W	E	S	T	E	R	G	E
G	E	S	M	U	O	P	S	B	S	N
T	M	U	T	T	E	R	M	R	O	K
V	A	S	T	K	I	N	L	A	H	E
A	C	H	O	S	S	T	I	O	N	L
T	B	R	M	D	E	O	P	A	R	I
E	M	Z	A	U	K	I	U	D	E	N
R	S	C	H	B	R	U	D	E	R	S

Vater ....

....

....

....

Tochter ....

....

....

....

....

B1 6 Ergänzen Sie Wörter aus 5 und vergleichen Sie.

Deutsch	Mutter					
Englisch	mother	father	sister	brother	daughter	son
Meine Sprache						

B2 7 Ergänzen Sie.

Das ist meine Familie:

a
Das sind meine Eltern:
meine ....
und mein ....

b
Das sind meine ....:
mein .... Patrick,
meine .... Sandra
und mein .... Jonas.

c
Das sind meine
..................:
meine ....
und mein ....

d
Das sind meine ....:
mein .... Jonas und
meine .... Sandra.

B2 8 Markieren Sie in 7: *mein* – *meine* – *meine*. Ergänzen Sie dann.

Grammatik entdecken

 mein ....

 meine ....

 meine Eltern, ...

B2 **9 Hören Sie und sprechen Sie nach. Klopfen Sie den Rhythmus.**

1 🔊 15
Phonetik

Das ist meine Frau.
Das sind meine Kinder.
Das ist meine Tochter.
Das ist mein Bruder.
Das ist mein Sohn.

B2 **10 Was ist richtig? Kreuzen Sie an.**

a
◆ Das sind ○ mein ☒ meine Kinder.
○ Aha. Und das ist ○ dein ○ deine Mann?
◆ Nein. Das ist ○ mein ○ meine Bruder.
○ Das sind ○ dein ○ deine Eltern?
◆ Ja, stimmt. Das sind ○ mein ○ meine Vater und ○ mein ○ meine Mutter.

b
▲ Wer ist das? ○ Ihr ○ Ihre Frau?
□ ○ Mein ○ Meine Frau? Nein! Das ist ○ mein ○ meine Schwester.
▲ Und wer ist das, Herr Steiner?
□ Das ist ○ mein ○ meine Enkelin Sara.
▲ Aha! ○ Ihr ○ Ihre Enkelin!

◇ B2 **11 Ergänzen Sie.**

a
◆ Das sind m*ein*...... Opa und m.......... Oma.
○ Ah. D.......... Großeltern!
◆ Ja.

b
▲ Das sind m.......... Geschwister: m.......... Bruder Emre und m.......... Schwester Ahu.
□ Und wer ist das? Auch I.......... Schwester?
▲ Nein. Das ist m.......... Frau.

❖ B2 **12 Ergänzen Sie.**

a
◆ Hallo, Frau Roth. Wie geht es Ihnen?
○ Danke, gut. Das ist *mein*.......... Mann.
◆ Ah, ... Mann. Freut mich. Guten Abend, Herr Roth.
▲ Entschuldigung, ... Name ist nicht Roth. Ich heiße Peters.
◆ Ah, ja.

b
□ Hallo, Florian. Das ist .... Schwester Ines.
✚ Ah, schön, ... Schwester. Wie geht es dir, Iris?
● Gut, danke. Aber ich heiße nicht Iris. .... Vorname ist Ines.
✚ Entschuldigung, Ines.

B2 **13 Ergänzen Sie: *bin – ist – sind – mein – meine – heißt*.**

a Das *ist*.......... *meine*.......... Tochter und das .... Sohn.
b Das *sind*.......... .... Bruder und .... Schwester.
c Das .... Kinder: .... Sohn Lukas und .... Tochter Stefanie.
d Das .... ich und das .... Eltern.

B3 **14 Ein Interview.**
Schreiben Sie Fragen und ergänzen Sie die Antworten.

a ▲ *Wie ist Ihr Name*..........? □ *Mein* Name ist Manuela Klein.
b ▲ ....? □ Ich .... aus Österreich.
c ▲ ....? □ Ich .... Deutsch und Englisch.
d ▲ ....? □ Das ist .... Familie.

C Er lebt in Poznań.

C1 **15 Markieren Sie und ergänzen Sie.**

Grammatik entdecken

a Das sind Herr und Frau Rossi. Sie leben in Frankfurt.
Herr und Frau Rossi → Sie

b Herr Rossi kommt aus Italien. Er wohnt jetzt in Deutschland.
Herr Rossi → ......

c Frau Rossi kommt aus Deutschland. Sie spricht Deutsch und Italienisch.
Frau Rossi → ......

◇ C1 **16 Ergänzen Sie.**

a Ich heiße Julia. Ich lebe in Deutschland. Ich wohne in Bremen.
b Mein Bruder heißt Florian. ...... lebt jetzt in China. ...... wohnt in Peking.
c Meine Schwester heißt Vanessa. ...... lebt in Brasilien. ...... wohnt in Porto Alegre.
d Meine Eltern leben in der Schweiz. ...... wohnen in Luzern.
e Ja, das ist meine Familie, ... ist international.

❖ C1 **17 Semra und Markus, Kaito und Kichi**

a Schreiben Sie den Text neu mit *er – sie – sie*.

Das ist Semra. Semra kommt aus der Türkei. Und das ist Markus. Markus kommt aus Österreich. Semra und Markus leben in Deutschland. Semra und Markus wohnen jetzt in Berlin. Semras Eltern leben auch in Deutschland. Semras Eltern wohnen in Frankfurt.

Das ist Semra. Sie kommt aus der Türkei.
Und das ist Markus. ......
Semra und Markus ......
......
Semras Eltern ......
......

b Schreiben Sie einen Text über Kaito und Kichi mit *er – sie – sie*.

Das ist Kaito. Er ...... (kommen – Japan).
...... und ......
(sprechen – Japanisch | lernen – Deutsch). ......
(geschieden sein) und hat eine Tochter. ...... (heißen – Kichi).
Sie ...... (wohnen – Köln).

C3 18 Lesen Sie und markieren Sie. Ergänzen Sie dann die Tabelle.

Grammatik entdecken

A

Wie heißt du? Woher kommst du?
Ich heiße Hiba. Ich komme aus dem Libanon. Und du?
Ich bin Elias aus Griechenland. Ich lebe in Deutschland, in Freiburg.

B

Du bist Boris.
Nein, er ist Boris.

C

Hallo, wer seid ihr?
Mario.
Laura.
Und woher kommt ihr?
Aus Italien. Jetzt leben wir in Deutschland. In Essen.

D

Entschuldigung, wie heißen Sie?
Peter Vogel.
Und woher kommen Sie?
Aus Österreich.

E

Nihau.
Wie bitte? Tut mir leid, ich spreche nur Deutsch. Was sprichst du?
„Nihau" ist Chinesisch und heißt „Hallo". Wir sprechen zusammen Deutsch. Okay?

F

Wie heißt er?
Alexandre.
Und was spricht er?
Englisch und Französisch.

	kommen	leben	heißen	sprechen	sein
ich					
du	kommst	lebst	heißt		
er/sie	kommt	lebt			
wir	kommen		heißen		sind
ihr		lebt	heißt	sprecht	
sie/Sie		leben		sprechen	sind

C

C3 19 Verbinden Sie und schreiben Sie.

a Wer sind	bist Naomi, oder?	
b Und wer seid	sprecht gut Deutsch.	
c Ihr	Sie?	Wer sind Sie?
d Du	du Deutsch?	
e Sie	ihr?	
f Sprichst	sprechen gut Deutsch.	

C3 20 Ergänzen Sie.

b
Wie h.............. ihr?
Woher k.............. ihr?

a
Hallo, ich heiße Stéphane, ich k..............
aus Frankreich. Jetzt l.............. ich in Deutschland.
Und das s.............. meine Brüder. Sie h..............
Jean und Xavier. Wir drei w..............
jetzt in Dresden. Und wer b.............. du? Woher
k.............. du?

c
Wie h.............. Sie?
Woher k.............. Sie?

◇ C3 21 Was ist richtig? Kreuzen Sie an.

a Er ☒ heißt ○ heißen ○ heiße Martin.
b Ich ○ lebe ○ lebst ○ leben in Stuttgart.
c Sie ○ bin ○ seid ○ ist aus Österreich.
d Wir ○ sind ○ seid ○ ist aus Rom.
e Ihr ○ wohnst ○ wohnen ○ wohnt in Vaduz.
f Sie ○ lernst ○ lerne ○ lernt Deutsch.
g Sie ○ ist ○ sind ○ seid Geschwister.

❖ C3 22 Schreiben Sie.

a Ich – Larisa – aus Russland – jetzt in der Schweiz – in Zürich
b Schwester – Vera – in Omsk – Russisch
c Juri – Bruder – in Moskau – Russisch – auch gut Deutsch
d Blanca: aus Spanien – Pablo: aus Argentinien – in Zürich zusammen Deutsch lernen

a Das bin ich. Ich heiße ... Ich ... aus ...
und ... jetzt in der Schweiz, in Zürich.
b Und das ist ...

D Zahlen und Personalien

D1 **23 Sie hören zehn Zahlen. Markieren Sie.**

1 16

0	1	2	3	4	5	6	7	8	9	10
null	eins	zwei	drei	vier	fünf	sechs	sieben	acht	neun	zehn

11	12	13	14	15	16	17	18	19	20
elf	zwölf	dreizehn	vierzehn	fünfzehn	sechzehn	siebzehn	achtzehn	neunzehn	zwanzig

D1 **24 Markieren Sie und ergänzen Sie die Zahlen.**

VIERZEHNEINSZWANZIGSECHZEHNZWÖLFZWEISECHSSIEBENZEHN

a 14 b ____ c ____ d ____ e ____ f ____ g ____ h ____ i ____

D2 **25 Schreiben Sie die Telefonnummern.**

a 15 11 08 fünfzehn, elf, null, acht

b 20 10 17 ____

c 12 06 04 ____

d 16 01 19 ____

◇ D3 **26 Verbinden Sie.**

a Wie heißen Sie?
b Woher kommen Sie?
c Wo sind Sie geboren?
d Haben Sie Kinder?
e Wie ist Ihre Adresse?
f Wie ist Ihre Telefonnummer?
g Sind Sie verheiratet?

1 Aus Irland.
2 Douglas Goldman.
3 Nein, ich bin geschieden.
4 089/20 02 20.
5 Ja, drei.
6 Hansastraße 10, 80686 München.
7 In Dublin.

❖ D3 **27 Schreiben Sie Fragen.**

◆ ____?
○ Maria Schröder.
◆ Wo sind Sie geboren?
○ In Halle.
◆ ____?
○ Stuttgart, Parkstraße 7.
◆ ____?
○ 23 57 18.
◆ ____?
○ Ja, zwei Kinder.
◆ ____?
○ Neun und elf Jahre.

D

D3 28 Ein Formular

Schreibtraining

a Ordnen Sie zu.

Wohnort | Alter | ~~Familienname~~ | Geburtsort | Familienstand | Land | Vorname

Familienname	Souza
....	Manuel
....	Portugal
....	Lissabon
....	68161 Mannheim
....	○ ledig ○ verwitwet ○ verheiratet ● geschieden
Kinder	● 1 Kind 3

b Schreiben Sie einen Text über Manuel Souza.

Manuel Souza kommt aus ...

D3 29 Schreiben Sie Informationen über sich und sprechen Sie mit Ihrer Partnerin / Ihrem Partner.

Prüfung

- Name?
- Land?
- Wohnort?
- Telefonnummer?
- Sprachen?

Ich heiße ...
Ich ...

Ich heiße Lauren. Wie heißt du?

Mein Name ist Raiko.

LERNTIPP Lernen Sie wichtige Sätze auswendig. Sie brauchen die Sätze in vielen Situationen.

D4 30 Ergänzen Sie *haben* in der richtigen Form.

a
- ◆ Hallo, eine Frage bitte: Hast du Kinder?
- ○ Nein. Ich .... keine Kinder. Meine Schwester .... zwei Kinder.

b
- ◆ Und ihr? .... ihr Kinder?
- ▲ Ja, wir .... ein Kind.
- ◆ Aha.

c
- ◆ .... Sie Kinder, Herr Zöllner?
- ◻ Ja, ich .... drei Kinder.

d
- ◆ Äh, hallo, eine Frage. .... du auch ...?
- ✚ Ich .... jetzt Pause!

E Deutschsprachige Länder

E1 31 Mein Name ist ...

1 17-20 **a** Hören Sie. Wo leben die Personen? Ergänzen Sie.

1 Hanne Winkler lebt in Hamburg.
2 Ashraf Shabaro wohnt in ______.
3 Thomas Gierl lebt in ______.
4 Margrit Ehrler wohnt in ______.

b Was ist richtig? Hören Sie noch einmal und kreuzen Sie an.

1
Hanne Winkler
☒ Sie kommt aus Stuttgart.
○ Stuttgart liegt in Norddeutschland.
○ Sie hat zwei Kinder.

2
Ashraf Shabaro
○ Er lebt in Deutschland.
○ Er ist ledig.
○ Er hat drei Kinder.

3
Thomas Gierl
○ Er ist verheiratet.
○ Er kommt aus Innsbruck.
○ Er lebt jetzt in Deutschland.

4
Margrit Ehrler
○ Sie ist in der Schweiz geboren.
○ Sie ist verheiratet.
○ Sie hat drei Kinder.

c Was ist richtig? Kreuzen Sie an. Hören Sie dann noch einmal und vergleichen Sie.

1 Mein Name ist ○ Frau Winkler. ☒ Hanne Winkler.
2 Ich bin ○ Ashraf Shabaro. ○ Shabaro.
3 Ich heiße ○ Thomas. ○ Herr Thomas.
4 Ich heiße ○ Frau Margrit Ehrler. ○ Margrit Ehrler.

E2 32 Ich heiße Mateo ...

Schreibtraining

a Lesen Sie und markieren Sie im Text:
Name, Geburtsort, Wohnort, Familie, Sprachen.

Ich heiße Mateo. Ich bin 31 Jahre alt und in Dubrovnik geboren. Das liegt in Südkroatien.
Ich habe keine Kinder.
Aber meine Partnerin Marta hat zwei Kinder.
Sie heißen Lana und Filip und sind zehn und sechs Jahre alt. Zurzeit leben wir in Zagreb. Das ist die Hauptstadt von Kroatien. Ich spreche Kroatisch, Englisch und ein bisschen Deutsch.

b Und Sie? Wer sind Sie? Schreiben Sie.

Ich heiße Katrina.
Ich bin ...

Test Lektion 2

1 Ergänzen Sie.

1 ____ /7 Punkte

WÖRTER

a meine Eltern = mein Vater ____ und meine ____
b meine Geschwister = mein ____ und meine ____
c meine Kinder = mein ____ und meine ____
d meine Großeltern = mein ____ und meine ____

2 Ergänzen Sie die Zahlen.

2 ____ /5 Punkte

a 4 vier ____
b 9 ____
c 16 ____
d 13 ____
e 11 ____
f 20 ____

3 Ergänzen Sie.

3 ____ /4 Punkte

◆ Wo w o h n e n (a) Sie, Herr Jovanović?
○ In Eisenstadt.
◆ Und wo sind Sie _ _ b _ _ _ _ (b)?
○ In Belgrad. Das ist die H _ _ _ _ _ _ _ _ _ (c) von Serbien.
◆ Aha. Haben Sie F _ _ _ _ _ _ (d) hier in Österreich?
○ Nein. Ich bin _ _ _ _ _ (e).

____ 0–8 | 9–12 | 13–16

4 Ordnen Sie zu.

4 ____ /7 Punkte

GRAMMATIK

dein Deine Er Ihre mein ~~meine~~ sie Sie

a
◆ Haben Sie Kinder, Frau Glöckl?
○ Ja. Das sind meine Kinder.
◆ Wie alt sind ____ Kinder?
○ ____ sind 19 und 20.

b
▲ Das ist ____ Mann.
□ Woher kommt ____ Mann?
▲ Aus der Ukraine. ____ lebt schon 20 Jahre in Deutschland.

c
✚ ____ Tochter lebt in Paris, oder?
● Ja, genau, ____ lernt Französisch.

5 Ergänzen Sie in der richtigen Form.

5 ____ /10 Punkte

◆ Wir sind (sein) Dascha und Mascha. Wir ____ (kommen) aus Russland. Wir ____ (leben) in der Schweiz. Wir ____ (sprechen) Russisch und Deutsch. Aber Mascha ____ (sprechen) auch gut Englisch.
○ Aha. Und ____ (sein) ihr verheiratet? ____ (haben) ihr Kinder?
◆ Ich ____ (sein) ledig und ____ (haben) keine Kinder. Mascha ____ (sein) verheiratet. Sie ____ (haben) eine Tochter.

____ 0–8 | 9–13 | 14–17

6 Schreiben Sie Fragen.

6 ____ /4 Punkte

KOMMUNIKATION

a
◆ Hallo, Sarah. Na, wie geht's ?
○ Danke, gut. ____ ?
◆ Auch gut, danke. Das ist Herr Wolf.
○ Guten Tag. ____ ?
▲ Sehr gut.

b
□ Herr Wolf, ____ ?
▲ Ich wohne in Berlin.
□ ____ ?
▲ Friedrichstraße 118, 10117 Berlin.
□ Vielen Dank.

____ 0–2 | 3 | 4

Fokus Beruf: *du, Sie oder ihr?*

1 Der erste Arbeitstag im Hotel

a Was sagt Susana: *du, Sie* oder *ihr*? Was meinen Sie? Kreuzen Sie an.

A

○ Sie ○ ihr

B

○ Sie ○ ihr

C

○ du ○ Sie

D

○ du ○ Sie

1 ◀)) 21-24 **b** Hören Sie und vergleichen Sie.

2 Ordnen Sie zu.

A

wer sind Sie | Ich bin neu hier | ~~Ich heiße~~

◆ Guten Morgen. Ich heiße Susana Salazar.
…………………………………… .
○ Herzlich willkommen. Ich bin Martin Kalteis.
◆ Guten Tag, Herr Kalteis.
Und …………………………………… ?
▲ Ich heiße Irina Bergmann.

B

Sie sind | Buchstabieren Sie

□ Guten Tag, mein Name ist Czettritz.
◆ …………………………………… , bitte.
□ C-Z-E-T-T-R-I-T-Z.
◆ Ja, genau. Vielen Dank, Herr Czettritz.
Und …………………………………… Frau Meiniger?

C

Freut mich | Mein Name ist | willkommen

● Guten Tag. Wer sind Sie denn, bitte?
◆ Guten Tag. ……………………………………
Susana Salazar.
● Ah! …………………………………… . Ich bin
Johannes Berger, der Hoteldirektor.
... Ja, dann: …………………………………… im Team!
◆ Danke, Herr Berger.

D

Danke | tschüs

◆ Also, …………………………………… , Martin.
○ Tschüs, Susana.
Schönen Feierabend.
◆ …………………………………… , gleichfalls.

3 Ihr erster Arbeitstag. Spielen Sie weitere Gespräche.

◆ Guten Morgen. Mein Name ist ... Ich bin neu hier.
○ Ah, hallo, Frau/Herr ... Willkommen. Ich bin ... und das ist meine Kollegin, Frau ...

A Das ist doch **kein** Ei.

A2 **1 Ordnen Sie zu.**

~~Apfel~~ Banane Birne Brötchen Ei Kiwi Kuchen Orange Tomate Würstchen

Das ist ●● **ein**	Das ist ● **eine**
Apfel	

A3 **2 Was ist richtig? Kreuzen Sie an.**

a
- ◆ Was ist das?
- ○ Das ist ☒ ein ○ eine Würstchen.
- ◆ Ist das ○ ein ○ eine Tomate?
- ○ Nein, das ist ○ kein ○ keine Tomate.

b
- ◆ Wie heißt das auf Deutsch?
- ○ Das ist ○ ein ○ eine Kiwi.

c
- ◆ Hier: ○ ein ○ eine Brötchen.
- ○ Das ist doch ○ kein ○ keine Brötchen.
  Das ist ○ ein ○ eine Kuchen.
- ◆ Ah, ja.

d
- ◆ Das ist ○ kein ○ keine Apfel, oder?
- ○ Nein, das ist ○ ein ○ eine Birne.

◇ A3 **3 Ordnen Sie zu.**

kein ein ~~ein~~ eine eine ein kein kein ein keine ein

a
- ◆ Hier, bitte: ein Ei.
- ○ Das ist doch .... Ei.
  Das ist .... Kiwi.

b
- ▲ Oh, ... Apfel. Danke.
- ◻ Das ist doch .... Apfel.
  Das ist .... Tomate.

c
- ✚ Wie heißt das auf Deutsch? Orange?
- ● Das ist doch .... Orange.
  Das ist .... Apfel.

d
- ✚ Hier: .... Brötchen.
- ● Das ist .... Brötchen.
  Das ist .... Kuchen.

❖ A3 **4 Schreiben Sie Sätze.**

a
Das ist kein Apfel.
Das ist eine Birne.

c
....
....
....

b
Das ist ....
Das ist ....

d
....
....
....

A4

5 *ein* oder *mein*?

Grammatik entdecken

a Ergänzen Sie.

- ◆ Da ist ein Apfel.
- ◻ Das ist mein Apfel!
- ◆ Und hier ist .... Brötchen.
- ◻ Das ist .... Brötchen!
- ◆ Und da ist .... Banane.
- ◻ Das ist .... !
- ◆ Und .... Tomate.
- ◻ Das ist .... !
- ◆ Und .... Ei.
- ◻ Das ist .... !
- ◆ Und ich? Was habe ich?

b Ergänzen Sie die Tabelle mit den Wörtern aus a.

• ein Apfel	• kein Apfel	• mein Apfel
	• kein Brötchen	
	• keine Banane	

A4

6 *Das ist ...*

a Ergänzen Sie: *ein – eine – kein – keine.*

	Deutsch: **Das ist ...**	Englisch: **This is ...**	Meine Sprache
	kein Apfel.	not an apple.	
	ein Kuchen.	a cake.	
	Ei.	not an egg.	
	Brötchen.	a bun.	
	Kartoffel.	not a potato.	
	Banane.	a banana.	

b Ergänzen Sie Ihre Sprache / weitere Sprachen und vergleichen Sie.

A4

7 Wortakzent

1 25

Phonetik

a Hören Sie und achten Sie auf die Betonung: .

eine Banane ein Apfel ein Kuchen ein Brötchen ein Würstchen
eine Birne eine Tomate eine Kiwi ein Schokoladenei

b Hören Sie noch einmal und markieren Sie in a: lang (a, u ...) oder kurz (a, u ...).

B Wir brauchen aber **Eier**.

B2 **8 Hören Sie und zeichnen Sie.**

1 🔊 26

B2 **9 Ergänzen Sie.**

a ein Würstchen	fünf	Würstchen	d ein Ei	sechs	
b eine Orange	drei		e eine Kiwi	vier	
c ein Brot	zwei		f ein Apfel	elf	

B3 **10 Zehn Eier, zwei Bananen ...**

Grammatik entdecken

a Ordnen Sie zu.

~~ein Ei~~ · ~~eine Banane~~ · ~~ein Apfel~~ · ein Brot · ein Brötchen · eine Kiwi · ein Pfannkuchen · eine Orange · ein Würstchen · eine Tomate · eine Birne · eine Kartoffel · ein Joghurt · eine Zwiebel

-/¨	-(e)n	-e/¨e	-er/¨er	-s
Äpfel	Bananen		Eier	

b Suchen Sie im Wörterbuch. Machen Sie eine Tabelle wie in a und ordnen Sie zu.

eine Frau · ein Mann · ein Bruder · eine Schwester · ein Kind · eine Tochter · ein Sohn · eine Oma · ein Opa · eine Mutter · ein Vater · ein Papa · eine Enkelin · eine Familie · ein Name · eine Sprache · ein Buchstabe · eine E-Mail · ein Land · eine Stadt · eine Straße · eine Adresse · eine Zahl · ein Jahr

◇ B3 **11 Ergänzen Sie.**

❖ B3 **12 Wie viele ... hat Maria? Ergänzen Sie.**

a Maria hat vier Kinder, zwei S............ und zwei T............ .
b Sie hat eine O*ma*............ und zwei O............ .
c Sie hat drei B............ , aber keine S............ .

B3 **13 Ergänzen Sie.**

a	▲ Hier sind Zwiebeln.	▫ Nein, *das sind keine Zwiebeln*.
b	▲ *Hier ist ein Ei*.	▫ Nein, das ist kein Ei.
c	▲ Hier ist eine Birne.	▫ Nein, ...
d	▲	▫ Nein, das sind keine Kartoffeln.
e	▲ Hier sind Brote.	▫ Nein, ...
f	▲	▫ Nein, das ist kein Würstchen.
g	▲ Hier ist ein Joghurt.	▫ Nein, ...

B3 **14 Was braucht Frau Wagner? Was braucht sie nicht? Hören Sie und ergänzen Sie.**

1 ◀)) 27

Frau Wagner braucht *drei Bananen,* ....
Sie braucht *keine Äpfel, kein* ....

C Haben wir Zucker?

C2 15 Markieren Sie die Wörter und ordnen Sie zu.

A(KÄSE)DEFISCHNBROTUNBUTTERMIBIERFIFLEISCHOMEHLERTEEN

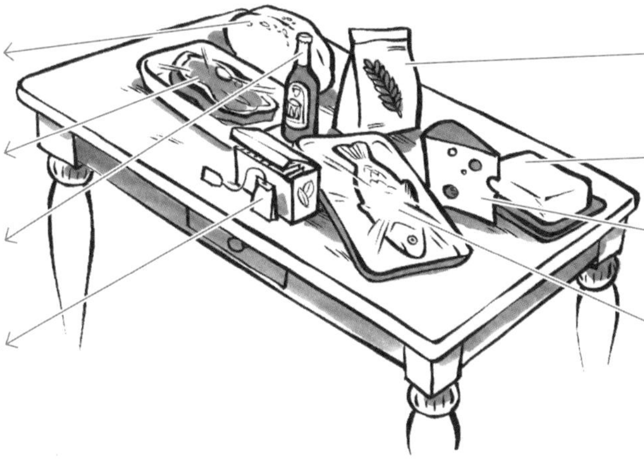

a ....
b ....
c ....
d ....
e ....
f ....
g Käse
h ....

◇ **C2 16 Wie heißen die Wörter? Ergänzen Sie.**

a Reis
b ....
c ....
d ....
e ....
f ....

Hallo Jonas, kaufst du bitte
-R
-Zu er
-Mil
-W n
-S okola
-Mineralw r
Danke. Jenny

❖ **C2 17 Wie heißen die Wörter? Ergänzen Sie.**

a cekruZ Zucker
b alSz ....
c Berttu ....
d esüGme ....
e stbO ....
f chsFi ....

C3 18 Satzmelodie in Fragen

1 28 **a** Hören Sie und ergänzen Sie die Satzmelodie: ↗ oder ↘.

Phonetik

◆ Haben Sie Salz? ↗
○ Salz? ↗
Ja, natürlich. ↘

◆ Ich brauche Salz. ↘
Wo ist das denn? ↘
○ Hier. ↘

1
◆ Brauchen wir Käse? ↗
○ Nein. ......
◆ Wo haben wir Käse? ......
○ Hier. ......

2
◆ Ist das Zucker? ......
○ Nein. ...... Das ist Salz. ......
◆ Und was ist das? ......
○ Das ist Mehl. ......

3
◆ Haben wir Reis? ......
○ Nein. ......
◆ Wir brauchen Reis. ......
Was brauchen wir noch? ......
○ Tee und Schokolade. ......

b Hören Sie noch einmal und spielen Sie dann die Gespräche.

C3 19 Verbinden Sie.

a Brauchen wir Mineralwasser?	1 Eva.
b Was brauchen wir?	2 Nein, ich heiße Markus.
c Hast du Reis?	3 Nein.
d Ist das Wein?	4 Nein, tut mir leid.
e Wie heißt du?	5 Nein, das ist Frau Meier.
f Ist das Frau Kurowski?	6 Nein, mein Familienname.
g Heißt du Nikolaj?	7 Nein, das ist Bier.
h Herrmann – Ist das Ihr Vorname?	8 Ja, aus Graz.
i Kommst du aus Österreich?	9 Obst.

(a – 3)

C3 20 Ergänzen Sie die Tabellen.

Grammatik entdecken

~~Meine Oma heißt Olga.~~ | ~~Kennst du meine Oma?~~ | Wie ist Ihr Name? | Heißt du Julia? | Wohnst du in Leipzig? | Mein Bruder heißt Max. | Ich heiße Adem. | Ist Adem Ihr Vorname? | Kommen Sie aus der Türkei? | Woher kommen Sie? | Wir haben drei Kinder. | Sind Sie Herr Brummer?

Meine Oma	heißt	Olga.
Wie		

Kennst	du meine Oma?

◇ C3 21 Schreiben Sie Fragen.

a du – kommst – woher Woher kommst du?
b Sie – aus Italien – kommen ...
c Sie – in Deutschland – wohnen ...
d geboren – Sie – wo – sind ...
e leben – in Österreich – du ...
f wohnen – Sie – wo ...

❖ C3 22 Schreiben Sie Fragen.

a ◆ Wie heißen Sie? ○ Ich heiße Martin.
b ◆ ... Ihr Vorname? ○ Nein, das ist mein Familienname.
c ◆ ...? ○ Mein Bruder.
d ◆ ... Kunzmann? ○ Nein, ich heiße Künzelmann.
e ◆ ...? ○ Ja, ich habe eine Tochter.
f ◆ ...? ○ Danke gut. Und Ihnen?
g ◆ ... Österreich? ○ Nein, aus der Schweiz.
h ◆ ... Frankfurt? ○ Nein, ich wohne in Heidelberg.

D Preise und Mengenangaben

D2 **23 Preise**

a Wie sagt man das? Ergänzen Sie.

1 3,49 € drei Euro neunundvierzig

2 8,90 € ....

3 11,65 € ....

4 0,77 € ....

5 0,50 € ....

1 🔊 29 **b** Hören Sie und sprechen Sie nach.

D2 **24 Hören Sie und verbinden Sie die Zahlen.**

1 🔊 30

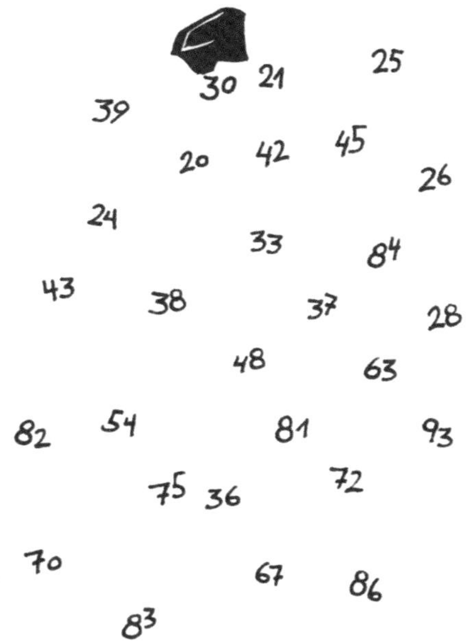

D3 **25 Was kauft Herr Schwarz? Lösen Sie das Rätsel.**

A													
B		W	U	R	S	T							
C				K						C			
D		A											
E													
F	M												

Lösung: Herr Schwarz kauft ....

D3 **26 Ordnen Sie zu.**

Liter | Packung | Kilo | Flasche | Becher | Gramm | ~~Dose~~

◆ Na, was brauchst du denn?

○ Eine Dose Tomaten, 200 .... Wurst, eine .... Öl, zwei .... Milch, zwei .... Orangen und eine .... Kaffee, bitte. Und was kostet ein Joghurt?

◆ Ein .... kostet 49 Cent, fünf kosten zwei Euro.

D3 **27 Ergänzen Sie: *kostet – kosten*.**

a ◆ Was kostet eine Flasche Tomatensaft? ○ 4,79 Euro.

b ◆ Was? ... Und wie viel .... ein Pfund Brot? ○ 3,50 Euro.

c ◆ Nein, kein Brot. Was .... zehn Brötchen? ○ 4,20 Euro.

d ◆ 4,20 Euro?! Nein, danke. Was .... 200 Gramm Käse? ○ 4,99 Euro.

e ◆ 4,99 Euro, pfff! Und wie viel .... eine Flasche Wein? ○ 12 Euro.

E3 28 Essen und Trinken. Was passt nicht? Streichen Sie.

a Steak – ~~Gemüsesuppe~~ – Hähnchen
b Cola – Kaffee – Durst
c Salz – Saft – Pfeffer
d Durst – Gemüse – Hunger
e Fleisch – Fisch – Salat
f reichen – trinken – essen
g Pizza – Soße – Pommes
h essen – trinken – kochen

E4 29 Ordnen Sie zu.

esst | esse | ~~essen~~ | trinke | esse | isst | Trinken | esse

1 *Wir* essen *gern Fisch. Was* ______ *ihr gern?*

2 *Hm, ich* ______ *auch gern Fisch. Aber hier ist mein Lieblingsessen: Steak mit Salat.*

3 *Ja, das* ______ *ich auch und ich* ______ *dazu Wein. Mein Lieblingswein ist Bordeaux. Und du, Julia, was* ______ *du?*

4 *Ich* ______ *Hähnchen und Pommes.* ______ *wir zusammen Mineralwasser?*

E4 30 Ordnen Sie zu.

trinkst gern | nicht so gern | sehr gern | Lieblingsgetränk | ist sehr lecker | ~~isst du gern~~

◆ Julius, isst du gern Würstchen mit Pommes?
○ Ja, ______ ! Und du?
◆ Na ja, ich esse ______ Fleisch. Aber meine Gemüsesuppe ______ ! Und die Portion ist groß!
○ Und du ______ Kaffee, oder?
◆ Ja! Kaffee ist mein ______ . Ein Kaffee pro Tag reicht nicht. Ich brauche zwei oder drei.

◇ E4 31 Ordnen Sie die Antworten zu.

Fisch schmeckt nicht so gut. | Das ist mein Lieblingsessen. | ~~Ja, sehr gern!~~ | Das schmeckt lecker! | Nein, nicht so gern.

Isst du gern Fisch?

☺	☹
Ja, sehr gern!	

❖ E4 32 Lieblingsessen

a Ordnen Sie das Gespräch.

Ich trinke gern Wein. Aber jetzt habe ich Durst. | Ich esse gern Fisch und Salat. Und du, Niklas? | Danke! | ~~Was isst du gern, Lena?~~ | Hier: eine Flasche Mineralwasser. | Mein Lieblingsessen ist Hähnchen mit Pommes. Und ich esse sehr gern Suppen. Isst du gern Suppen? | Na ja, Suppen esse ich nicht so gern. Was trinkst du gern?

◆ Was isst du gern, Lena?
○ ...

1 🔊 31 **b** Hören Sie und vergleichen Sie.

E4 33 Lesen Sie und kreuzen Sie an: richtig oder falsch?

LERNTIPP Lesen Sie zuerst die Aufgabe. Markieren Sie wichtige Wörter. Suchen Sie dann die Informationen im Text.

Prüfung

a In der Mensa

Sonderangebot:
Wurstbrötchen ~~1,49~~ € 0,99 €
Apfelkuchen ~~1,99~~ € 1,39 €

Ein Wurstbrötchen kostet 99 Cent. ○ richtig ○ falsch

b In der Sprachenschule

Pause!	Mineralwasser	0,80 €
Wir haben für Sie:	Kaffee und Tee	1,00 €
	Säfte (Apfel, Birne, Orange ...)	1,20 €

Ein Kaffee kostet 1,20 Euro. ○ richtig ○ falsch

c Im Supermarkt

Rezept-Idee

Bananenpfannkuchen
250 g Mehl
5 Eier
½ l Milch
Salz
25 g Zucker
2 Bananen

Alles zusammen nur: 5 Euro!

Für Bananenpfannkuchen brauchen Sie ½ Pfund Mehl. ○ richtig ○ falsch

Test Lektion 3

1 Bilden Sie Wörter und ordnen Sie zu.

1 ____ /5 Punkte — WÖRTER

was ~~Jo~~ Kar ghurt schen feln ne Fla cher Mi tof ser Be Jo ~~Ki~~ ral

a ein Kilo ____________ ____________

b zwei ____________ ____________

c zwei ____________ ____________

____ 0–2 / 3 / 4–5

2 Schreiben Sie Fragen.

2 ____ /4 Punkte — GRAMMATIK

a Sind das Äpfel? (das – Äpfel – sind)
b ____________? (Brot – bitte – du – kaufst)
c ____________? (möchten – Sie – was)
d ____________? (wir – brauchen – Orangen)
e ____________? (brauchen – was – wir)

3 Ordnen Sie zu.

3 ____ /7 Punkte

ein ein eine eine kein keine keine ~~meine~~

a
◆ Hmm, Schokolade!
○ He! Das ist meine Schokolade.

b
◆ Haben Sie Äpfel?
○ Nein, tut mir leid. Ich habe ______ Äpfel.

c
◆ Wie heißt das auf Deutsch?
○ Das ist ______ Würstchen.
◆ Und ist das ______ Birne?
○ Nein. Das ist doch ______ Birne.
◆ Ist das ______ Ei?
○ Nein, das ist ______ Ei, das ist ______ Kartoffel.

4 Ergänzen Sie.

4 ____ /5 Punkte

a eine Banane fünf Bananen
b ein Kuchen vier ______
c ein Würstchen zwei ______
d eine Kiwi drei ______
e ein Ei sechs ______
f ein Brot zwei ______

____ 0–8 / 9–12 / 13–16

5 Ordnen Sie zu.

5 ____ /4 Punkte — KOMMUNIKATION

Nein, danke Haben Sie Sonst noch etwas ~~Ich brauche~~ Wie viel kostet

◆ Ich brauche Birnen. (a) ______________ Birnen? (b)
○ Ja, natürlich.
◆ ______________ ein Kilo Birnen? (c)
○ Ein Kilo Birnen kostet 2,99 €, bitte.
◆ Gut. Ein Pfund, bitte.
○ Sehr gern. ______________? (d)
◆ ______________. (e)

____ 0–2 / 3 / 4

1 Stefano Donatelli braucht Getränke für die Bar.

Lesen Sie den Einkaufszettel und ergänzen Sie das Online-Formular.

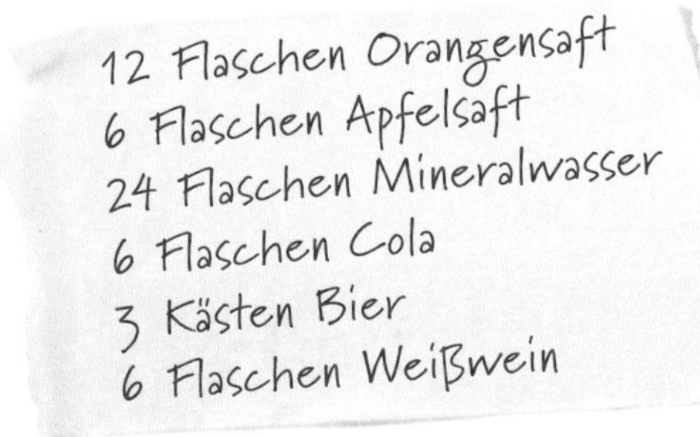
12 Flaschen Orangensaft
6 Flaschen Apfelsaft
24 Flaschen Mineralwasser
6 Flaschen Cola
3 Kästen Bier
6 Flaschen Weißwein

Der Online-Getränkemarkt in Berlin-Kreuzberg

WILLKOMMEN | BESTELLEN | ADRESSE EINGEBEN | BEZAHLEN | BESTELLUNG PRÜFEN

▸ **Bitte prüfen Sie Ihre Bestellung.**

Lieferadresse	**Rechnungsadresse**	**Zahlungsart**
Bar Extra-3 Bergmannstr. 33 10961 Berlin	Stefano Donatelli Zossener Str. 14 10961 Berlin	Kreditkarte

Ihre Bestellung

Produkt	Preis in Euro	Menge	Gesamtpreis in Euro
Orangensaft 6 x 1 l	9,60	2 (a)	19,20
Apfelsaft (b) 6 x 1 l	9,00	1	.... (c)
Mineralwasser 12 x 0,7 l	7,20	.... (d)	14,40
Cola 6 x 1 l	7,80	1	.... (e)
.... (f) (1 Kasten/24 Flaschen)	21,60	3	64,80
Weißwein 6 x 0,75 l	22,80	.... (g)	22,80
Preis			138,00
zzgl. Mehrwertsteuer 19 %			26,22
Gesamtpreis			164,22

jetzt kaufen

2 Was ist richtig? Lesen Sie noch einmal und kreuzen Sie an.

a Die Rechnung geht an ☒ Stefano Donatelli, Zossener Str. 14, 10961 Berlin.
○ Bar Extra-3, Bergmannstr. 33, 10961 Berlin.

b Die Getränke kosten zusammen ○ 164,22 Euro. ○ 26,22 Euro.

c Stefano kauft ○ auf Rechnung. 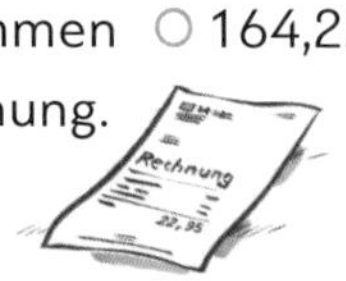 ○ mit Kreditkarte. 

A Das Bad ist dort.

A1 **1 Wie heißen die Wörter? Ergänzen Sie.**

a lurF Flur
b echüK _____
c erihnzmmWo _____
d Tettiole _____
e laBnok _____
f dBa _____

A1 **2 Ordnen Sie die Wörter aus 1 zu und ergänzen Sie: *der – das – die.***

• ein/der	• ein/_____	• eine/_____
Flur	_____	_____
_____	_____	_____

A2 **3 Ergänzen Sie: *ein – eine – der – das – die.***

a

◆ Herzlich willkommen. Das ist meine Wohnung.
○ Schön! Aber sagen Sie mal, ist hier auch ein Bad?
◆ Natürlich, hier ist alles: _____ Schlafzimmer, _____ Wohnzimmer, auch _____ Bad und _____ Balkon.

b
◆ _____ Wohnzimmer ist hier.
○ Oh, _____ Wohnzimmer ist klein!

d
◆ Hier ist _____ Schlafzimmer.
○ Ah, ja!

c
○ Ach, und hier ist _____ Bad?
◆ Ja, das ist _____ Bad.

e
○ Haben Sie auch _____ Küche?
◆ Ja, _____ Küche ist dort.

◇ A2 **4 Ordnen Sie zu.**

• ~~das Foto~~ • eine Bäckerei • eine Stadt • die Bäckerei • ein Foto • die Hauptstadt • die Stadt • eine Stadt

a Wien ist _____. Wien ist _____ von Österreich.
b Kiel ist _____ in Norddeutschland. _____ ist sehr schön.
c ◆ Entschuldigung. Ist hier _____?
○ Ja, dort im „MiniPlus".
_____ dort ist gut und billig.
d Das ist _____ von Tim.
Das Foto ist sehr alt.

❖ A2 5 **Ergänzen Sie: *ein – eine – der – das – die* oder /.**

a

- ◆ Ich gehe jetzt einkaufen. Ist noch ___/___ Obst da? Und auch noch ________ Mineralwasser?
- ○ Oh, hier sind ___die___ Sonderangebote: ________ Mineralwasser kostet 42 Cent pro Flasche. Auch ________ Obst ist billig und ________ Fleisch kostet 7 Euro 49.
- ◆ Wir brauchen kein Fleisch. Wir brauchen Brot.
- ○ Super! Dort ist auch ________ Bäckerei. ________ Kuchen dort ist gut!

b

- ◆ Ich studiere in Frankfurt. Kennst du Frankfurt?
- ○ Nein, ist das ________ schöne Stadt?
- ◆ Ja, ________ Stadt ist schön.

c

- ◆ Das ist ________ Flasche Wein aus Italien.
- ○ Hmm, ________ Wein ist sehr gut.

d

- ◆ Ist hier auch ________ Balkon?
- ○ Ja, ________ Balkon ist dort.

e

- ◆ Entschuldigung, ist hier ________ Toilette?
- ○ Ja, ________ Toilette ist dort.

A2 6 **Sehen Sie das Bild an und ergänzen Sie: *hier – dort*.**

- ◆ Entschuldigung, ist das Joghurt?
- ○ Nein, das ist Sahne. Der Joghurt ist ___hier___ .
- ◆ Und sagen Sie mal, haben Sie auch Brötchen?
- ○ Nein, nur Brot, tut mir leid. Das Brot finden Sie ________ .
- ◆ Und Obst? Haben Sie Obst?
- ○ Ja, natürlich. Das Obst ist ________ .
- ◆ Und wo finde ich Butter und Tee?
- ○ Die Butter ist ________ und der Tee ist ________ .

A2 7 **Ordnen Sie die Wörter in Gruppen.**

Suchen Sie im Wörterbuch und ergänzen Sie: • *der* – • *das* – • *die*.

LERNTIPP Lernen Sie Wörter in Wortgruppen.

~~Apfel~~ Banane Brot Brötchen ~~Bruder~~ Ei Familienname Fisch Flasche Fleisch Frau Gemüse Getränk Hausnummer Joghurt Kartoffel Käse Kind Kuchen Land Mann Milch Mutter Nummer Obst Orange ~~Partner~~ Partnerin Postleitzahl Salz Schwester Sohn Sprache Stadt ~~Straße~~ Tee Telefonnummer Tochter Tomate Vater Vorname Wein

Familie: • der Bruder, ...
Name und Adresse: • die Straße, ...
Essen und Trinken: • der Apfel, ...
im Deutschkurs: • der Partner, ...

B Das Zimmer ist sehr schön. Es kostet ...

B1 **8 Schreiben Sie die Sätze mit *nicht* oder *sehr*.**

a Das Zimmer ist groß. Das Zimmer ist nicht groß.
b Das Zimmer ist klein. ....
c Das Zimmer ist hell. ....
d Das Zimmer ist dunkel. ....
e Das Zimmer ist schön. ....
f Das Zimmer ist hässlich. ....

B1 **9 *nicht* oder *kein/keine*?**

Grammatik entdecken

a Ergänzen Sie Pfeile und kreuzen Sie an.

1 Das ist ○ nicht ⊗ kein Apfel. Das ist eine Tomate.
2 Ich habe ○ nicht ○ keine Kinder.
3 Ich lebe ○ nicht ○ kein in Österreich.
4 Das Zimmer ist ○ nicht ○ kein teuer.
5 Ich bin ○ nicht ○ kein verheiratet.
6 Ich habe ○ nicht ○ kein Arbeitszimmer.

b Ergänzen Sie mit den Beispielen aus a.

kein/keine + Nomen
kein Apfel
....
....

nicht + ...
nicht in Österreich
....
....

B1 **10 Lesen Sie und schreiben Sie.**

Also, Sie sind Fernando Álvarez und Sie kommen aus Mexiko. Sie sind 35. Ihre Frau heißt María. Sie haben ein Haus und wohnen in Nürnberg. Sie sprechen Englisch und Sie lernen Deutsch.

Nein, das ist nicht richtig.
Ich bin nicht Fernando Álvarez und
....
... Ich spreche schon gut Deutsch!

B2 **11 Ergänzen Sie: *er – es – sie*.**

a ◆ Was kostet die Wohnung? ○ Sie kostet 469,– Euro.
b ◆ Die Küche ist schön. ○ Ja, ... ist sehr hell.
c ◆ Wo ist der Balkon? ○ Hier. .... ist klein, aber sehr schön.
d ◆ Und das Bad? Wo ist das Bad? ○ Dort. .... ist groß, aber sehr dunkel.
e ◆ Und hier ist das Wohnzimmer. ○ Schön! .... ist sehr groß.

B

◇ B2 12 Verbinden Sie und markieren Sie.

a Das Zimmer ist sehr teuer.	Es ist sehr hell.
b Die Wohnung ist nicht teuer.	Er ist sehr groß.
c Der Balkon ist schön.	Es kostet 649,– Euro.
d Das Wohnzimmer ist toll.	Sie kostet 325,– Euro.

❖ B2 13 Ergänzen Sie: *der – das – die* und *er – es – sie*.

Wie ist das (a) Zimmer in Leipzig?

Gut, ... (b) ist billig. Und .... (c) Balkon ist toll. Aber er (d) ist ganz klein.

Und .... (e) Stadt?
Wie ist .... (f) Stadt?

.... (g) ist sehr schön. .... (h) Park ist auch super, ... (i) ist sehr groß.

Und wie ist .... (j) Deutschkurs?

.... (k) ist gut.

Ist .... (l) Lehrerin auch gut?

Ja, ... (m) ist super!

B3 14 Ergänzen Sie.

a  Das Zimmer ist hell.  Das Zimmer ist dunkel.

b  Das Haus ist ....  Das Haus ist ....

c  Der Balkon ist ....  Der Balkon ist ....

d  Die Straße ist ....  Die Straße ist ....

B3 15 Wie heißt das Gegenteil? Schreiben Sie Sätze.

a Der Balkon ist groß. Er ist nicht groß, er ist klein.
b Der Flur ist breit. ....
c Das Arbeitszimmer ist hell. ....
d Die Küche ist neu. ....
e Das Haus ist teuer. ....
f Die Küche ist schön. ....

C Die **Möbel** sind sehr schön.

C1 16 Wortakzent

1 32 **a** Hören Sie und markieren Sie die Betonung: ____.

Phonetik

1. wohnen – das Zimmer – das Wohnzimmer – das Schlafzimmer – das Kinderzimmer
2. die Küche – der Schrank – der Küchenschrank – der Kühlschrank
3. die Orange – der Saft – der Orangensaft – der Apfelsaft
4. der Wein – die Flasche – die Weinflasche
5. der Käse – das Brötchen – das Käsebrötchen

1 33 **b** Hören Sie noch einmal und sprechen Sie nach.

C1 17 Was fehlt hier? Ergänzen Sie.

A

• der Fernseher
• das

B

C

D
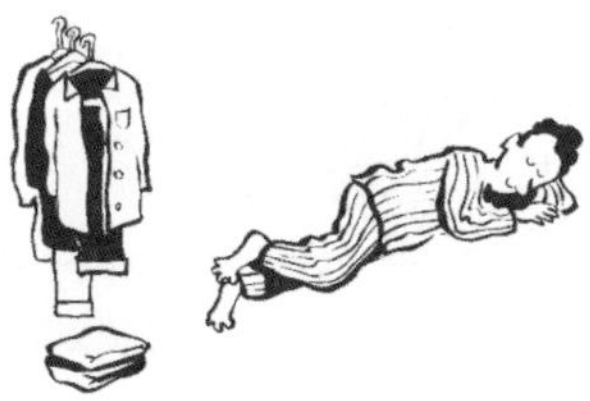

E

C2 18 Suchen Sie im Wörterbuch.

Regal – *der*, *das* oder *die*? Ergänzen Sie.

.... Regal 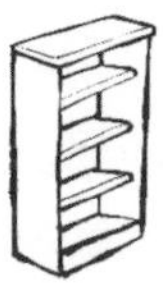 die .... 

So finden Sie es im Wörterbuch:

Stuhl der; -(e)s, Stühle

der Stuhl,
die Stühle

Bett n; -(e)s, -en

das Bett,
die Betten

n = neutral =
• = das/ein

Lampe f; -, -n

die Lampe,
die Lampen

f = feminin =
• = die/eine

Fernseher m; -s, -

der Fernseher,
die Fernseher

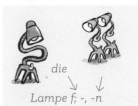

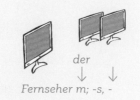

m = maskulin =
• = der/ein

C

◇ C2 **19 Suchen Sie im Wörterbuch und ergänzen Sie.**

a	• der	Tisch	• die Tische	e	______	Wohnung	______
b	______	Dusche	______	f	______	Zimmer	______
c	______	Bad	______	g	______	Küche	______
d	______	Haus	______	h	______	Kühlschrank	______

❖ C2 **20 Was ist wirklich im Zimmer?**
Sehen Sie das Bild an und korrigieren Sie.

a Im Zimmer sind viele Möbel. Da ist ein Sessel. Der Sessel ist schön.
b Im Zimmer sind auch zwei Sofas und da ist ein Teppich.
c Im Zimmer ist kein Regal.
d Dort ist auch keine Lampe.
e Aber da ist ein Bett und da ist eine Waschmaschine.
f Im Zimmer ist auch ein Tisch und ein Stuhl. Der Stuhl ist alt.
g Da ist kein Schreibtisch.

a Im Zimmer sind viele Möbel. Da sind zwei Sessel. ...

C2 **21 Suchen Sie 20 Nomen aus den Lektionen 1–4 (Seite LWS 2–15).**
Machen Sie eine Tabelle und ergänzen Sie den Plural.

LERNTIPP Lernen Sie Nomen immer mit Plural.

-/¨	-(e)n	-e/¨e	-er/¨er	-s
• das Waschbecken	• die Badewanne	• das Elektrogerät	• das Bad	• das Sofa
• die Waschbecken	• die Badewannen	• die Elektrogeräte	• die Bäder	• die Sofas

C2 **22 Ergänzen Sie:** ***Sehr gut – Gut – Ganz gut – Es geht – Nicht so gut.***

Wie gefällt Ihnen das Sofa hier?
€ 1900.-

○ (☺☺) ______ . Es ist sehr modern.
▲ (😐) Es geht . Es ist auch sehr groß.
◻ (😐) ______ . Aber es ist sehr teuer.
✚ (☹) ______ . Es ist sehr hässlich.
◆ (☺) ______ . Die Farbe ist schön.

C2 23 Ergänzen Sie die Fragen und schreiben Sie Antworten.

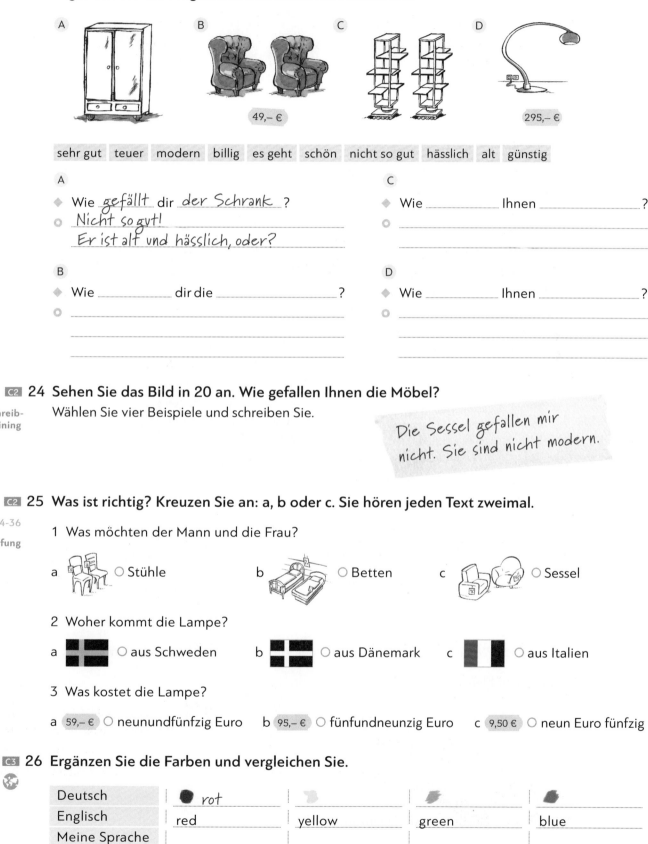

A

B

49,– €

C

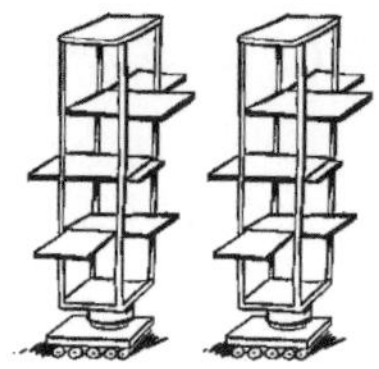

D

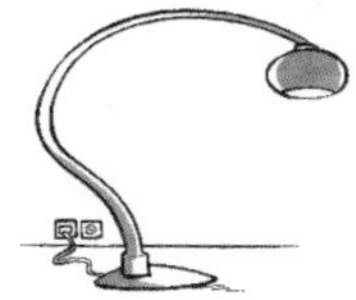

295,– €

sehr gut | teuer | modern | billig | es geht | schön | nicht so gut | hässlich | alt | günstig

A
- ◆ Wie gefällt dir der Schrank ?
- ○ Nicht so gut!
  Er ist alt und hässlich, oder?

B
- ◆ Wie ………… dir die ………… ?
- ○ …………

C
- ◆ Wie ………… Ihnen ………… ?
- ○ …………

D
- ◆ Wie ………… Ihnen ………… ?
- ○ …………

C2 24 Sehen Sie das Bild in 20 an. Wie gefallen Ihnen die Möbel?

Schreibtraining

Wählen Sie vier Beispiele und schreiben Sie.

Die Sessel gefallen mir nicht. Sie sind nicht modern.

C2 25 Was ist richtig? Kreuzen Sie an: a, b oder c. Sie hören jeden Text zweimal.

1 🔊 34-36

Prüfung

1 Was möchten der Mann und die Frau?

a  ○ Stühle b 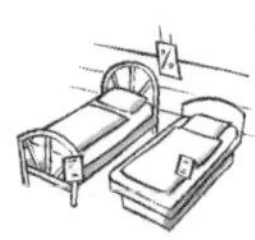 ○ Betten c  ○ Sessel

2 Woher kommt die Lampe?

a  ○ aus Schweden b  ○ aus Dänemark c  ○ aus Italien

3 Was kostet die Lampe?

a 59,– € ○ neunundfünfzig Euro b 95,– € ○ fünfundneunzig Euro c 9,50 € ○ neun Euro fünfzig

C3 26 Ergänzen Sie die Farben und vergleichen Sie.

Deutsch	rot			
Englisch	red	yellow	green	blue
Meine Sprache				

D Wohnungsanzeigen

D2 27 Welche Zahlen hören Sie?

1 37 Markieren Sie die Zahlen und ergänzen Sie die Lösung.

I	S	M	G	E	U	B	K	P	E	F	S	N	W	O
187	943	98	35	76	178	934	53	262	67	89	226	27	373	72

Lösung: S ____ ____ ____ ____ ____

D5 28 Wohnungsanzeigen

a Lesen Sie die Wohnungsanzeigen und markieren Sie die Abkürzungen a–i. Ordnen Sie dann zu.

Wohnungsmarkt

1 **Vermiete Apartment, ca. 30 m²**, möbliert mit TV, für maximal 1 Jahr, € 320, Anruf ab 18 Uhr unter 0761/4330915

2 **2-Zi.-Whg.**, ca. 55 qm, Gart., Einbauküche, ab sofort für € 480 warm an Ehepaar zu vermieten Tel. 07633/2164

3 **3-Zi.-Whg.**, 5. Stock, 84 m², Balk., nur 700,- € + Nebenkosten + Tiefgarage, Südbau Immobilien 07632/485311

4 **Schöne 3-Zi.-Whg.,** 80 qm, 2 Balkone, Garage, 550,- € + Nebenkosten € 140,-, 2 Monatsmieten Kaution, Handynr. 0172/4885632

5 **Von privat: helle 4-Zi.-Whg., schöner Balk., 800 Euro + Nebenkosten/Kaution 07668/942630**

• das Zimmer • der Balkon • die Wohnung • der Fernseher ~~circa~~ • der Garten • der Quadratmeter • das Telefon • der Euro

a Balk. ____
b ca. circa
c Zi. ____
d Tel. ____
e Whg. ____
f € ____
g qm/m² ____
h Gart. ____
i TV ____

b Lesen Sie die Wohnungsanzeigen noch einmal. Was ist richtig? Kreuzen Sie an.

1 ☒ Das möblierte Apartment kostet 320 Euro im Monat.
2 ○ Die 84-Quadratmeter-Wohnung hat vier Zimmer.
3 ○ Die Miete für die 4-Zimmer-Wohnung ist 700 Euro.
4 ○ Die 3-Zimmer-Wohnung hat zwei Balkone.
5 ○ Die 2-Zimmer-Wohnung ist 60 Quadratmeter groß.

LERNTIPP Lesen Sie zuerst die Aufgabe. Welche Anzeige passt? Lesen Sie dann diese Anzeige genau.

1 38 **c** Hören Sie das Gespräch.
Welche Anzeige aus a passt? Ergänzen Sie.
Anzeige: ____

E Mein Schreibtisch ist ...

E2 29 Was passt nicht? Streichen Sie.

a Herd – Kühlschrank – ~~Tisch~~ – Lampe
b weiß – rot – modern – grau
c Stuhl – Sofa – Schrank – Sessel
d klein – groß – egal – breit
e Badewanne – Holz – Waschbecken – Dusche
f Heft – Buch – Stift – Meter
g Waschmaschine – Schreibtisch – Computer – Regal
h lang – breit – dunkel – hoch

E3 30 Meine Wohnung

1 39 **a** Hören Sie und korrigieren Sie die Sätze.

1 ~~Cristina~~ hat eine neue Wohnung. Matilda
2 Die Wohnung hat ein Zimmer, Küche und Bad. ....
3 Matilda gefällt der Balkon besonders gut. ....
4 Das Bad ist groß. ....
5 Die Wohnung hat circa 55 Quadratmeter. ....
6 Sie kostet 540 Euro pro Monat. ....

1 40 **b** Was braucht Matilda? Hören Sie und kreuzen Sie an.

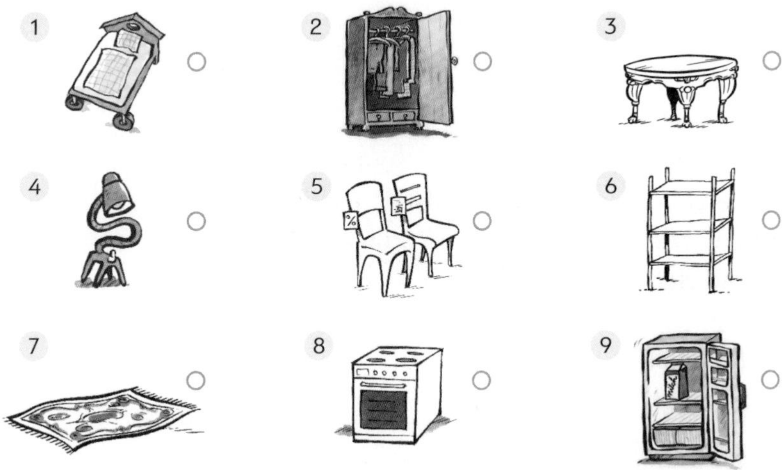

E3 31 *e, i* – lang oder kurz?

1 41 **a** Hören Sie und markieren Sie: lang (e̲, i̲) oder kurz (ẹ, ị).

Phonetik

das Bẹtt – das E̲hepaar – der Tee – die Adresse – zehn Meter – sechzig Zentimeter – die Miete – der Tisch – das Zimmer – die Musik – die Familie

1 42 **b** Hören Sie noch einmal und sprechen Sie nach.

E3 32 Hören Sie und sprechen Sie nach.

1 43
Phonetik

Ich lebe jetzt in England.
Möchten Sie etwas Tee?
Lesen Sie bitte den Text.
Die Miete ist billig. – Das ist richtig.
Wo ist das Kinderzimmer? – Hier.
Zwei Liter Milch und ein Kilo Fisch, bitte.

Test Lektion 4

1 Wie heißt das Gegenteil? Ergänzen Sie.
1 .... /5 Punkte WÖRTER

a teuer billig ....   c schön ....   e hell ....
b neu ....   d breit ....   f klein ....

2 Bilden Sie Wörter und ordnen Sie zu. Ergänzen Sie: *der – das – die.*
2 .... /5 Punkte

~~Kü~~ pe Kühl mer ~~che~~ Schreib zim sel Wohn Lam schrank tisch Ses

Wohnung	Möbel	Elektrogeräte
die Küche	....	....
....	....	....

.... 0–5 / 6–7 / 8–10

3 Ergänzen Sie die Wörter aus 2 wie im Beispiel.
3 .... /5 Punkte GRAMMATIK

a die Küchen   c ....   e ....
b ....   d ....   f ....

4 Im Möbelhaus: Ergänzen Sie: *er – es – sie.*
4 .... /4 Punkte

- ◆ Der Schrank ist sehr schön. Was kostet er (a)?
- ○ .... (b) kostet 500 Euro.
- ◆ Aha. Und was kostet das Regal dort?
- ○ Nur 125 Euro. .... (c) ist auch sehr modern.
- ◆ Ja, das finde ich auch. Die Lampe ist auch schön. Ist .... (d) teuer?
- ○ Nein. Und schauen Sie mal: Wie gefallen Ihnen die Stühle?
- ◆ Nicht so gut. .... (e) sind ziemlich schmal.

5 Ergänzen Sie *nicht* oder *kein/keine.*
5 .... /3 Punkte

a Das ist Alina. Sie kommt nicht aus der Schweiz. Sie kommt aus Österreich.
b Sie ist .... verheiratet und sie hat .... Kinder.
c Sie hat .... Wohnung. Sie wohnt bei Freunden.

.... 0–6 / 7–9 / 10–12

6 Ordnen Sie zu.
6 .... /6 Punkte KOMMUNIKATION

~~Das ist super~~ Wie groß sind sie er findet Sag mal gefällt mir gut
Oh, das ist schön neu und modern

- ◆ .... (a), wie ist denn deine Wohnung?
- ○ Sie .... (b)! Die Küche ist ganz .... (c).
- ◆ .... (d). Und die Zimmer? .... (e)?
- ○ Sie sind ziemlich klein, aber hell.
- ◆ Was sagt denn Julian? Gefällt Julian die Wohnung auch?
- ○ Ja, ... (f) sie auch sehr schön.
- ◆ Das ist super (g)!

.... 0–2 / 3–4 / 5–6

1 Im Büro: Sehen Sie das Bild an und ordnen Sie zu.

~~Hund~~ | Pizza essen | ~~Handy~~ | rauchen | Musik hören | privat telefonieren

A ....
B ....
C ....
D Hund
E Handy
F ....

2 Lesen Sie den Text. Welche Informationen finden Sie? Kreuzen Sie an.

○ Was macht die Firma?
○ Wer arbeitet in dem Büro?
○ Was ist hier erlaubt ✓, was ist verboten ✗?

Goldene Büro-Regeln

Lärm

Sprechen Sie leise.
Bitte: keine Musik und keine Handys!

Essen und Rauchen
Essen und Rauchen am Schreibtisch ist verboten. Aber wir haben eine Küche und einen Balkon.

Telefonieren
Das Telefon ist nur für die Arbeit. Bitte telefonieren Sie nicht privat.

Haustiere
Hunde sind im Büro nicht erlaubt.

3 Lesen Sie den Text noch einmal und sehen Sie das Bild in 1 an.

Ist das erlaubt? Kreuzen Sie an.

	A	B	C	D	E	F
ja	☒	○	○	○	○	○
nein	○	○	○	○	○	○

A Ich **räume** mein Zimmer **auf**.

A2 **1 Lösen Sie das Rätsel.**

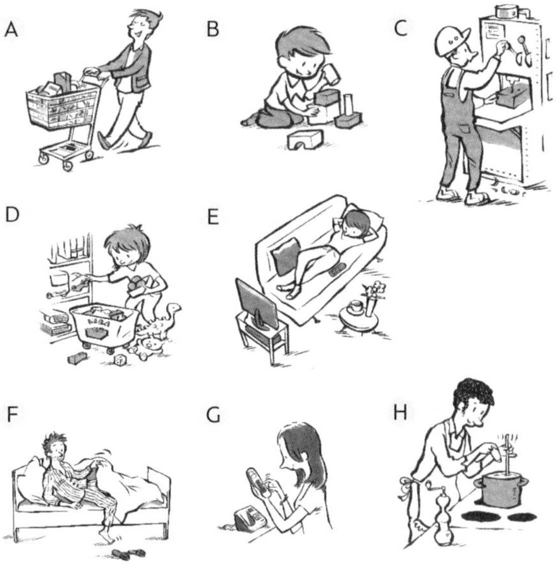

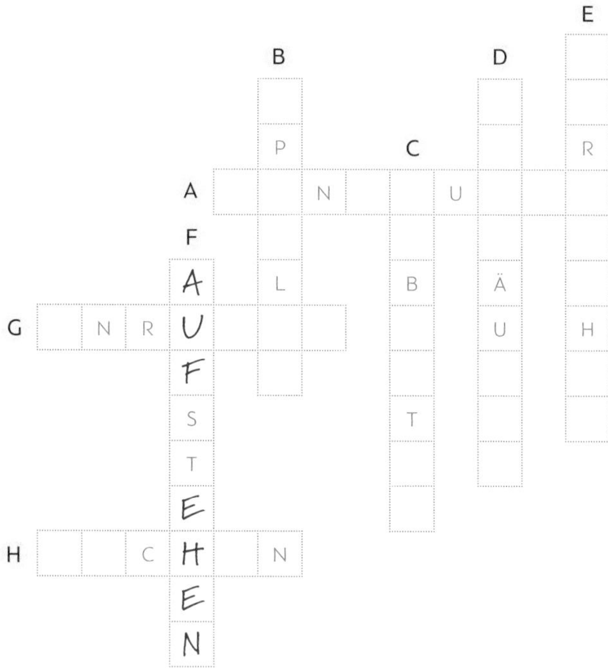

A2 **2 Frau Bonds Tag**

Grammatik entdecken

a Markieren Sie.

1 Frau Bond steht früh auf.
2 Sie frühstückt.
3 Sie arbeitet lange.
4 Sie kauft im Supermarkt ein.
5 Sie kocht das Abendessen.
6 Sie räumt die Wohnung auf.
7 Sie ruft Wiebke in Hamburg an.
8 Sie sieht noch ein bisschen fern.

b Ergänzen Sie die Sätze aus a.

Frau Bond	steht	früh	auf.
Sie	frühstückt.		

A2 **3 Lesen Sie. Was denkt Martin? Schreiben Sie.**

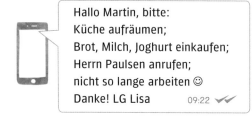

Hallo Martin, bitte:
Küche aufräumen;
Brot, Milch, Joghurt einkaufen;
Herrn Paulsen anrufen;
nicht so lange arbeiten ☺
Danke! LG Lisa 09:22

Okay, Lisa. Ich räume die Küche auf.

◇ A2 **4 Schreiben Sie Sätze.**

a rufe – ich – Frau Neumann – an –. Ich rufe Frau Neumann an.
b die Küche – auf – immer – räumt – er – . ____________
c Frühstück – machen – wir – jetzt – . ____________
d arbeitet – meine Frau – sehr lange – . ____________
e fern – gern – mein Sohn – sieht –. ____________
f ich – früh – stehe – auf –. ____________

❖ A2 **5 Schreiben Sie Sätze.**

a
◆ Hallo, Leonie, was machst du?
○ Ich arbeite lange. Ich ____________
____
(lange arbeiten – früh ins Bett gehen)

b
◆ Hi, Flori, ich ____________
____
____
____________ (jetzt Fleisch und Gemüse einkaufen – zusammen kochen?)
○ Ja, super!

c
◆ Lernen wir zusammen Deutsch?
○ Ach nein. Ich bin müde. ____________
____
____
(ein bisschen fernsehen)

d
◆ Sina, räumst ____________
____
(die Küche aufräumen?)
○ Ja, gut.

A2 **6 Wortakzent und Satzakzent**

1 🔊 44 Phonetik
a Hören Sie die Wörter und markieren Sie die Betonung: ___.
frühstücken – arbeiten – kochen – aufstehen – einkaufen – aufräumen – fernsehen

1 🔊 45
b Hören Sie die Sätze und markieren Sie die Betonung: ___.

Ich stehe auf.	Ich arbeite.	Ich koche.	Ich sehe fern.
Ich frühstücke.	Ich kaufe ein.	Ich räume auf.	

1 🔊 46
c Hören Sie noch einmal und sprechen Sie nach.

A3 **7 *Gern* oder *nicht gern*?**

Schreibtraining
a Was machen die Personen gern? Was machen sie nicht gern? Schreiben Sie.

Omar

☺ früh aufstehen, arbeiten, Deutsch lernen
☹ die Wohnung aufräumen, spazieren gehen

Hoa

☺ lange frühstücken, einkaufen, kochen
☹ Fleisch essen, fernsehen

Omar steht gern früh auf.
Er ...

b Und was machen Sie gern? Was machen Sie nicht gern? Schreiben Sie mindestens fünf Sätze.

☺ Ich höre gern Musik.
☹ ...

B Wie spät ist es jetzt?

B3 **8 Ergänzen Sie: *vor – nach.***

Wie spät ist es?

Ein Uhr. / Eins.
Zwei Uhr. / Zwei.

Fünf _vor_ zwei.
Zehn ______ zwei.
Viertel ______ zwei.
Zwanzig ______ zwei.
Zehn ______ halb zwei.
Fünf ______ halb zwei.

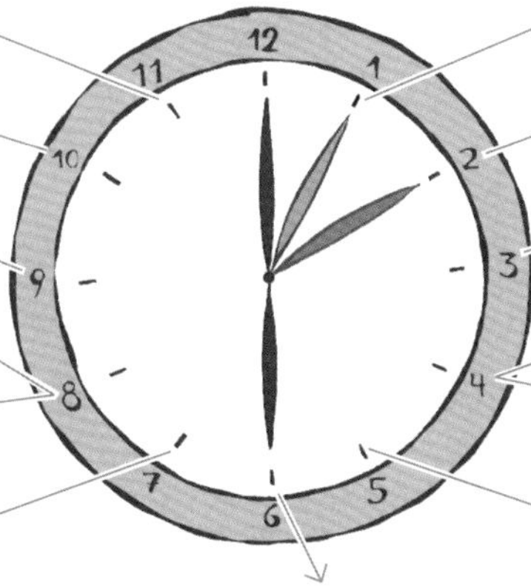

Fünf _nach_ eins.
Zehn ______ eins.
Viertel ______ eins.
Zwanzig ______ eins.
Zehn _vor_ halb zwei.
Fünf ______ halb zwei.

Halb zwei.

◇ **B3** **9 Ordnen Sie zu.**

a halb vier b Viertel vor zehn c zwanzig nach zehn d fünf nach halb acht e Viertel nach zwei
f kurz vor zwölf / gleich zwölf g zehn vor halb fünf ~~h halb acht~~ i zehn nach fünf j fünf nach drei
k zehn vor neun l fünf vor halb vier m fünf vor acht n kurz nach eins o zwanzig vor drei

(h) 07:30	○ 15:30	○ 11:58	○ 14:15	○ 09:45
○ 10:20	○ 02:40	○ 16:20	○ 17:10	○ 08:50
○ 19:35	○ 07:55	○ 03:05	○ 15:25	○ 01:02

❖ **B3** **10 Ergänzen Sie die Uhrzeit.**

a halb drei _02:30_ _14:30_
b Viertel vor zehn ______ ______
c Viertel nach sechs ______ ______
d zwanzig nach sieben ______ ______
e zehn nach neun ______ ______
f zwanzig vor acht ______ ______
g Viertel nach elf ______ ______
h fünf nach zwölf ______ ______
i fünf vor halb fünf ______ ______
j zehn vor halb eins ______ ______
k fünf vor halb vier ______ ______
l zehn nach halb zehn ______ ______

B3 **11 Ergänzen Sie: *schon – erst.***

a

◆ Oje! _Schon_ zwanzig nach sieben. Ich komme zu spät!

b

◆ Ich brauche eine Pause. Wie spät ist es?
○ ______ fünf vor halb eins.
◆ Oje! Noch so lange!

c

◆ Kristin, wo bist du? Es ist ______ zehn vor vier.
○ Ja, ja, ich komme.

d

◆ Oh. Ist es ______ zwölf Uhr?
○ Nein, es ist ______ kurz vor zwölf.

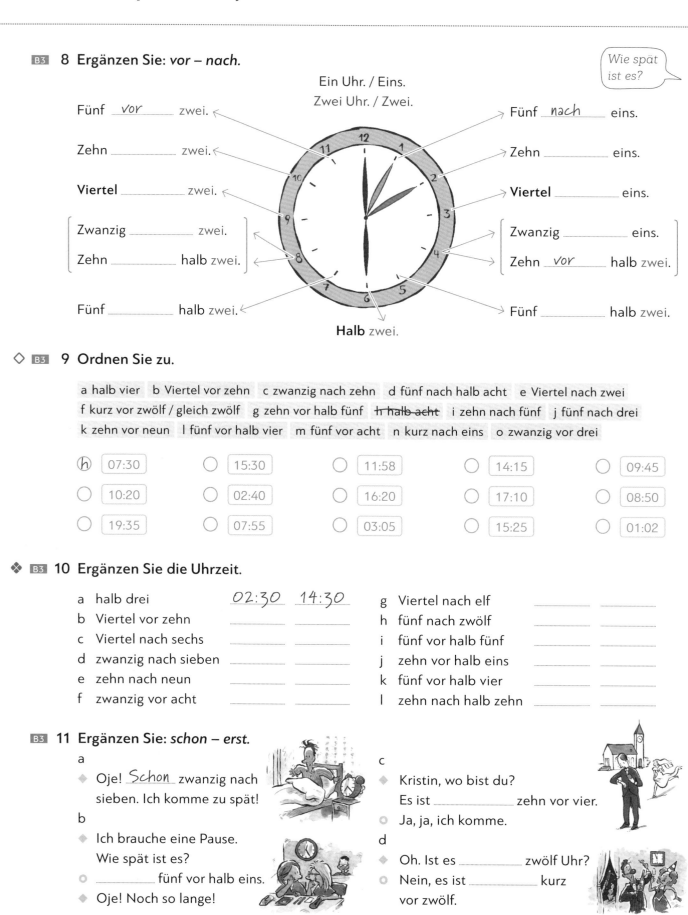

C1 12 Ordnen Sie zu.

am ~~am~~ am bis Um Um um von

a
- ◆ Lernen wir am Montag zusammen?
- ○ Ja, gern, aber ich stehe früh auf.
- ◆ Wann?
- ○ ______ acht Uhr.
- ◆ Was? Ich möchte ______ Montag nicht ______ acht lernen.

b
- ▲ Was machst du ______ Freitag?
- ◻ Ich habe ______ neun ______ zwölf Uhr Kurs.
- ▲ Spielen wir Fußball?
- ◻ Ja, gern. Wann?
- ▲ ______ zwei.
- ◻ Ja, das passt gut.

C2 13 Ergänzen Sie.

A

E-Mail senden

Hallo Ferdinand, hast Du am Samstag Zeit? ______ 13 Uhr kommen Freddy, Jan und Simone zum Essen und dann geh______ wir spazieren. Komm______ Du auch?
LG Milena

B

E-Mail senden

Hallo Milena, tut mir leid, ich ha______ keine Zeit. ______ Samstag kauf______ ich immer im Supermarkt ein. ______ ein Uhr ______ vier Uhr spiel______ Chris und ich Fußball. Und ______ Sonntag komm______ meine Eltern und meine Großeltern ...
LG Ferdinand

C2 14 Ergänzen Sie in der richtigen Form.

- a ◆ He, Lisa, schläfst (schlafen) du schon? ○ Nein.
- b ◆ Wann ______ die Party ______ (anfangen)? ○ Um acht.
- c ◆ ______ (arbeiten) du gern? ○ Ja, sehr gern.
- d ◆ Ihr ______ (arbeiten) von sechs bis zwölf Uhr, oder? ○ Nein, von sieben bis eins.
- e ◆ Wann ______ die Intensivkurse ______ (anfangen)? ○ Am Dienstag.
- f ◆ ______ wir zusammen ______ (fernsehen)? ○ Ja, gut.

C3 15 Was ist richtig? Hören Sie und ergänzen Sie.

1 47

- a Wer ruft an? Anna ruft Daniel an.
- b Wann arbeitet Daniel am Montag? Von ______
- c Wann hat Daniel Zeit? ______
- d Wann arbeitet Daniel am Dienstag? ______
- e Um wie viel Uhr gehen sie Pizza essen? ______

C3 16 Ergänzen Sie und vergleichen Sie.

Deutsch	Englisch	Meine Sprache
3 Mo	Monday	
4 Di	Tuesday	
5 Mi	Wednesday	
6 Do	Thursday	
7 Fr	Friday	
8 Sa Samstag	Saturday	
9 So	Sunday	

Samstag: in Norddeutschland auch Sonnabend

C4 17 Eine Woche mit Familie Reinhardt

a Was macht Familie Reinhardt von Montag bis Freitag? Ergänzen Sie.

1 Frau Reinhardt ist Lehrerin.
Sie ………… lange am Computer.
2 Herr Reinhardt ………… .
3 Oma ………… die Küche ………… .
4 Opa ………… …………
und ………… Schokolade.
5 Leo ………… mit Mäxchen
………… .
6 Sina macht
Hausaufgaben.
7 Das Baby ………… .

b Es ist Wochenende.
Schreiben Sie die Sätze aus a mit *nicht* oder *kein/keine*.

Es ist Samstag.
Frau Reinhardt arbeitet nicht am Computer.
Herr Reinhardt ...

D Tageszeiten

D1 18 Ergänzen Sie die Tageszeiten.

A 

am Abend

B 

C 

D 

E 

F 

D2 19 Tagesablauf

a Wie heißen die Wörter? Ergänzen Sie.

1 attench chatten
2 sprto mchaen ______ ______
3 ikmus rehön ______ ______
4 sseen ______
5 aeeffk rintken ______ ______
6 pasrenzie henge ______ ______
7 stüfrühckcn ______

b Was passt? Ergänzen Sie die Wörter aus a in der richtigen Form.

1 Alex steht um sechs Uhr auf.
Er frühstückt nicht, aber er ______
______.

2 Er arbeitet von sieben bis halb zwölf. Von halb zwölf bis halb eins macht er Pause.
Er ______ im Park
______ und ______ eine Pizza.

3 Am Abend ______ Alex gern
______: Fußball spielen, joggen ...

4 Oder er ______ mit
Eva und ______:
Jazz, Pop, Rap.
Alex geht erst um ein Uhr in der Nacht ins Bett.

D3 20 Minakos Tag

Grammatik entdecken

a Lesen Sie und markieren Sie.

Minako steht am Morgen früh auf. Um acht Uhr hat sie Deutschkurs. Sie lernt von neun bis zwölf Uhr Deutsch. Sie macht am Mittag eine Pause. Am Nachmittag macht sie Hausaufgaben. Dann ruft sie Haruki an. Minako geht jeden Abend um elf Uhr ins Bett.

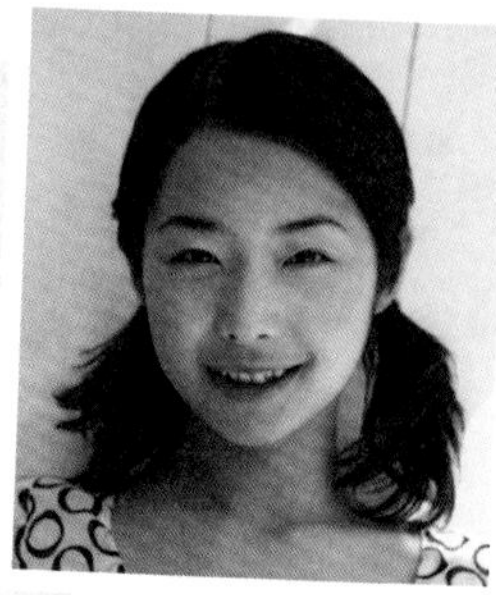

b Ergänzen Sie die Sätze aus a.

Minako	steht	am Morgen	früh	auf.
Um acht Uhr	hat			

◇ D3 21 Schreiben Sie die Sätze neu.

a Julia steht am Samstag früh auf.
Am Samstag steht Julia früh auf.

b Sie frühstückt am Morgen mit Peter.
Am Morgen ....

c Sie räumt am Vormittag die Wohnung auf.
Am Vormittag ....

d Sie kauft dann ein.
Dann ....

e Julia kocht um halb eins das Mittagessen.
Um halb eins ....

f Sie arbeitet von 14 bis 18 Uhr im Copyshop.
Von 14 bis 18 Uhr ....

g Sie geht um 20:30 Uhr mit Nicolas ins Kino.
Um 20:30 Uhr ....

❖ D3 22 Pedros Tag

a Lesen Sie und ordnen Sie.

- ◯ am Abend – er – um zehn Uhr – ins Bett gehen
- ◯ von acht bis zwölf Uhr – er – im Kurs – sein
- ① Pedro – aufstehen – um sieben Uhr
- ◯ zu Hause – fernsehen – noch ein bisschen – er
- ◯ frühstücken – dann – er
- ◯ am Mittag – er – mit Carla – essen
- ◯ er – am Nachmittag – Fußball – spielen

b Schreiben Sie Sätze.

Pedro steht um sieben Uhr auf. ...

LERNTIPP Lesen Sie Ihre Sätze noch einmal. Ist das Verb auf Position 2?

E Ein Tag in Berlin

E1 23 Wie spät ist es?

1 48-53 **a** Hören Sie und ordnen Sie die Gespräche zu. Achtung: Nicht alle Uhren passen.

A  ○

B  ○

C  ○

D  ①

E  ○

F  ○

G  ○

H  ○

I  ○

b Privat (p) oder offiziell (o)? Hören Sie noch einmal und ergänzen Sie die Tabelle.

Gespräch	1	2	3	4	5	6
privat (p) oder offiziell (o)?	p					

E2 24 Lesen Sie den Fahrplan. Was ist richtig? Kreuzen Sie an.

Mit dem Schiff auf dem Rhein

Lernen Sie den Rhein kennen und genießen Sie die Tour von Köln nach Düsseldorf, zum Beispiel auf unserem Panoramaschiff „Loreley"!

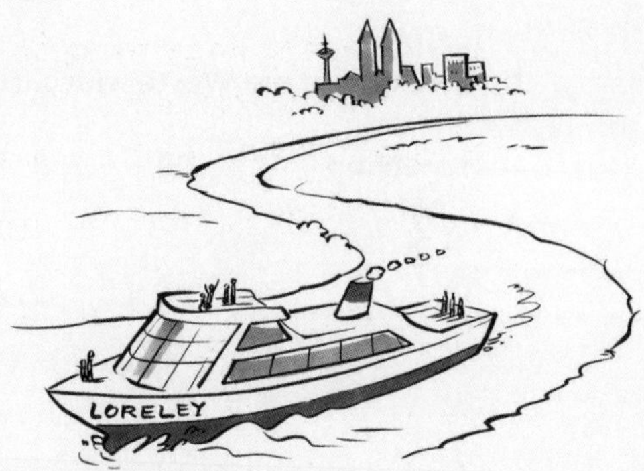

Fahrplan (Köln → Düsseldorf)

Abfahrt:	Mo – Fr	Sa/So und Feiertag
	9:30	10:30
	12:15	12:15
	15:00	15:40
	16:50	16:50
	--	18:30

Preise:
Erwachsene: € 14
Kinder (0 bis 12 Jahre): € 5
Fahrrad: € 3

a ☒ Das Schiff heißt „Loreley".
b ○ Die Schiffe fahren jeden Tag um Viertel vor zwölf.
c ○ An Feiertagen fährt ein Schiff um halb sechs.
d ○ Am Mittwoch fahren vier Schiffe.
e ○ Ein Erwachsener mit Fahrrad bezahlt 17 €.

E3 25 Was ist richtig? Hören Sie und kreuzen Sie an.

1 🔊 54-56

Prüfung

Sie hören jeden Text zweimal.

1 Wann spielt Felix Fußball?
- ○ Am Samstag um 14 Uhr.
- ○ Am Samstag um 14.30 Uhr.
- ○ Am Abend.

2 Wann kommt der Film „Wir sind die Neuen“?
- ○ Um 15.30 Uhr und um 18 Uhr.
- ○ Um 18.30 Uhr und um 20.30 Uhr.
- ○ Um 18.15 Uhr und um 20 Uhr.

3 Wie sind die Öffnungszeiten?
- ○ Montag bis Freitag, 8 bis 17.30 Uhr.
- ○ Montag bis Freitag, 8 bis 13 Uhr.
- ○ Montag bis Samstag, 8 bis 13 Uhr.

E3 26 Sprechen und schreiben: lang oder kurz?

1 🔊 57

Phonetik

a Hören Sie und markieren Sie: lang (a, e, ...) oder kurz (a, e, ...).

a am Abend – zwanzig Jahre – Mann – wann
e essen – zehn – Tee – jeden Tag – gern – Bett
i am Dienstag – Kino – du siehst fern – am Mittwoch – trinken
o am Donnerstag – geschlossen – am Montag – am Morgen – Wohnung
u um vier Uhr – Fußball – Stuttgart – kurz vor zwei – Flur
ä ich hätte – spät – Gerät – Äpfel erzählen
ö hören – geöffnet – Söhne – zwölf
ü frühstücken – müde – fünf – Mütter

b Ordnen Sie die Wörter aus a zu.

sprechen	schreiben	Beispiele
a	a, ah	Abend, Jahre,
a	a, a+nn	am,
e	e, eh, ee	
e	e, e+ss, e+tt	
i	i, ie, ieh	
i	i, i+tt	
o	o, oh	
o	o, o+nn, o+ss	
u	u, uh, uß	
u	u, u+tt	
ä	ä, äh	
ä	ä, ä+tt	
ö	ö, öh	
ö	ö, ö+ff	
ü	ü, üh	
ü	ü, ü+tt	

WÖRTER

1 Ordnen Sie zu.

1 ...... /3 Punkte

der Abend | ~~der Morgen~~ | der Mittag | die Nacht

a 5–9 Uhr der Morgen
b 12–13 Uhr ______
c 17–22 Uhr ______
d 22–5 Uhr ______

2 Zeichnen Sie die Uhrzeiten.

2 ...... /3 Punkte

Es ist ...

a dreizehn Uhr fünfzehn. 

c zwölf Uhr zehn. 

b fünf nach halb drei. 

d Viertel vor neun. 

...... ● 0–2 ● 3–4 ● 5–6

GRAMMATIK

3 Ergänzen Sie.

3 ...... /5 Punkte

a Paul steht um halb acht auf (aufstehen).
b Er ______ (frühstücken) und ______ die Küche ______ (aufräumen).
c Er geht zur Arbeit und ______ (arbeiten) bis 11.30 Uhr.
d Am Mittag ______ (essen) er im Restaurant und dann ______ er ein bisschen ______ (spazieren gehen).

4 Ergänzen Sie: *am – um – von – bis*.

4 ...... /5 Punkte

a ◆ Wann hast du Zeit? ○ Um zwölf.
b ◆ Wann machst du Pause? ○ ______ zwölf ______ eins.
c ◆ Arbeitest du lange? ○ Nein, nur ______ 13 ______ 15 Uhr.
d ◆ Wann chatten wir? ○ ______ Freitag, okay?

...... ● 0–5 ● 6–7 ● 8–10

KOMMUNIKATION

5 Ordnen Sie zu.

5 ...... /5 Punkte

da habe ich Zeit | Ich gehe gern ins Kino | Hast du am Freitag Zeit | ~~Am Freitag arbeite ich~~ | Um wie viel Uhr | Ich koche nicht gern

◆ Hallo, Merve. ______ ______? (a)
○ Nein, tut mir leid. Am Freitag arbeite ich. (b)
◆ Aber am Abend arbeitest du nicht, oder?
○ Nein, ______ ______. (c)
◆ Gut, dann kochen und essen wir zusammen!
○ Ach nein. ______ ______. (d)
◆ Oh! Was machst du gern?
○ ______. (e)
◆ Ich auch! Dann gehen wir ins Kino.
○ Gut. ______? (f)
◆ Um acht.
○ Okay.

...... ● 0–2 ● 3 ● 4–5

Fokus Beruf: Über Studium und Beruf sprechen

1 Lesen Sie und markieren Sie.

Was arbeitet/studiert die Person? Wann arbeitet/studiert sie/er?
Wie findet sie/er die Arbeit/das Studium?

Ich heiße Luisa Lehner, ich bin 23 Jahre alt und Studentin. Ich studiere Event-Management in Hamburg. Von Montag bis Donnerstag bin ich lange in der Uni. Jeden Freitag und Samstag arbeite ich hier in der Uni-Bibliothek, immer von 14 bis 20 Uhr. Die Arbeit gefällt mir gut. Ich habe Kontakt mit jungen Leuten und Studenten aus vielen Ländern. Und meine Wohnung ist teuer. Ich brauche den Job also.

Ich heiße Ralf Rollmann und bin Arzt hier in der Klinik in Zürich. Meine Arbeit gefällt mir sehr gut. Nur die Arbeitszeiten finde ich nicht so gut. Ich arbeite jeden Tag bis circa 19 Uhr und komme immer erst um 20 Uhr nach Hause. Und 1 x im Monat arbeite ich auch am Samstag und Sonntag und schlafe in der Nacht dort. Das finden meine Familie und ich nicht gut. Ich bin verheiratet und habe drei Kinder.

Mein Name ist Nena Nalde. Ich bin Malerin und arbeite zu Hause. Hier in meinem Atelier habe ich Platz. Der Raum ist groß und hell. Das ist wichtig. Jeden Tag fange ich um circa 10 Uhr an. Dann male oder zeichne ich bis 18 oder 19 Uhr, auch am Samstag. Nur am Sonntag arbeite ich nicht. Ich finde meine Arbeit super.

2 Lesen Sie die Texte noch einmal und ergänzen Sie die Tabelle.

Name	Arbeit/Studium	Arbeitszeiten	Wie findet sie/er die Arbeit?
Lusia Lehner	Studium:	Montag bis Donnerstag: Uni	
	....	........:	
	Arbeit: Bibliothek	Bibliothek	gut
Ralf Rollmann		Montag bis Freitag:	
		....	....
		1 x im Monat:	aber Arbeitszeiten:
	....	....	....
Nena Nalde		....	
	....	....	....

3 Was arbeiten Sie? Was studieren Sie?

Machen Sie Notizen und sprechen Sie mit Ihrer Partnerin / Ihrem Partner.

Ich studiere … in …
Ich arbeite … in … bei … / als …
Ich arbeite jeden Tag von … bis …

Mein Studium / Meine Arbeit gefällt mir (nicht so) gut …
Am Wochenende arbeite ich (nicht) …

A Das **Wetter** ist nicht so schön.

A1 **1 Wie ist das Wetter in Deutschland?**
Sehen Sie die Karte an und ergänzen Sie.

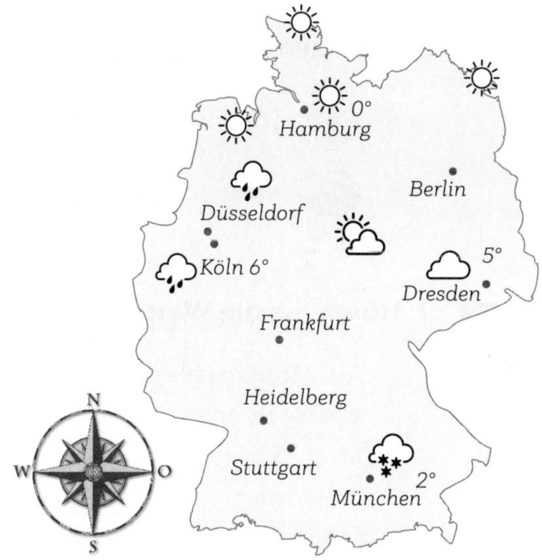

a Die Sonne scheint, es ist kalt. Es sind null Grad.
Hamburg
b Es ist bewölkt. Es sind fünf Grad.
____
c Es regnet. Es sind sechs Grad.
____
d Es sind zwei Grad und es schneit.
____

◇ **A1** **2 Ergänzen Sie.**

a
▲ Heute ist das Wetter (tetWer) super! Die __________ (ennSo) __________ (eischtn) und es ist sehr __________ (ramw).
□ Stimmt. Aber es ist auch sehr __________ (digwin).

b
✚ Brrr! Es ist so __________ (talk)!
● Ja, __________ (luln) Grad. Oh! Jetzt __________ (neitsch) es.

c
◆ Wie ist das __________ (ettWre)?
○ Nicht gut. Es sind nur zehn __________ (Gard) und es ist __________ (bwölekt). Gleich __________ (nrgtee) es.

❖ **A1** **3 Wie ist das Wetter in Österreich?**
Sehen Sie die Karte an und ergänzen Sie.

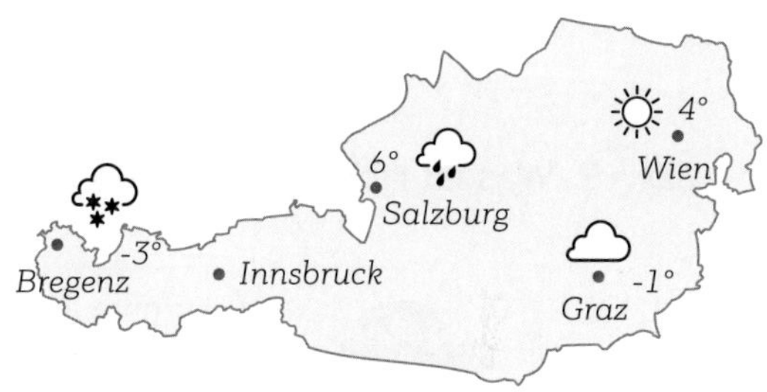

In Wien __________ die Sonne und es sind vier __________. In Bregenz __________ es. In Graz ist es heute __________ und kalt. In Salzburg __________ es.

A2 **4 Sehen Sie die Karte in 1 an und ergänzen Sie.**

a Wo scheint die Sonne? In __________.
b Wo schneit es? In __________.
c Wo ist es bewölkt? In __________.
d Wo regnet es? In Köln und in __________.
e Wo liegt Hamburg? Im Norden.
f Wo liegt München? Im __________.
g Wo liegt Köln? Im __________.
h Wo liegt Dresden? Im __________.

A2 **5 Ordnen Sie zu.**

Montag ~~Osten~~ Deutschland drei Uhr München Vormittag der Nacht Süden Abend kurz vor sieben der Schweiz Westen Mittwoch halb vier

im Osten, __________
am __________
um __________
in __________

A3 **6 Ergänzen Sie.**

a  • die Temperatur

b  • der ....

c  • der ....

d  • die ....

e  • die ....

A3 **7 Hören Sie die Wetterberichte. Was ist richtig? Kreuzen Sie an.**

1 58-60

a Am Morgen ist es ☒ kalt. ○ schön.
Am Nachmittag ist das Wetter ○ gut. ○ schlecht.

b Im ○ Süden ○ Norden bleibt es heute bewölkt.
Im Norden ○ regnet es. ○ scheint die Sonne.

c ○ Nur in der Nacht ○ Auch am Tag ist es kalt.
Am Wochenende ○ schneit es. ○ ist es nicht kalt.

LERNTIPP Oft hören Sie die Wörter aus der Aufgabe auch im Hörtext. Aber: Hören Sie genau! Welche Wörter zeigen wirklich die Lösung?

A3 **8 Grüße aus dem Urlaub: Schreiben Sie.**

Schreibtraining

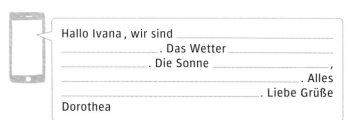

Hallo Ivana, wir sind ....
.... Das Wetter ....
.... Die Sonne ....,
.... Alles
.... Liebe Grüße
Dorothea

wir – zwei Wochen – Griechenland
Wetter – ☺
Sonne – scheinen – 35°
alles – sehr schön

A3 **9 Was ist richtig? Kreuzen Sie an.**

Jean

Ich komme aus dem Norden von Kanada. Dort ist es sehr schön, aber das ganze Jahr nicht besonders warm. Jetzt lebe ich in Portugal, in Porto. Ich mag sehr gern Sonne und warme Temperaturen – genau wie hier im Süden von Europa.

Enrique

In Argentinien haben wir alles: im Süden viel Schnee, im Norden viel Sonne. Ich komme aus Córdoba. Córdoba liegt im Norden. Dort ist es immer ziemlich sonnig und das ist super!

Ping-Fei

Ich lebe und studiere in Österreich, in Innsbruck. Jetzt schneit es und es ist kalt. Das gefällt mir. Ich komme aus China, aus Guangzhou, das ist im Süden von China. Wir haben immer warme Temperaturen. Auch in der Nacht ist es nicht kalt. Das ist typisch für Südchina. Aber der Schnee hier in Innsbruck gefällt mir.

a ○ Jean kommt aus Kanada.
b ○ Jean findet das Wetter in Nordkanada gut.
c ○ In Argentinien schneit es im Süden.
d ○ Enrique findet Schnee super.
e ○ Ping-Fei studiert in China.
f ○ In Südchina ist es in der Nacht warm.

B Hast du **den** Käse?

B1 10 Satzakzent

1 61 **a** Hören Sie und markieren Sie die Betonung: ____.

Phonetik

- ◆ Nina, hast du den Zucker?
- ○ Nein, den Zucker habe ich nicht, aber das Salz.
- ◆ Hast du die Eier?
- ○ Nein, die Eier habe ich nicht, aber das Mehl.

1 62 **b** Hören Sie noch einmal und sprechen Sie nach.

1 63 **c** Fragen Sie weiter und antworten Sie wie in a. Hören Sie dann.

- ◆ Hast du das Brot?
- ○ Nein, das Brot habe ich nicht, aber die Brötchen.

Varianten:

- das Brot? – ~~das Brot~~ / die Brötchen
- den Saft? – ~~den Saft~~ / den Wein
- das Obst? – ~~das Obst~~ / den Kuchen
- den Tee? – ~~den Tee~~ / den Kaffee
- die Milch? – ~~die Milch~~ / den Zucker
- die Wurst? – ~~die Wurst~~ / den Käse

B1 11 Markieren Sie: Wer?/Was? und Wen?/Was?

Grammatik entdecken

a

- ◆ Ist der Schokoladenkuchen gut?
- ○ Ja, sehr gut!
- ◆ Dann möchte ich auch einen Schokoladenkuchen, bitte.
- ◆ Oh, tut mir leid: Wir haben keinen Schokoladenkuchen mehr.

b

- ◆ Wo ist die Wurst? Hast du die Wurst?
- ○ Ja, da ist sie.

c

- ✚ Wo sind denn die Bananen?
- ● Wir haben keine Bananen mehr.
- ✚ Na gut.

d

- ● Entschuldigung, wo ist hier das Restaurant „Zum Löwen"?
- ▼ Tut mir leid, ich kenne das Restaurant nicht.

B1 12 Ergänzen Sie in der richtigen Form: *der – das – die – ein- – kein-*.

- ◆ Also, Julia, ich gehe zum Supermarkt. Was brauchen wir?
- ○ Ah, gute Idee, Nina. Also, wir brauchen zum Beispiel eine Packung Kaffee, ________ Kilo Äpfel, ________ Dose Tee, ________ Flasche Saft.
- ◆ Nein, wir brauchen ________ Saft. Wir haben noch ________ Flasche Saft.
- ○ Gut, dann kauf bitte ________ Joghurt, ________ Flasche Öl und ________ Salat. ... Nein, nein, den Salat und ________ Äpfel kaufe ich. ________ Gemüse und ________ Obst im Supermarkt schmeckt nicht gut, finde ich.

◇ B1 13 Was ist richtig? Kreuzen Sie an.

a

- Was möchten Sie zum Frühstück?
- Ich hätte gern ☒ ein ○ / Ei, ○ einen ○ ein Orangensaft, ○ ein ○ eine Brötchen und ○ einen ○ eine Joghurt.
- Möchten Sie auch ○ ein ○ einen Kaffee?
- Nein, danke. Ich möchte ○ kein ○ keinen Kaffee.

b

- Entschuldigung! ○ Ein ○ Das Brötchen ist alt. Und ○ ein ○ der Joghurt ist nicht gut.
- Oh, tut mir leid. Ich bringe noch ○ ein ○ das Brötchen. Aber wir haben ○ kein ○ keinen Joghurt mehr.
- So? Haben Sie ○ ein ○ / Salz für das Ei? Natürlich. Ich bringe ○ / ○ das Salz sofort.

❖ B1 14 Ergänzen Sie.

E-Mail senden

Liebe Sabrina,
endlich habe ich *eine* Wohnung! Sie hat .... Wohnzimmer, ... Schlafzimmer, ... Küche und .... Bad. .... Küche ist sehr klein.
Ein paar Möbel habe ich auch schon: .... Tisch, zwei Stühle, ... Sofa, ... Schrank und .... Bett. .... Sofa ist sehr alt – es ist von Oma – .... Schrank und .... Bett habe ich von Elli und Paul.
Aber ich habe noch .... Lampe und .... Fernseher :-(. Zuerst brauche ich aber noch vier Stühle. Ich mache nämlich am Freitag eine Party. Kommst Du auch?
Bis dann
Elena

B2 15 Ergänzen Sie *nehmen* in der richtigen Form.

a

- Ich *nehme* eine Pizza und ein Mineralwasser. Was .... du, Simona?
- Ich habe nicht viel Hunger. Ich .... die Gemüsesuppe und einen Orangensaft.
- Und du Max, was .... du?
- ▲ Ich .... den Hamburger mit Pommes und Ketchup. Und ich möchte bitte eine Cola, Papa.
- Na gut.

b

- Bitte, was möchten Sie?
- Also, mein Sohn .... den Hamburger mit Pommes und eine Cola, meine Frau .... die Gemüsesuppe und einen Orangensaft und ich .... bitte eine Pizza und ein Mineralwasser.
- Sehr gern.

B3 16 *mein, dein* oder *ein*?

Grammatik entdecken

a Ordnen Sie zu.

meine | ~~meinen~~ | Deine | ein | deinen | ~~/~~ | einen | meine

1

- Du, Paula, ich verkaufe <u>meinen</u> Schrank und ______ Waschmaschine. Was brauchst du?
- ______ Waschmaschine brauche ich nicht. Aber ich nehme ______ Schrank. Der ist super! Was kostet er?
- 150 Euro.
- Was? Das ist zu teuer.

2

- Wir brauchen noch ___/___ Stühle für die Party morgen.
- Ach nein, ______ Stühle reichen.

3

- Für das Wohnzimmer brauchen wir noch ______ Schrank.
- Einen Schrank? Ich finde, wir brauchen ______ Sofa!

b Markieren Sie in a Wen?/Was? und ergänzen Sie die Tabelle.

•	• meinen	•	Schrank
•	• mein	• dein	Sofa
• eine	•	•	Waschmaschine
• –	• meine	• deine	Stühle

B3 17 Bilden Sie Wörter.

a • die Orange (+n) • der Saft • der Orangensaft (• der Apfel – • die Kiwi)
b • die Tomate (+n) • die Suppe • die Tomatensuppe (• die Kartoffel – • das Gemüse)
c • der Käse • das Brot • das Käsebrot (• der Schinken – • die Butter)

• die Orange + • der Saft = • der Orangensaft

a • der Apfelsaft

B3 18 Lesen Sie die Texte. Sind die Sätze 1–5 richtig oder falsch?

Prüfung

Kreuzen Sie an.

Elena: Hallo Leute, ich mache eine Party. Ich habe eine neue Wohnung! Wann? Am Freitagabend. Beginn? Um 19 Uhr. Meine Adresse: Hauptstraße 5, Innsbruck
Wer macht einen Kuchen oder einen Salat? Und wer hat einen Stuhl?

Sina: Hallo Elena, danke für die Einladung. Ich komme gern. Aber ich habe am Freitag bis 21.30 Uhr einen Kurs. Dann komme ich. Für einen Kuchen oder einen Salat habe ich keine Zeit, tut mir leid. Aber ich habe zwei Gartenstühle.

1 Elena hat Geburtstag. ○ richtig ○ falsch
2 Die Party ist am Freitag. ○ richtig ○ falsch
3 Sina kommt zur Party. ○ richtig ○ falsch
4 Sie macht einen Kuchen. ○ richtig ○ falsch
5 Sie hat keinen Stuhl. ○ richtig ○ falsch

C Hast du **keinen** Hunger mehr? – **Doch**.

C1 19 Ergänzen Sie *möchte* und *nehmen* in der richtigen Form.

a ◆ M~~öchten~~ Sie Milch und Zucker in den Kaffee?
○ Nein, danke.
b ◆ Wir brauchen Brot. Was n............ wir: ein Weißbrot oder ein Schwarzbrot?
○ Ich m............ lieber ein Schwarzbrot.
c ◆ Ich m............ bitte Pommes mit Ketchup. ... Was n............ du?
○ Eine Gemüsesuppe.
d ◆ Ihr n............ doch auch noch Apfelkuchen, oder?
○ Ja, gern.

C2 20 Ergänzen Sie: *Ja – Nein – Doch*.

◆ Möchtest du noch Kaffee?
○ Ja............, gern.
◆ Sag mal, ist der Kuchen nicht gut?
○ ...., er ist sehr gut.
◆ Ist der Kaffee schon kalt?
○ ...., er ist noch sehr warm.
Hast du Zucker und Milch?
◆ ...., hier bitte.
○ Kommt Marion nicht?
◆ ...., aber erst um fünf Uhr.

◇ **C2 21 Verbinden Sie.**

a Möchtest du Saft?
b Hast du keinen Durst?
c Nimmst du den Fisch?
d Oh ja, die Hamburger sind hier besonders gut!
e Möchtest du vielleicht einen Kaffee?
f Trinkst du keinen Wein?

1 Ja, stimmt.
2 Nein, ich trinke lieber Mineralwasser.
3 Ja, gern. Mit Milch und Zucker, bitte.
4 Doch, ich möchte gern ein Glas Wein.
5 Nein, ich glaube, ich esse einen Hamburger.
6 Doch. Ich habe Durst und ich habe Hunger.

❖ **C2 22 Schreiben Sie die Fragen mit *nicht*.**

a ◆ Ist das nicht Uli Groß............? ○ Doch. Das ist Uli Groß.
b ◆ Aber ....? ○ Nein. Er wohnt nicht in Köln. Er wohnt jetzt hier.
c ◆ Ja, aber er hat doch eine Frau aus Köln. Oder ....? ○ Nein, er ist nicht verheiratet. Er ist jetzt geschieden.
d ◆ ....? ○ Doch, er arbeitet hier. Er ist Grafik-Designer.
e ◆ Ach?! ....? ○ Nein, er ist nicht Fußballspieler.
f ◆ Aber ....? ○ Doch, er ist der Bruder von Fußballspieler Simon Schnell.

D1 23 Am Sonntag

a Markieren Sie noch neun Wörter. Sehen Sie dann das Bild an und ordnen Sie zu.

KELFOTOGRAFIERENURTWANDERNLEDEGRILLENWASDSPIELENDER
SPAZIERENWIEDURGEHENHASTSCHWIMMENALABAHÖRENHUR
TEALTELESENKALTJOGGENOLTETANZENDERLEGART

1 ....
2 ....
3 ....
4 ....
5 Gitarre ....
6 ....
7 spazieren gehen
8 ....
9 ....
10 Musik ....

b Wer macht was? Ergänzen Sie in der richtigen Form.

1 Ein Mann schwimmt.
2 Eine Familie ....
3 ....
4 Die Studenten ....
5 Ein Mann ....
6 Ein Mann und eine Frau ....
7 Ein Mann und eine Frau ....
8 ....
9 ....
10 ....

D1 24 Verbinden Sie.

a Computerspiele — 1 spielen

b Freunde

c Ski

d Ausflüge

e Radio

f Bücher

g im Internet

h ins Kino

1 spielen

2 fahren

3 hören

4 machen

5 surfen

6 gehen

7 lesen

8 treffen

D

D2 25 **Was ist richtig? Kreuzen Sie an.**

a Was machst ☒ du in der Freizeit? ○ deine Hobbys?
b In meiner Freizeit ○ sind Schwimmen und Wandern gut. ○ schwimme und wandere ich gern.
c Mein Lieblingsfilm ○ ist der James-Bond-Film *Skyfall*. ○ finde ich einen James-Bond-Film gut.
d Mein Hobby ○ ist Gitarrespielen. ○ spiele ich Gitarre.
e Ich finde Krimis ○ gern. ○ interessant.
f Was sind deine ○ Freizeit? ○ Hobbys?
g Ich ○ finde Grillen sehr. ○ grille gern.

◇ **D2** 26 **Ordnen Sie zu und ergänzen Sie.**

• die Lieblingsbücher | ~~• der Lieblingsfilm~~ | • die Lieblingsfarbe | • das Lieblingsessen | • die Lieblingsmusik

a Ich sehe sehr gern *Avatar*. — Mein Lieblingsfilm ist *Avatar*.
b Ich finde Blau schön. — Meine ………………………………… .
c Ich esse sehr gern Pizza. — Mein ………………………………… .
d Ich lese gern Krimis. — ………………………………… .
e Ich finde Rockmusik toll. — ………………………………… .

❖ **D2** 27 **Was macht Paula gern in der Freizeit?**
Schreiben Sie.

gern in Klubs gehen
sehr gern Freunde treffen
zusammen Ausflüge machen oder wandern
auch viel mit Freunden telefonieren

Paula

Ich gehe gern ……………………
und ……………………………… .
Wir ………………………………
……………… oder ………………
in den Bergen. Ich ………………
……………………………… .

D2 28 **Im Deutschlerner-Chat: Ergänzen Sie in der richtigen Form.**

Moderatorin: Heute ist das Chat-Thema „Freizeit". Ich fange mal an.
Ich fahre (fahren) in meiner Freizeit gern Fahrrad.
Chiara01: Du ……………… (fahren) gern Fahrrad? Ich nicht.
Finn_M: Warum nicht? Fahrrad fahren ist super. Aber ich lese auch gern.
Moderatorin: ……………… (lesen) du viel, Finn?
Finn_M: Ja, sehr viel. Besonders Krimis.
Moderatorin: Wer ……………… (lesen) auch gern?
Jaime: Ich!
Moderatorin: Gut, Jaime und Finn, ihr ……………… (lesen) also gern.
……………… (treffen) ihr auch gern Freunde?
Jaime: :-)
Finn_M: Ja.
Moderatorin: Und du, Chiara? ……………… (treffen) du gern deine Freunde? ... Chiara?
Bist du noch da? ... ……………… (schlafen) du? ... Huhu, Chiara!

D2 29 Lesen Sie die Gespräche.

a Ordnen Sie zu.

~~na prima~~ | ach nein | kein Problem | na gut | gute Idee | ich weiß nicht

1
- ◆ Machen wir morgen einen Ausflug?
- ○ .... Das Wetter ist nicht so schön. Es ist kalt.

2
- ▲ Ich vergesse immer meine Stifte.
- □ .... ! Hier sind meine Stifte. Ich brauche sie jetzt nicht.

3
- ◆ Kommst du auch zu Ninas Geburtstagsparty?
- ○ Ja klar. Nina ist doch meine Freundin.
- ◆ Na prima ! Das freut mich!

4
- ✚ Gehen wir ins Kino?
- ● .... , ich möchte nicht.
- ✚ Bitte, der Film ist ganz toll!
- ● .... Gehen wir.

5
- ▲ Fahren wir am Samstag zusammen Ski?
- □ .... ! Ich fahre so gern Ski und der Schnee ist zurzeit sehr gut.

1 ◀)) 64 **b** Hören Sie und vergleichen Sie.

D2 30 Was passt nicht? Markieren Sie.

a	ein Picknick – Sport – ~~eine E-Mail~~	machen
b	Berge – eine Idee – ein Problem	haben
c	Radio – Fußball – Tennis	spielen
d	Fahrrad – Polizei – Auto	fahren
e	ein Hobby – einen Hund – eine Wolke	haben

D2 31 Wörter mit *-en*

1 ◀)) 65 **a** Hören Sie und markieren Sie die Betonung: ____.

Phonetik

Regen – Wolken – Regenwolken – bleiben – steigen – fotografieren – grillen – joggen – gefallen – spielen – anfangen

1 ◀)) 66 **b** Hören Sie noch einmal und sprechen Sie nach.

c Lesen Sie und spielen Sie die Gespräche mit Ihrer Partnerin / Ihrem Partner.

1
- ◆ Fotografieren Sie gern?
- ○ Ja. Wolken gefallen mir besonders gut. Ich fotografiere Regenwolken.

2
- ◆ Was machen Sie gern in der Freizeit?
- ○ Fußball spielen. Fußball spielen macht Spaß. Spielen Sie mit? Kommen Sie! Wir fangen gleich an.

E Reiseland D-A-CH

E1 32 Ergänzen Sie die Jahreszeiten und vergleichen Sie.

	Deutsch	Englisch	Meine Sprache
A	Frühling	spring	
B		summer	
C		autumn	
D		winter	

E3 33 Meine Lieblingsjahreszeit

1 67-69 **a** Was ist die Lieblingsjahreszeit der Personen? Hören Sie und ergänzen Sie.

1 .... 2 .... 3 ....

b Wie heißen die Hobbys? Ergänzen Sie.

A 
tanzen

B 

C 

D 

E 

F 

G 

H 

c Was machen die Personen gern?
Hören Sie noch einmal und ordnen Sie zu.

Gespräch	1	2	3
Bilder	D,		

d Welche ist Ihre Lieblingsjahreszeit?
Und was machen Sie gern?
Schreiben Sie.

Meine Lieblingsjahreszeit ist
der Frühling. Die Natur ist grün.
Das Wetter ... Ich ... gern ...

WÖRTER

1 Bilden Sie Wörter und ordnen Sie zu.

1 ____ /6 Punkte

ken den mer ne net ~~pe~~ ~~ra~~ reg ~~ren~~ Som
Son Sü ~~Tem~~ ter ~~tu~~ Wet Wol

Das ____ (a) morgen: Am Vormittag gibt es viele ____ (b) und Regen, besonders im ____ (c). Nur im Norden scheint die ____ (d). Aber am Nachmittag ____ (e) es auch dort. Temperaturen (f): 11 bis 16 Grad. Am Samstag dann bis 25 Grad – der ____ (g) kommt!

2 Ergänzen Sie.

2 ____ /4 Punkte

Pauline schwimmt (A) gern. Sie ____ (B) auch gern oder sie ____ ____ (C). Sie ____ (D) Flamenco und sie ____ (E). Pauline findet Sport super!

____ 0–5 / 6–7 / 8–10

GRAMMATIK

3 Ergänzen Sie die Endung, wo nötig.

3 ____ /5 Punkte

a Marie möchte Eis, aber Oma hat kein / Eis.
b Oma hat leider auch kein____ Kuchen und kein____ Pommes.
c Aber sie hat ein____ Salat mit Ei und ein____ Käsebrot.
d Marie möchte lieber ein____ Currywurst.

4 Ergänzen Sie: *der – den – im*.

4 ____ /5 Punkte

a Ich finde ____ Sommer schön. ____ Sommer ist es warm.
b Mir gefällt der Norden. ____ Norden ist es oft windig.
c ____ Herbst gefällt mir. ____ Herbst gibt es viele Farben.

5 Ergänzen Sie: *Ja – Nein – Doch*.

5 ____ /3 Punkte

a ◆ Hast du einen Hund? ☹ ○ Nein.
b ◆ Gefällt dir das Wetter nicht? ☺ ○ ____.
c ◆ Nimmst du noch eine Pizza? ☺ ○ ____.
d ◆ Trinkst du nicht auch gern Kaffee? ☹ ○ ____.

____ 0–6 / 7–10 / 11–13

KOMMUNIKATION

6 Schreiben Sie Fragen in der *du*-Form.

6 ____ /3 Punkte

a ◆ Was ist dein Lieblingssport? ○ Mein Lieblingssport ist Klettern.
b ◆ ____? ○ Meine Hobbys sind Fotografieren und Wandern.
c ◆ ____? ○ Nein, Krimis gefallen mir nicht.
d ◆ ____? ○ In der Freizeit treffe ich meine Freunde.

____ 0–1 / 2 / 3

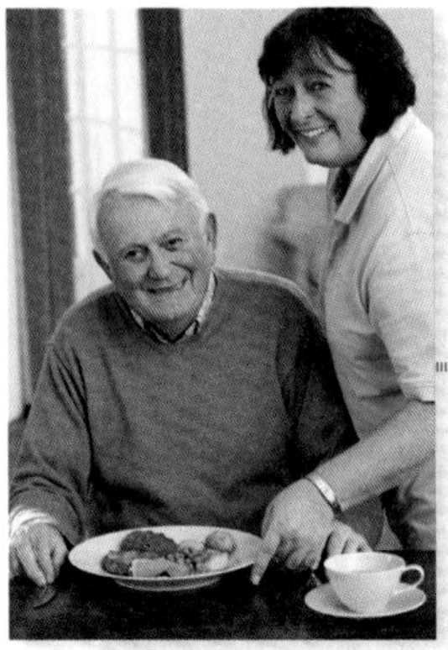

Ambulanter Pflegedienst Pfaffendorf

Tourenplan Frühdienst für Mitarbeiter/in: Justyna Kowalska

Datum: Di, 7. 5. Unterschrift: Justyna Kowalska

Zeit	Kundin / Kunde	Aufgaben: A beim Aufstehen helfen	B duschen und Zähne putzen	C Frühstück machen / Mittagessen machen	D beim Essen helfen	E vorlesen / zusammen spielen
06.15 – 07.00 Uhr	Schlemmer, Ulrika	✓	✓	✓	✓	
07.10 – 07.40 Uhr	Gärtner, Friedrich	✓	✓	✓		
07.50 – 08.35 Uhr	Kurz, Roswitha	✓	✓	✓	✓	
08.45 – 09.30 Uhr	Wenger, Ludwig	✓	✓	✓	✓	
09.30 – 10.00 Uhr	Pause					
10.10 – 10.20 Uhr	Jensen, Hauke					✓
10.35 – 11.15 Uhr	Schmitz, Elisabeth			✓	✓	

1 Lesen Sie den Tourenplan von Justyna Kowalska und ergänzen Sie.

a Bei welcher Firma arbeitet sie? Ambulanter Pflegedienst Pfaffendorf
b Welcher Wochentag ist heute? ....
c Von wann bis wann arbeitet Justyna Kowalska heute? ....
d Wie viele Kunden hat sie? ....

2 Was sind Justynas Aufgaben? Ordnen Sie die Aufgaben aus dem Tourenplan zu.

○ 

(B) 

○ 

○ 

○ 

A Ich **kann** den Reifen nicht richtig **schwingen**.

A1 **1 Ordnen Sie zu.**

ich kann nicht klettern! | wir können nicht Tennis spielen. | ~~Kannst du mir bitte helfen?~~ | Janina kann super tanzen! | Können Sie bitte Kaffee kaufen? | Was kann ich machen? | könnt ihr Tennis spielen?

a
◆ Kannst du mir bitte helfen?
○ Ja, gern. ……

b
▲ Jonas und Max, ……
……
□ Nein, ……
…… Aber wir spielen Fußball.

c
◆ ……
○ Ja, stimmt. Das sieht toll aus.

d
▼ Frau Zeiler, wir haben keinen Kaffee.
……
……
■ Ja, gern.

e
✚ Wir gehen am Samstag klettern. Kommst du auch?
◆ Nein, ……
…… Das weißt du doch!

A1 **2 Markieren Sie die Formen von *können* in 1 und ergänzen Sie.**

Grammatik entdecken

können					
ich	……	du	kannst	er/sie	……
wir	……	ihr	……	sie/Sie	……

A2 **3 Markieren Sie die Sätze und ergänzen Sie die Tabelle.**

Grammatik entdecken

WIRKÖNNENHEUTENICHTKOMMENKÖNNENSIEDASBITTEBUCHSTABIEREN
SIMONKANNSEHRGUTRUSSISCHSPRECHENICHKANNHEUTENICHTINSKINO
GEHENKANNICHSIEETWASFRAGENKÖNNTIHRGUTTANZEN

Wir	können	heute nicht	kommen	.
	Können			?

A3 **4 Hören Sie und ordnen Sie.**

1 ◀)) 70

○ reiten ○ singen (1) Klavier spielen ○ Ski fahren ○ schwimmen
○ Kuchen backen ○ Tennis spielen ○ fotografieren

A3 **5 Freizeit**

a Was machen die Personen? Ergänzen Sie in der richtigen Form.

1 Muriel ………… .

2 Karie und Jeany ………… .

3 Alba ………… .

4 Jason surft .

b Wie gut können die Personen das? Ergänzen Sie.

1 ☺☺ …………
2 ☺ …………
3 😐 …………
4 ☹ Jason kann nicht gut surfen.

◇ A3 **6 Schreiben Sie Sätze mit *können*.**

a sehr gut – Ricardo und Lea – Tango tanzen — Ricardo und Lea können sehr gut Tango tanzen.
b Ludmilla – reiten – nicht so gut — …………
c Ski fahren – Ivan – nicht gut — …………
d Und Sie? — Ich …………

❖ A3 **7 Schreiben Sie Gespräche mit *können*.**

a
◆ du – Gitarre spielen – auch – ? — ◆ Kannst du auch Gitarre spielen?
○ aber ich – nein, – Klavier spielen – gut – . — ○ …………

b
▲ leider gar nicht gut – ich – kochen – . — ▲ …………
□ sehr gut – aber Sie – Kuchen backen – . — □ …………

A3 **8 *sch, st* und *sp***

1 🔊 71 **a** Hören Sie und sprechen Sie nach.

Phonetik

die Schokolade – die Stadt – die Schweiz – die Straße – der Handstand – spielen – schwarz – Entschuldigung, wie schreibt man das? – Meine Schwester spricht Spanisch.

1 🔊 72 **b** Wo hören Sie *sch*? Hören Sie noch einmal und markieren Sie in a.

1 🔊 73 **c** Hören Sie und ergänzen Sie: *sch* oder *s*.

1 Gehen wir s pazieren?
2 Wie ……pät ist es?
3 Buch……tabieren Sie, bitte.
4 Das ……meckt gut.
5 Er ist Fußball……pieler.
6 ……prichst du ……panisch?

B Ich **will** das so gern wieder **lernen**!

B1 **9 Lesen Sie und markieren Sie die Formen von *wollen*. Ergänzen Sie dann die Tabelle.**

Grammatik entdecken

- ◆ Was wollt ihr in den Ferien machen?
- ○ Wir wissen es noch nicht. Wir wollen vielleicht nach Spanien fahren. Tanja will dort einen Sprachkurs machen. Und du? Was willst du gern machen?
- ◆ Ich will in den Ferien keinen Kurs machen. Ich will schwimmen, wandern, Fahrrad fahren ... einfach Urlaub machen!

wollen					
ich	....	du	....	er/sie	....
wir	....	ihr	wollt	sie/Sie	wollen

B2 **10 Schreiben Sie Sätze mit *wollen*.**

a In den Ferien – keinen Kurs – machen – Jakob
In den Ferien will Jakob keinen Kurs machen.

b keinen Stress – haben – in den Semesterferien – Jakob und Alina
....

c zeichnen und fotografieren – Alina – in der Natur
....

d jeden Tag – Fußball spielen – Jakob
....

e Englisch – ein bisschen – Sie – lernen
....

f im Urlaub – viel Freizeit – Jakob und Alina – haben
....

B2 **11 Ergänzen Sie *wollen* in der richtigen Form.**

A

Die Pizza schmeckt super. Willst du noch etwas?

B

Bringst du bitte Struppi in den Flur?
Er .... aber nicht.

C

.... Sie schon gehen?
Ja, wir stehen morgen früh auf.
Ich .... aber noch nicht ins Bett.

D

Und ihr? Was .... ihr im Urlaub machen?
Wir .... im August nach Marokko fahren.

B

B3 **12 Wer will was lernen? Hören Sie und ergänzen Sie.**

1 🔊) 74-77

A

Anna

Französisch

B

Ina und Miguel

....

C

Hassan

....

D

Kostas und Hella

....

B3 **13 Ordnen Sie zu.**

Nein! Ich will jetzt wirklich fernsehen! | Ich möchte kein Gemüse essen. | Ich will aber kein Gemüse essen! | ~~Jetzt nicht. Ich möchte gern fernsehen.~~

a

◆ Gehen wir ein bisschen spazieren?

○ Jetzt nicht. Ich möchte gern fernsehen.

◆ Nur kurz. Bitte!

○ ....

b

▲ Kommst du bitte? Wir essen jetzt das Gemüse.

□ ....

▲ Kommst du jetzt? Wir essen!

□ ....

B3 **14 Was sagen die Personen?**

Schreiben Sie Gespräche mit *„möchte"* und *wollen*.

◇ Guten Tag. Was möchten Sie?
▲ Ich möchte gern ...

A

B

C

C Das **hat** richtig Spaß **gemacht**. 7

C1 15 Ergänzen Sie.

ich habe du hast er/sie hat wir haben ihr habt sie/Sie haben	geübt	*üben*	Ich *habe* gestern viel Deutsch *geübt*.
	gegessen		Die Kinder ______ schon ______.
	geschrieben		Er ______ die E-Mail schon ______.
	gemacht		______ ihr auch in Italien Urlaub ______?
	gesprochen		______ Sie mit Frau Kindl ______?
	gekauft		Elena ______ Blumen für Oma ______.
	geliebt		Wir ______ Opa sehr ______.
	gefunden		______ du dein Buch ______?
	gelesen		______ ihr den Text schon ______?

C2 16 Ordnen Sie zu.

a ~~kaufen~~ b kochen c kosten d leben e sagen f treffen g wohnen h sprechen i suchen j frühstücken k grillen l trinken m sehen n üben

○ getrunken ○ gefrühstückt ○ gesagt ○ gesehen ○ getroffen ○ gekocht ○ geübt
○ gelebt ○ gesprochen (a) gekauft ○ gekostet ○ gegrillt ○ gesucht ○ gewohnt

C2 17 Machen Sie zwei Tabellen mit den Wörtern aus 15 und 16.

Grammatik entdecken

ge...(e)t

	er/es/sie	er/es/sie hat
üben	*übt*	*geübt*

ge...en

	er/es/sie	er/es/sie hat
essen	*isst*	*gegessen*

C2 18 Ordnen Sie zu und ergänzen Sie in der richtigen Form.

lernen ~~kaufen~~ schlafen sehen kochen sagen essen

a
◆ Ich gehe in den Supermarkt. Wir brauchen ...
○ Ich *habe* doch schon alles *gekauft*.

b
◆ Es gibt Abendessen, Kinder!
○ Was ______ du heute ______?

c
◆ Sprichst du Französisch?
○ Ja, ich ______ es in Paris ______.

d
◆ Ist der Film gut?
○ Ich weiß es nicht. Ich ______ den Film noch nicht ______.

e
◆ Möchtest Du einen Kuchen?
○ Nein, danke. Ich ______ schon zwei Brötchen ______.

f
◆ Bist du müde?
○ Ja, ich ______ heute Nacht nicht viel ______.

g
◆ Was macht Lea am Wochenende?
○ Ich weiß es nicht. Sie ______ nichts ______.

C

C3 **19 Lesen Sie und markieren Sie die Sätze im Perfekt. Ergänzen Sie dann die Tabelle.**

Grammatik entdecken

E-Mail senden

Liebe Lena,
hast Du meine E-Mail gelesen? Du hast lange nicht geschrieben. Salzburg gefällt mir sehr gut. Ich habe im Deutschkurs schon viel gelernt. Jeden Nachmittag haben Paula und ich zusammen geübt. Gestern haben wir dann die A1-Prüfung geschrieben. Jetzt habe ich ein paar Tage frei. Morgen fahre ich mit Freunden nach Wien. Ich habe sie im Deutschkurs kennengelernt. Und Du? Was hast Du so gemacht?
Liebe Grüße
Sara

	Hast	Du meine E-Mail	gelesen	?
Du	hast	lange nicht	geschrieben	.

◇ **C3** **20 Lesen Sie und schreiben Sie.**

Was macht ihr am Sonntag?

Am Sonntag schlafen wir lange. Dann lese ich und lerne ein bisschen Deutsch. Jens hört Musik und kocht das Mittagessen. Am Nachmittag machen wir Sport. Am Abend spielen wir mit Freunden Tennis.

Was habt ihr am Sonntag gemacht?
Am Sonntag haben wir lange geschlafen. …

❖ **C3** **21 Was haben Sie am Sonntag gemacht? Machen Sie Notizen und schreiben Sie dann.**

– mit Natalie frühstücken
– …

Am Sonntag habe ich lange mit Natalie gefrühstückt. Dann …

C3 **22 Lesen Sie die E-Mail in 19 noch einmal und schreiben Sie die Antwort.**

Schreibtraining

E-Mail lesen | viel arbeiten | eine neue Wohnung suchen | 2-Zimmer-Wohnung finden | viele Möbel kaufen | Spanisch lernen | auch einen Kurs machen wollen | auch Spanisch lernen wollen?

E-Mail senden

Liebe Sara,
ja, ich habe Deine E-Mail gelesen.
Ich habe viel gearbeitet.

D Ich **bin** heute in die Stadt **gegangen**.

D1 23 Ergänzen Sie.

ich bin du bist er/sie ist wir sind ihr seid sie/Sie sind	gegangen	gehen	Ich bin heute nicht zum Sprachkurs gegangen . ……… du am Morgen zum Sprachkurs ……… ?
	gefahren	………	Sie ……… nach Berlin ……… . Wir ……… am Sonntag Fahrrad ……… .
	gekommen	………	Wann ……… ihr nach Deutschland ……… ? Lucien und Odile ……… zu spät ……… .

D1 24 Machen Sie eine Tabelle mit den Wörtern aus 23.

Grammatik entdecken

ge…en

	er/es/sie	er/es/sie ist
gehen	geht	gegangen

D1 25 Ergänzen Sie *haben* oder *sein* in der richtigen Form.

- ◆ Du siehst müde aus. Was hast du gestern gemacht?
- ○ Am Vormittag ……… Maria gekommen und wir ……… Mountainbike gefahren. Am Nachmittag ……… wir ins Schwimmbad gegangen. Dann ……… wir mit Luisa und Frederic Hausaufgaben gemacht. Am Abend ……… wir im *Bella Roma* eine Pizza gegessen und dann ……… wir nach Hause gefahren. Um elf Uhr ……… Maria gegangen und ich ……… noch ein bisschen Musik gehört.
- ◆ ……… du wieder spät ins Bett gegangen?
- ○ Ja, aber morgen habe ich frei. Dann kann ich lange schlafen.

D3 26 Markieren Sie die Sätze und ergänzen Sie die Tabelle.

Grammatik entdecken

GARYISTAUSSÜDAFRIKANACHDEUTSCHLANDGEKOMMENERHATVIER
JAHREINENGLANDGEARBEITETJETZTWILLERINDEUTSCHLAND
LEBENERHATSCHONEINEWOHNUNGINKÖLNGEFUNDEN

Gary	ist	aus Südafrika nach Deutschland	gekommen.
………	………	………	………
………	………	………	………
………	………	………	………

◇ D3 27 Schreiben Sie Sätze im Präsens mit *wollen/können* oder im Perfekt.

a am Freitag – eine Party machen – Vitali – haben
b nicht so gut – tanzen – Ernesto – können
c nächsten Winter – in Norwegen – Ski fahren – wollen – Kathi
d im Sommer – zwei Wochen – in Italien – wandern – Aziza – sein

Vitali hat am Freitag eine Party gemacht.

D

❖ D3 28 **Ergänzen Sie in der richtigen Form.**

heute:

a lange wandern

b ins Café gehen

c kochen

d früh ins Bett gehen

am Mittwoch:

e nach Freiburg fahren wollen

f einkaufen wollen

g eine Wanderkarte kaufen können

Liebe Sünje,

wir sind gut in den Schwarzwald gekommen. Es ist sehr schön hier. Heute sind wir lange gewandert (a).

Am Nachmittag .... (b).

Am Abend .... (c).

Wir .... (d).

Am Mittwoch .... (e).

Dort .... (f). Vielleicht

.... (g).

Wir haben die Wanderkarte nämlich zu Hause vergessen.

Liebe Grüße, Urs und Tanja

D3 29 **Hören Sie das Gespräch.**

1 78 **a** Wo sind Frau Wenzel und Herr Bah? Kreuzen Sie an.

○ im Restaurant

○ im Deutschkurs

○ auf der Straße

b Was ist richtig? Hören Sie noch einmal und kreuzen Sie an.

1 Herr Bah ist ☒ zwei Wochen ○ am Wochenende in Polen gewandert.
2 Frau Wenzel ist einmal nach Danzig gefahren. Dort hat es ○ viel ○ gar nicht geregnet.
3 Herr Bah hat Danzig ○ gut gefallen. ○ nicht gesehen.

E Eine Sprache lernen

E2 30 Ergänzen Sie die Lerntipps.

Ich fahre jeden Tag lange  _ _ _ s und höre Musik auf Deutsch. Das hilft und macht Spaß.

Du kannst einen Deutsch-Tag machen und deutsche  C _ m i _ _ und  _ e i _ _ n g _ _ lesen.

Hast du schon einmal ein Lern-  p l _ _ _ t für die Wohnung gezeichnet?

Wörter zusammen lernen, zum Beispiel  F r a g e und _ n t _ _ _ t

oder  _ u s _ _ m und  T h _ _ t _ _ .

E2 31 Deutsch lernen mit internationalen Wörtern

a Ergänzen Sie Wörter aus 30 und vergleichen Sie.

Deutsch	Englisch	Meine Sprache
Theater	theatre	
	museum	
	bus	
	comic strip	

b Lesen Sie den Lerntipp. Haben Sie das schon einmal probiert? Kreuzen Sie an.

LERNTIPP Achten Sie beim Lernen auf internationale Wörter.

- ○ Ja, schon öfter. Ich finde das wichtig.
- ○ Ja. Andere Sprachen helfen.
- ○ Nein, noch nie. Ich finde das nicht wichtig.
- ○ Nein, aber ich will das ab jetzt machen. Den Tipp finde ich gut.

E2 32 Sie wollen einen Surfkurs machen.

Prüfung

a Sie schreiben eine E-Mail an die Surfschule „Seewind" auf Norderney. Welche Anrede-/Grußformel passt nicht? Kreuzen Sie an.

- ○ *Sehr geehrte Damen und Herren, ... Mit freundlichen Grüßen*
- ○ *Liebe Damen und Herren, ... Mit vielen Grüßen*
- ○ *Hallo, ... Viele Grüße*

b Schreiben Sie zu jedem Punkt ein oder zwei Sätze. Schreiben Sie auch eine Anrede und einen Gruß.

- Warum schreiben Sie?
- Surfkurse für Anfänger? Wann?
- Preise?

Test Lektion 7

1 Was passt nicht? Streichen Sie.

1 ____ /4 Punkte — WÖRTER

a Ski fahren – ~~Kuchen backen~~ – reiten – Tennis spielen
b E-Mails schreiben – Klavier spielen – stricken – klettern
c fotografieren – schlafen – malen – singen
d Grammatik üben – Wörter lernen – Hausaufgaben machen – kochen
e die Politik – das Klavier – die Psychologie – die Mathematik

● 0–2 ● 3 ● 4

2 Ergänzen Sie *wollen* oder *können* in der richtigen Form.

2 ____ /5 Punkte — GRAMMATIK

◆ Am Wochenende ____________ (a) Nadja und ich reiten gehen. Willst (b) du mitkommen?
○ Gern. Aber ich ____________ (c) gar nicht reiten.
◆ Das ist kein Problem. Das ____________ (d) du lernen.
○ Okay. Wann ____________ (e) ihr denn losfahren?
◆ Am Nachmittag. Wir ____________ (f) uns um 14.30 Uhr treffen.

3 Ergänzen Sie mit *sein* oder *haben* in der richtigen Form.

3 ____ /8 Punkte

◆ Was hast du am Sonntag gemacht (machen) (a)?
○ Ich ________ lange ____________ (schlafen) (b).
Dann ________ ich ____________ (frühstücken) (c).
Und am Nachmittag ________ ich zu Fred ____________ (fahren) (d).
Wir ________ Tennis ____________ (spielen) (e).

4 Schreiben Sie Sätze.

4 ____ /4 Punkte

◆ Wollen wir am Wochenende einen Ausflug machen (a)?
(am Wochenende – einen Ausflug machen – wollen – wir)
○ Ja, gute Idee. Ich ________________________
________________ (b). (lange – keinen Ausflug – gemacht)
Was ________________________ (c)? (du – möchten – machen)
◆ Wir ________________________ (d). (Fahrrad fahren – können)
○ Oh ja! Wann ________________________ (e)? (wir – wollen – losfahren)

● 0–8 ● 9–13 ● 14–17

5 Ordnen Sie zu.

5 ____ /5 Punkte — KOMMUNIKATION

Den Tipp finde ich gut   Ja, super   ~~Ach nein~~   das finde ich wichtig   nicht so gern   Nein, noch nie

◆ Spaß haben beim Lernen – ____________ (a). Hast du gute Tipps?
○ Du kannst zum Beispiel joggen und dabei Musik auf Deutsch hören.
◆ Ach nein (b). Ich jogge ____________ (c).
○ ... Hm, hast du schon einmal einen Deutsch-Tag gemacht?
◆ ____________ (d). Wie geht das?
○ Du hörst einen Tag lang Musik nur auf Deutsch oder liest deutsche Zeitungen.
◆ ____________ (e)! Das kann ich machen. ____________ (f).

● 0–2 ● 3 ● 4–5

1 Small-Talk-Themen

a Welche Themen passen in Ihrem Land? Sammeln Sie im Kurs. Arbeiten Sie auch mit dem Wörterbuch.

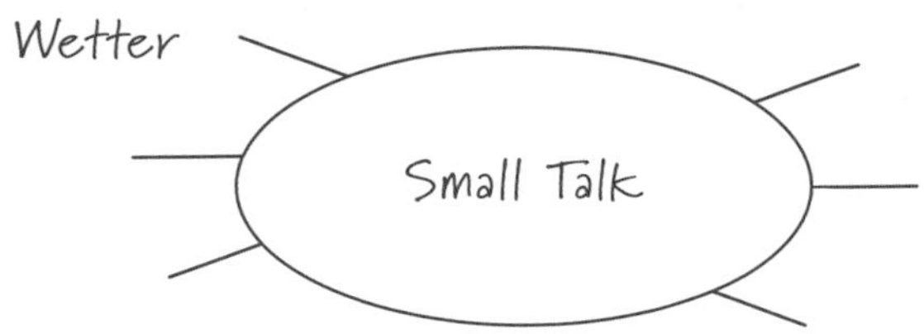

b Welche Themen passen nicht? Ergänzen Sie.

Geld, ...

c Welche Themen passen in Deutschland? Was meinen Sie?

Ich denke, das Thema Wetter passt immer ...

2 Private Gespräche in der Firma

1 🔊 79-81

a Welche Themen hören Sie? Ergänzen Sie.

1 Essen .... 2 .... 3 ....

b Welche Sätze hören Sie? Hören Sie die Gespräche noch einmal und kreuzen Sie an.

1	2	3
☒ Sag mal, ...	○ Wie geht es Ihnen?	○ Ja, das stimmt!
○ Schau mal!	○ Danke, gut. Und Ihnen?	○ Ich finde ... super!
○ Oh, ganz gut.	○ Es geht.	○ Sag mal, ...
○ ... nicht so gern ...	○ Wie ist das Wetter?	○ Nein, nicht so gern.
○ Ich finde das sehr wichtig.	○ ..., oder?	○ Ah, sehr schön!
○ Ja, sehr gern.	○ Oh, das ist schön.	○ Und wie gefällt dir ...?
○ Gute Idee!	○ Schönen Tag noch!	○ Also, ...
		○ Ach so, ...

3 Wählen Sie ein Thema aus 1a und schreiben Sie ein Gespräch. Die Sätze aus 2b helfen Ihnen.

◇ Hallo ... Wie geht es Ihnen/dir?
● ...

A Ich bin **Physiotherapeutin**.

A2 **1 Ergänzen Sie die Berufe.**

a Ich unterrichte Deutsch und Mathematik. Ich bin Lehrerin (inrerLeh).
b Ich schreibe Texte für eine Zeitung. Ich bin .... (lisnaJourtin).
c Ich arbeite in einem Krankenhaus. Ich bin .... (tinzrÄ).
d Ich arbeite für einen Arzt. Ich bin .... (ferArztinhel).
e Ich habe noch keine Arbeit. Ich bin .... (lerSchü).

A2 **2 Berufe: Bilden Sie Wörter, ordnen Sie zu und ergänzen Sie.**

In zist nieur ger ~~Ärz~~ li pfle lis Ver Haus Kran tin
Po Haus meis ge frau käu ter fer Jour na ~~tin~~ ken

● der	● die	● der	● die
Arzt	Ärztin		

A2 **3 Was sind Sie von Beruf? Was ist Ihr Bruder / Ihre Schwester / Ihr Vater ... von Beruf?**
Suchen Sie fünf Berufe im Wörterbuch.

Bäcker ....
....

A3 **4 Ordnen Sie zu.**

Ich bin | ich arbeite als | Sehr gut | ~~Was machen Sie beruflich~~
eine Ausbildung als Arzthelferin | Haben Sie auch einen Job

a ◆ Was machen Sie beruflich ?
○ .... Studentin.

b ◆ .... ?
○ Ja, ... Arzthelferin.

c ◆ Haben Sie ....
.... gemacht?
○ Ja, natürlich!

d ◆ Wie gefällt Ihnen die Arbeit?
○ .... !

A3 **5 Verbinden Sie.**

a Was sind — 6
b Was machen
c Ich mache
d Ich habe
e Ich bin bei
f Ich bin
g Ich arbeite

1 Riemer & Partner angestellt, in der IT-Abteilung.
2 eine Stelle als Physiotherapeut.
3 als Architektin.
4 zurzeit nicht berufstätig.
5 Sie beruflich?
6 Sie von Beruf?
7 eine Ausbildung als Arzthelferin.

◇ A3 6 Ordnen Sie zu.

machst | bin | habe | bist | studiere | arbeite | ~~machen~~

a
◆ Was machen Sie beruflich?
○ Ich ________ noch. Und am Wochenende ________ ich einen Job beim Fernsehen.

b
▲ Was ________ du von Beruf?
□ Ich bin Arzthelferin, aber ich ________ zurzeit nicht. Ich bin arbeitslos.

c
✚ Was ________ du?
● Ich ________ Schülerin und nicht berufstätig.

❖ A3 7 Was machen die Personen? Schreiben Sie.

a
Sofia Renzel
Beruf: Studentin
Job: Verkäuferin
Firma: Possmann

Sofia Renzel ist …

b
Chiara Morrone
Beruf: Physiotherapeutin
zurzeit: arbeitslos
jetzt: Deutschkurs

A3 8 Wer sind Sie? Schreiben Sie.

Schreib-training

Name? | Herkunftsland? | Studium? | Ausbildung? | Beruf? | Wo haben Sie schon mal gearbeitet? | Was haben Sie gearbeitet? | Was machen Sie zurzeit? | Sind Sie angestellt oder selbstständig?

Mein Name ist … und ich komme …
Ich bin … von Beruf. / Ich arbeite als …
Ich habe als … gearbeitet. / Ich habe … studiert.
Jetzt/Zurzeit studiere/arbeite ich … /

A3 9 *-e* und *-er* am Wortende

2 1 Phonetik

a Hören Sie und sprechen Sie nach.

Lehrer – Lehrerin | Babysitter – Babysitterin | Verkäufer – Verkäuferin
Schüler – Schülerin | Partner – Partnerin | Hausmeister – Hausmeisterin

2 2 b Hören Sie noch einmal. Wo hören Sie kein *r*? Markieren Sie in a.

2 3 c Hören Sie und sprechen Sie nach. Achten Sie auf *-e* und *-er*.

1 Ich bin Lehrerin. Ich liebe Mathematik.
2 Ich arbeite im Krankenhaus. Ich bin Krankenpfleger.
3 Ich arbeite im Möbelhaus. Ich bin Verkäufer.

A3 10 Hören Sie und ergänzen Sie: *-e* oder *-er*.

2 4 Phonetik

a
Ich bin Hausmeister. Ich bin selbstständig und hab____ ein____ Firma.

b
Ich bin Schül____. Am Vormittag geh____ ich zur Schule, aber am Abend hab____ ich einen Job als Pizzaverkäuf____.

c
Ich hab____ ein____ Stell____ als Krankenschwest____.

d
Ich arbeit____ als Journalist. Ich schreib____ eine Geschicht____ für die Zeitung.

B **Wann** hast du die Ausbildung gemacht?

B2 11 Verbinden Sie.

a ◆ Seit wann machen Sie die Ausbildung? — 2
b ◆ Wann haben Sie die Ausbildung gemacht?
c ◆ Wie lange hat die Ausbildung gedauert?
d ◆ Seit wann sind Sie schon selbstständig?

1 ○ Vor zehn Jahren.
2 ○ Seit zwei Monaten.
3 ○ Seit 2005.
4 ○ Zwei Jahre.

B2 12 Ergänzen Sie.

a ◆ Wann sind Sie geboren? ○ 1980.
b ◆ ______ sind Sie nach Österreich gekommen? ○ Vor drei Jahren.
c ◆ ______ machen Sie beruflich? ○ Ich bin angestellt und arbeite als Ingenieur.
d ◆ ______ / ______ arbeiten Sie als Ingenieur? ○ Seit zwei Jahren.
e ◆ ______ haben Sie Deutsch gelernt? ○ Zwei Jahre, als Schüler.

B3 13 Ordnen Sie zu.

Diplom | Informationen | geehrter | Praktikum | Gerade | Fragen | gern | Grüßen | Wirtschaft | ~~Bewerbung~~

E-Mail senden

Betreff: Bewerbung um ein Praktikum im Marketing

Sehr ______ Herr Lornsen,

ich möchte gern in Ihrem Büro ein ______ machen. Ich bin Spanierin und habe in Madrid ______ und Marketing studiert. 2015 habe ich mein ______ gemacht. ______ mache ich hier in Hamburg einen Deutschkurs. Ich spreche auch sehr gut Englisch. Haben Sie noch ______? Für weitere ______ stehe ich Ihnen ______ zur Verfügung.

Mit freundlichen ______
Elena Santos

B4 14 Ergänzen Sie: *vor – seit*.

a ◆ Wann sind Sie nach Wien gekommen? ○ Vor zwei Jahren.
b ◆ Seit wann leben Sie schon in Salzburg? ○ ______ sechs Monaten.
c ◆ Wann haben Sie geheiratet? ○ ______ drei Monaten.
d ◆ Haben Sie schon eine Arbeit gefunden? ○ Ja, ______ vier Wochen.
e ◆ Wie lange studieren Sie schon Wirtschaft? ○ ______ drei Jahren.
f ◆ Wann haben Sie das Praktikum bei XLAN gemacht? ○ ______ zwei Jahren.
g ◆ Wie lange lernen Sie schon Deutsch? ○ ______.

B4 **15 Ergänzen Sie: *seit – vor – von ... bis – am – um – im*.**

a
◆ Hast du Markus getroffen?
○ Ja, vor einer Woche.

b
Miriam macht .... zwei Monaten einen Deutschkurs.

c
▲ Wie lange arbeiten Sie .... Freitag?
□ .... acht .... vierzehn Uhr.

d
Ich kann .... Sonnabend nicht kommen. Ich arbeite im Kaufhaus.

e
◆ Wie lange kennst du Paolo schon?
○ Erst .... einer Woche. Wir haben uns genau .... Sonntag .... einer Woche bei Daniela getroffen.

f
◆ Wann gehst du heute einkaufen? .... Nachmittag oder schon .... Vormittag?
○ .... drei Uhr. Ich möchte kurz .... fünf Uhr wieder zu Hause sein.

g
▲ Wann kommen deine Eltern?
□ .... Sommer.

B5 **16 Ergänzen Sie in der richtigen Form.**

◆ Was macht eigentlich Felix?
○ Er ist vor acht Monaten (acht Monate) aus Mexiko zurückgekommen – mit Rosa. Er hat vor .... (ein Jahr) geheiratet.
◆ Toll! Hast du Rosa denn auch schon getroffen?
○ Ja, vor .... (ein Monat).
◆ Spricht sie auch Deutsch?
○ Noch nicht so gut. Sie lernt erst seit .... (ein Monat) Deutsch.

◇ **B5** **17 Ordnen Sie zu.**

1991 | vor einem Monat | Im Sommer | fünf Jahre | seit fünf Monaten | ~~Vor sechs Monaten~~

Ich heiße Elena und bin .... in Málaga geboren. Später habe ich in Madrid gelebt. Dort habe ich .... Psychologie und Marketing studiert. .... habe ich oft als Reiseführerin gearbeitet. Vor sechs Monaten bin ich nach Deutschland gekommen. Ich lerne .... Deutsch. Ich arbeite gerade nicht, aber .... habe ich ein Praktikum bei „Media & Partner" in der Kommunikationsabteilung gemacht.

❖ **B5** **18 Schreiben Sie.**

~~1976: in Sydney geboren~~ | dort: als Surflehrer gearbeitet
vor (vier Jahre): nach Deutschland gekommen
vor (drei Jahre): heiraten | seit (drei Jahre): in Frankfurt
(zwei Jahre): als Reiseführer gearbeitet
seit (drei Monate): Stelle im Reisebüro „Weltweit"

Ich heiße Peter. Ich bin 1976 in Sydney geboren. Dort ...

C Ich **hatte** ja noch keine Berufserfahrung.

C2 **19 Lesen Sie und markieren Sie.**

Wieder-holung A1, L7

Ergänzen Sie dann die Tabelle.

Salif, 27

Mein erster Sommerjob

Vor einem Jahr bin ich zum Studieren nach London gekommen. Im Sommer habe ich einen Job gesucht. Ich habe einen Job als Reiseführer gefunden und die Stadt gezeigt. Das hat Spaß gemacht. Ich habe viele nette Touristen getroffen. Ich habe einen Monat viel gearbeitet. Danach bin ich mit Freunden nach Dublin gefahren. Wir haben viel Live-Musik gehört und wir sind ins Theater und ins Kino gegangen.

kommen	bin gekommen	suchen	habe gesucht
fahren		finden	
gehen		zeigen	
		machen	
		treffen	
		arbeiten	
		hören	

C2 **20 Lesen Sie und markieren Sie die Formen von *haben* und *sein*.**

Grammatik entdecken

Ergänzen Sie dann die Tabelle.

- ◆ Wo wart ihr denn am Samstag?
- ○ Ich war zu Hause.
- ▲ Wir waren auch zu Hause. Meine Eltern waren da. Und du?
- □ Ich war in der Firma. Wir hatten viel Arbeit.
- ▲ Und wo warst du? Hattest du ein schönes Wochenende?
- ◆ Na ja, es geht. Ich hatte frei, aber ihr hattet ja keine Zeit!

	sein		haben	
ich	bin		habe	
du	bist		hast	
er/es/sie	ist	war	hat	hatte
wir	sind		haben	
ihr	seid	wart	habt	
sie/Sie	sind		haben	hatten

C3 21 Ordnen Sie zu.

~~ist~~ ist ist ist sind war war war war war waren
wart Warst hatten hatte hatte Hattet

◆ Schau mal, das *ist* meine Familie: Das .... meine Eltern, das .... meine Schwester, das .... mein Bruder und das .... Maria, meine Tochter.

○ Wann .... das?

◆ Das .... vor fünf Jahren. Meine Tochter .... da erst vier Jahre alt. Sie .... am nächsten Tag Geburtstag.

○ Und wo .... ihr da?

◆ Wir .... bei Freunden in Schweden.

○ Oh, schön! Und wie .... das Wetter? .... ihr viel Sonne?

◆ Ja, das Wetter .... super, wir .... viel Sonne. .... du schon mal in Schweden?

○ Ja, aber ich .... viel Regen und wenig Sonne.

◇ C3 22 Was ist richtig? Kreuzen Sie an.

a

◆ ☒ Hattet ○ Wart ihr ein schönes Wochenende?

○ Ja, wir ○ waren ○ hatten auf der Party bei Timo. Wo ○ wart ○ warst du eigentlich, Sandra?

◆ Ich ○ war ○ hatte keine Zeit. Ich ○ war ○ hatte zu viel Arbeit.

b

▲ Wie ○ waren ○ war dein erster Job?

□ Nicht besonders toll. Ich ○ hattet ○ hatte sehr viel Arbeit und manchmal auch sehr viel Stress. Aber meine Kollegin ○ waren ○ war sehr nett.

▲ Da ○ hattest ○ hattet du ja Glück! Ich habe als Kellnerin in einem Café gearbeitet. Und meine Kollegen ○ waren ○ war professionell, aber nicht sehr nett.

❖ C3 23 Was erzählt Manolo heute? Schreiben Sie.

Vor zwei Jahren

Ich bin jetzt in Deutschland. Ich habe einen Job als Kellner. Der Job ist einfach. Aber ich habe nur wenig Berufserfahrung. Die Kollegen sind nicht sehr nett. Und ich spreche nicht gut Deutsch. Ich habe keine Freunde. Aber jetzt gehe ich in einen Sprachkurs. Dann studiere und arbeite ich. Und Freunde finde ich dann auch.

Heute

Vor zwei Jahren bin ich nach Deutschland gekommen. Ich hatte ...
...
Aber dann bin ich ...
...

D Praktikums- und Jobbörse

D1 24 Was passt nicht? Streichen Sie.

a Ich suche eine Stelle als Sekretärin. – ~~Patient.~~ – Koch.
b Ich habe wenig Berufserfahrung. – ein Studium gemacht. – selbstständig.
c Ich möchte gern als Babysitterin – Diplom – Krankenschwester arbeiten.
d Ich habe an der Universität Abteilungsleiter – Informatik – Marketing studiert.

D1 25 Wer ist das? Schreiben Sie. Beginnen Sie die Sätze mit den markierten Wörtern.

Schreib-training

Ich bin David Gómez. Ich bin 29 Jahre alt und komme aus Chile. Ich bin Informatiker ***von Beruf****. Ich habe schon zwei Jahre als Informatiker* ***in Chile*** *gearbeitet. Ich habe* ***dort*** *im Internet ein super Jobangebot gelesen. Ich habe* ***meine Bewerbungsunterlagen*** *gleich per E-Mail geschickt. Ich bin dann* ***vor drei Monaten*** *nach Deutschland gekommen. Ich spreche* ***zurzeit*** *mit den Kollegen noch Englisch. Ich mache* ***immer am Samstag*** *einen Deutschkurs. Ich will* ***bald*** *auch im Büro Deutsch sprechen.*

Das ist David Gómez. Er ist 29 Jahre alt und kommt aus Chile. Von Beruf ist er …

LERNTIPP Beginnen Sie die Sätze beim Schreiben nicht immer gleich (mit *ich/du/er/…*).

D1 26 Stellenanzeigen

a Ergänzen Sie.

A
Sie lieben große Reisen und Events?
Dann kommen Sie zu uns!
Hier arbeiten Sie im B_er_ei_c_h
Eventmanagement/To__r__m__s.
Wir bieten eine interessante Arbeit mit
netten K__ll__g__n in jungem T__m.
Bewerbung bitte an:
eventagentur@weltweit.de

B
Ich studiere W__t__a__t
und suche ein __r__kt__k__m in
den S__m__t__ferien im
Bereich Controlling. Ko__t__t:
timweston@qmail.com

C
S__ü__r__n sucht Job als
B__y____rin. Ich f__u__
mich auf Ihre Kinder!
Mail: anaS@f-online.de

D
Cateringagentur | Wir suchen einen
Ko__ mit B__uf__f____g
und einen K__l__n__ für den
S__vi__e. info@bestcatering.de
oder 030 – 876 54 53

E
Krankenhaus in Steinbruck sucht
K__a__e__ch__e____n
und K____k__p____g__r mit
guten Deutschk__n__t__s__n.
U__t__l____n bitte per E-Mail
an: info@ks.de

b Lesen Sie die Anzeigen und ordnen Sie zu.

1 Wer sucht eine Arbeit / einen Job? ________
2 Wo gibt es eine Arbeit / einen Job? A, ________

D1 27 Was ist richtig? Kreuzen Sie an.

Ich arbeite ☒ seit ○ vor ○ für drei Jahren in Berlin. (a) Nächstes Jahr möchte ich ○ seit ○ vor ○ für mindestens vier Wochen nach China fahren. (b) Ich war ○ seit ○ vor ○ für einem Jahr schon einmal in Shanghai. (c) Jetzt lerne ich ○ seit ○ vor ○ für drei Monaten Chinesisch. (d) Kim aus Peking kenne ich ○ seit ○ vor ○ für zwei Wochen. (e) Jeden Tag sprechen wir ○ seit ○ vor ○ / zwei Stunden nur Chinesisch. (f) Ich möchte ○ seit ○ vor ○ für ein Jahr in China arbeiten und suche einen Job. (g)

D1 28 Was ist richtig? Kreuzen Sie an.

a Anna ist ☒ seit einer Woche ○ für eine Woche fertig mit der Schule. Nun möchte sie ○ für ein Jahr ○ seit einem Jahr in Irland arbeiten. Sie hat schon ○ für drei Monate ○ vor drei Monaten eine Bewerbung geschrieben und einen Job in einem Café bekommen.

b Enrique lernt zurzeit fünf Tage pro Woche Deutsch, aber am Wochenende hat er Zeit. Er sucht ○ für sechs Monate ○ vor einem Monat einen Job. Er möchte eine Arbeit ○ vor einem Tag ○ für einen Tag am Wochenende. ○ Für ein Jahr ○ Vor einem Jahr hatte er einen Job als Kellner.

D1 29 Markieren Sie in 28 und ergänzen Sie die Tabelle.

Grammatik entdecken

	• der Monat/Tag	• das Jahr	• die Woche	• drei Monate
seit/vor	ein ___ Monat/Tag	ein ___ Jahr	ein *er* Woche	drei Monate ___
für	ein ___ Monat/Tag	ein */* Jahr	ein ___ Woche	drei Monate ___

D1 30 Ergänzen Sie *für*, *seit* und *vor* und vergleichen Sie.

Deutsch	Englisch	Meine Sprache oder andere Sprachen
Ich lebe *seit* einem Jahr in Berlin.	I have been living in Berlin for a year.	
Anna hat ___ drei Monaten einen Job gefunden.	Anna found a job three months ago.	
Anna möchte ___ ein Jahr in Irland arbeiten.	Anna wants/would like to work in Ireland for a year.	

D1 31 Im Café

2 5 a Was ist richtig? Hören Sie und kreuzen Sie an.
Antek und Luisa suchen ○ einen Praktikumsplatz. ○ einen Job.

b Was ist richtig? Hören Sie noch einmal und kreuzen Sie an.

1 ☒ Antek möchte in den Ferien arbeiten und seine Freunde sehen.
2 ○ Luisa hat schon einmal ein Praktikum in einem Hotel gemacht.
3 ○ Jetzt sucht Luisa einen Job als Kellnerin oder Rezeptionistin.
4 ○ Luisa möchte nur in den Semesterferien im Sommer arbeiten.
5 ○ Luisa ruft bei der Cateringagentur an.
6 ○ Antek möchte auch gern in einem Service-Beruf arbeiten.

D1 32 Um Informationen bitten und Informationen geben: Thema „Arbeit".

Prüfung a Schreiben Sie jeweils zwei Fragen zu den Kärtchen.

Wie lange | Wann | Seit wann | Wo | Wie | Wer | Was | Hast du | ...

Thema Arbeit *Kollegen*	Thema Arbeit *Ausbildung*	Thema Arbeit *Arbeitszeit*
Thema Arbeit *Pause*	Thema Arbeit *Beruf*	Thema Arbeit *Firma*

Arbeitszeit:
Wie lange arbeitest du?
Möchtest du gern ...

LERNTIPP In Prüfungen müssen Sie Fragen stellen. Notieren Sie Fragewörter und Fragen zu Themen wie: *Arbeiten*, *Freizeit* oder *Essen & Trinken*.

b Gruppenarbeit: Fragen Sie und antworten Sie.

Wie lange arbeitest du?
Bis sechs Uhr.
ARBEITS-ZEIT

Wann hast du deine Ausbildung gemacht?
Vor zwei Jahren.
AUSBILDUNG
ARBEITS-ZEIT

E2 33 Ergänzen Sie.

a

◆ Guten Tag. Mein Name ist Sandra Wolf. Ich habe Ihre Anzeige gelesen. Sie suchen eine Praktikantin (ktitinkanPra) im ______ (reicheB) Mode? Ist die Stelle noch ______ (frie)?

○ Ja.

b

◆ Wie lange ______ (ertaud) das Praktikum?

○ Sechs Monate.

◆ Und wie ist die ______ (zeitbeitsAr)?

○ Das weiß ich ______ (deriel) nicht genau. Aber ______ (norsemalerwei) sind wir montags bis freitags von 9–18 Uhr hier.

c

◆ ______ (mekomBe) ich für das Praktikum Geld?

○ Wir ______ (hazlen) 11,50 € pro ______ (nutSde).

◆ Das ist gut. Möchten Sie die Bewerbung ______ (lichtfirsch)?

○ Ja, bitte schicken Sie sie per E-Mail an info@ateliernull.de.

◆ Danke.

E2 34 Ist die Stelle noch frei?

a Ordnen Sie das Gespräch.

◯ ◆ Ja. Schicken Sie mir doch bitte bald Ihre schriftliche Bewerbung per E-Mail.
(1) ◆ Reisebüro „Globalreisen". Münziger, guten Tag.
◯ ◆ Ja, das stimmt, Frau Meinert. Haben Sie denn schon Erfahrung als Reiseführerin?
◯ ◆ Auf Wiederhören, Frau Meinert.
◯ ○ Guten Tag, mein Name ist Christine Meinert. Ich habe Ihre Anzeige gelesen. Sie suchen Reiseführer für Südengland.
◯ ◆ Das freut mich. Und jetzt möchten Sie wieder in England arbeiten?
◯ ○ Das mache ich. Herzlichen Dank und auf Wiederhören.
◯ ○ Ja, ich studiere Tourismus an der Universität Frankfurt und habe schon sechs Monate ein Praktikum als Reiseführerin in London gemacht. Das hat viel Spaß gemacht!
(6) ○ Ja, genau. Ist die Stelle noch frei?

2 ◀)) 6 **b** Hören Sie und vergleichen Sie.

Test Lektion 8

1 Wie heißen die Wörter? Ordnen Sie zu.

1 ...... /9 Punkte

WÖRTER

solbeitsar digststselbän elleSt ~~kumrPaitk~~
Bebungweren Pisxar hönicK sdieturt boJ Aerznthlferi

a Jennifer macht ein Praktikum als .... bei einem Kinderarzt.
b Emilia .... Wirtschaft. Am Abend hat sie einen .... als .... in einem Restaurant.
c Susan ist Ärztin. Sie ist .... und hat eine eigene ....
d Martin ist zurzeit .... Er sucht eine .... als Informatiker und schreibt viele ....

...... 0–4 / 5–7 / 8–9

2 Ergänzen Sie in der richtigen Form: *haben – sein*.

2 ...... /7 Punkte

GRAMMATIK

◆ Hattest (a) du ein schönes Wochenende?
○ Ja, Alba .... (b) doch Geburtstag. Ich .... (c) auf der Party.
◆ Und wie .... (d) die Party? .... (e) viele Freunde da?
○ Ja. Wir .... (f) viel Spaß. Und wo .... (g) ihr?
◆ Wir .... (h) in der Firma. Wir hatten (i) viel Arbeit.

3 Was ist richtig? Kreuzen Sie an.

3 ...... /5 Punkte

◆ Wann bist du nach Zürich gekommen?
○ ○ Vor ○ Seit (a) zwei Jahren. Zuerst habe ich ☒ / ○ seit (b) ein Jahr einen Deutschkurs gemacht. Und ○ für ○ seit (c) fast drei Jahren studiere ich Wirtschaft.
◆ Wie lange dauert das Studium noch?
○ Noch ○ für ○ / (d) sechs Monate. Und dann möchte ich ○ für ○ vor (e) einen Monat zu meiner Familie nach Mexiko fahren.
◆ Wie lange hast du deine Familie nicht gesehen?
○ ○ Vor ○ Seit (f) einem Jahr.

...... 0–6 / 7–9 / 10–12

4 Ordnen Sie zu.

4 ...... /6 Punkte

KOMMUNIKATION

Wir zahlen 450 Euro wir suchen eine Verkäuferin Und wie ist die Arbeitszeit
Ist die Stelle noch frei vier Stunden am Vormittag
Ich habe Ihre Anzeige gelesen ~~wie ist die Vergütung~~

◆ Modehaus Schott, Susanne Zimmermann, guten Tag.
○ Guten Tag. Mein Name ist Victoria Peterson. .... (a) .... ? (b)
◆ Ja, ... für unser Modehaus. (c)
○ Gut. .... ? (d)
◆ Montags, dienstags und donnerstags .... (e)
○ Das passt. Und wie ist die Vergütung ? (f)
◆ .... (g) pro Monat.

...... 0–3 / 4 / 5–6

Fokus Beruf: Eine Anzeige schreiben

1 Studenten-Job gesucht

a Welcher Link passt zu den Anzeigen 1–4? Lesen Sie und ordnen Sie zu.

Bay-Regio

Stellengesuche
Stellenangebote
KFZ-Markt
Haushalt / Möbel
Verkäufe

Stellengesuche

- ◯ Brauchen Sie eine Babysitterin? Anzeige vom 24.3.
- (1) Englisch für die Arbeit? Anzeige vom 23.3.
- ◯ Koch oder Kellner gesucht? Anzeige vom 21.3.
- ◯ Arzthelferin gesucht? Anzeige vom 21.3.

1

Sie brauchen Englisch im Büro? Muttersprachlerin aus Großbritannien mit MA der Universität Oxford und fünf Jahren Berufserfahrung in einer Sprachschule sucht einen Job als Lehrerin für Business-Englisch. Komme in Ihre Firma oder nach Hause, nachmittags und abends. Bitte melden unter: abigail@johnson.de

2

Mann mit viel Erfahrung als Koch und als Kellner sucht für Freitag, Samstag, Sonntag Arbeit im Service oder in der Küche. Ich komme auch in Ihr Haus und koche für Ihre Party!
Tel.: 0151/129 36 35 44

3

Arzthelferin mit sechs Jahren Berufserfahrung (zurzeit Mutter und Hausfrau) sucht Arbeitsstelle in einer Arztpraxis für zwei bis drei Tage pro Woche.
martaM@qmx.de

4

Liebe Eltern, ich bin Auszubildende, 16 Jahre alt und mag Kinder. Für zwei Abende in der Woche suche ich einen Job als Babysitterin. Ich arbeite seit zwei Jahren als Babysitterin und kann auch kochen. Franzi
Tel.: 0911/567 84 oder franzi@webb.de

b Lesen Sie die Anzeigen noch einmal und markieren Sie: Wer sucht einen Job und was kann die Person? Welchen Job sucht die Person? Wann kann die Person arbeiten?

2 Eine Anzeige für einen Job

a Lesen Sie die Fragen und notieren Sie.

1 Wer sind Sie und was können Sie? ....
2 Welchen Job suchen Sie? ....
3 Wann haben Sie Zeit? ....

b Schreiben Sie eine Anzeige für das Internet.
Schreiben Sie auch eine passende Überschrift.

Kellnerin gesucht?
Ich bin ...

A Sie **müssen** einen Antrag **ausfüllen**.

A1 **1 Was ist richtig? Kreuzen Sie an.**

a ○ Ich ☒ Du musst 10 Euro bezahlen.
b ○ Wir ○ Ihr müssen den Antrag ausfüllen.
c ○ Sie ○ Er müssen einen internationalen Führerschein haben.
d ○ Du ○ Ihr müsst hier unterschreiben.
e ○ Wir ○ Maria muss eine Fahrkarte kaufen.
f ○ Ich ○ Jan und Eva muss viele Papiere zum Amt mitbringen.

A1 **2 Schreiben Sie Sätze und ergänzen Sie die Tabelle.**

Grammatik entdecken

a Sie – das Formular – müssen – ausfüllen – .
b Wo – den Ausweis – kann – abholen – ich – ?
c wir – Was – mitbringen – müssen – ?
d er – muss – hier – machen – Was – ?
e schnell – will – Ich – Deutsch – lernen – .
f am Samstag – arbeiten – du – Musst – ?

Sie	müssen	das Formular	ausfüllen	.

A1 **3 Satzakzent**

2 🔊 7 **a** Hören Sie und markieren Sie die Betonung: ____.

Phonetik

1
◆ Ich muss jetzt <u>gehen</u>.
○ Ach, nein!
◆ Doch, ich <u>muss</u> gehen. Ich muss noch einkaufen.

2
▲ Kannst du heute kommen?
□ Nein, tut mir leid.
▲ Du kannst kommen, da bin ich sicher, aber du willst nicht.

3
✚ Ich kann stricken.
● Das glaube ich nicht.
✚ Doch, ich kann stricken.

b Spielen Sie die Gespräche mit Ihrer Partnerin / Ihrem Partner.

A2 **4 Schreiben Sie Sätze mit *müssen* in der richtigen Form.**

A

den Antrag ausfüllen

Sie müssen ________________
________________.

B

zuerst das Ziel wählen

Also, wir ________________
________________.

C

aufstehen

Guten Morgen. Es ist 7 Uhr. Du ________________
________________.

D

jetzt schlafen

Es ist schon spät. Ihr ________________
________________.

◇ A2 **5 Was ist richtig? Kreuzen Sie an.**

◆ Sie ☒ können ○ müssen den Bus nicht nehmen. Die Fahrkarte ist hier nicht gültig.
○ Oh! Wo ○ will ○ kann ich die richtige Fahrkarte kaufen?
◆ Hier ist ein Fahrkartenautomat.
○ Danke. Und wie funktioniert er? Was ○ kann ○ muss ich hier machen?
▲ Sie ○ müssen ○ können zuerst ein Ziel wählen. Wohin ○ können ○ möchten Sie fahren?
○ Nach Mühlheim.
▲ Okay, und danach ○ müssen ○ wollen Sie auswählen: Erwachsener oder Kind ...

❖ A2 **6 Ergänzen Sie in der richtigen Form: *können – müssen – wollen*.**

a
◆ Anne! Du musst aufstehen, es ist sechs Uhr!
○ Aber ich .... heute nicht aufstehen!

b
● Wir .... jetzt Kuchen backen!
▲ Ihr .... nicht gleich backen, ihr .... noch die Küche aufräumen.

c
Kannst du heute bitte einkaufen?
Ich .... lange arbeiten.

d
Mit 18 .... man den Führerschein machen, aber man .... nicht.

A3 **7 Lösen Sie das Rätsel.**

A

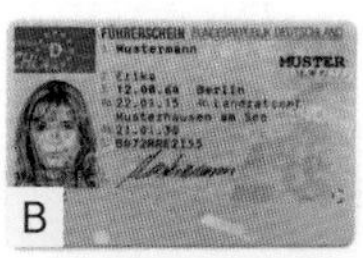

B

C

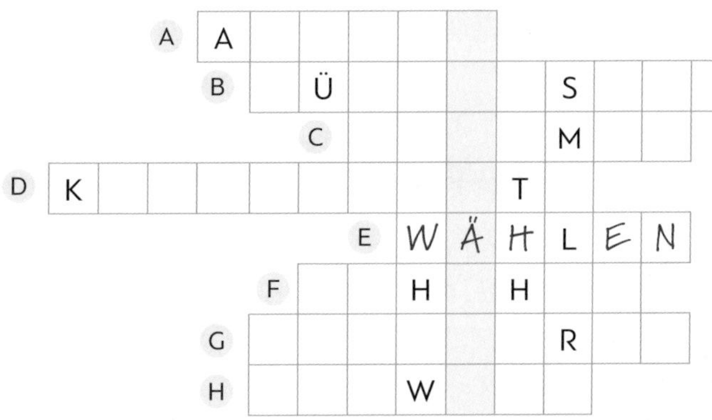

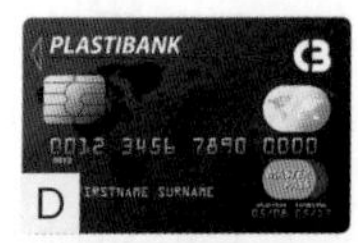

D

E

F

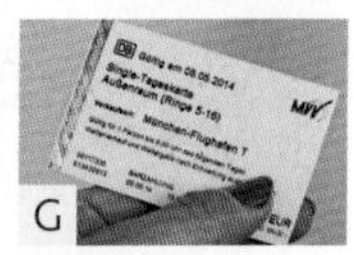
G

H

Lösung: Das kann man auch am Automaten kaufen: ....

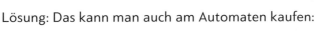

A3 **8 Den Führerschein machen: Was muss man machen? Schreiben Sie.**

Schreibtraining

einen Sehtest machen → eine Fahrschule suchen und dort Unterricht nehmen → zum Amt gehen und den Führerscheinantrag abholen → den Antrag ausfüllen und viel zum Amt mitbringen: den Sehtest, den Ausweis, ein Foto → die Führerscheinprüfung machen

Zuerst muss man ... Danach ...
Und dann ... Dann ...
Und man muss ... Zum Schluss ...

● die Prüfung = ● der Test

B Sieh mal!

B2 **9 Was ist richtig? Kreuzen Sie an.**

a ○ Siehst du mal: ☒ Sieh mal: Das Auto sieht toll aus!
b Wir gehen schwimmen. ○ Komm doch mit! ○ Du kommst mit?
c ○ Wählt ihr ○ Wählt zuerst das Ziel aus!
d ○ Bring ○ Bringst bitte deinen Ausweis mit!
e ○ Sei ○ Bist bitte pünktlich!
f ○ Nimmst ○ Nimm doch noch einen Apfel.

B2 **10 Streichen Sie und ergänzen Sie.**

Grammatik entdecken

	?	!	?	!
a	Schreib~~st du~~ bald?	Schreib bitte bald!	Schreibt ~~ihr~~ bald?	Schreibt bitte bald!
b	Rufst du an?	.... bitte an!	Ruft ihr an?	.... bitte an!
c	Arbeitest du heute?	.... nicht so viel!	Arbeitet ihr heute?	.... nicht so viel!
d	Holst du Kim ab?	.... bitte Kim ab!	Holt ihr Kim ab?	.... bitte Kim ab!
⚠ e	Lies~~t du~~ den Text?	Lies bitte den Text!	Lest ihr den Text?	.... bitte den Text!
⚠ f	Isst du gern Eis?	.... nicht so schnell!	Esst ihr gern Eis?	.... nicht so schnell!
⚠ g	Schl<u>ä</u>f~~st du~~ schon?	Schlaf gut!	Schlaft ihr schon?	.... gut!

B2 **11 Schreiben Sie.**

A

~~ein Buch lesen~~ ins Museum gehen fernsehen für die Universität lernen

◆ Es regnet am Wochenende. Was kann ich dann machen?
○ Lies doch ein Buch oder ....

B

~~ins Kino gehen~~ Tennis spielen Freunde treffen die Wohnung aufräumen

□ Was macht ihr heute Abend?
▲ Wir wissen es noch nicht. Was schlägst du vor?
□ Geht doch ins Kino oder ....

◇ **B2** **12 Ergänzen Sie.**

		Marcel, ...	Marcel und Tanja, ...
a	(bitte Getränke mitbringen)	bring bitte Getränke mit!	bringt bitte Getränke mit!
b	(nicht so lange schlafen)		
c	(bitte zuhören)		
d	(bitte die Handys ausmachen)		
e	(bitte Pedro helfen)		

❖ B2 13 Was sagt Lina zu Mark und Caro? Ordnen Sie zu und ergänzen Sie in der richtigen Form.

nicht so laut sein | ~~den Flur aufräumen~~ | nicht immer meine Sachen essen | Caro die Übungen erklären | nicht so lange im Bad bleiben

A Räumt doch bitte den Flur auf!
B Mark!
C ……
D …… Ich muss lernen.
E …… Caro schreibt morgen einen Test.

B3 14 Satzmelodie

2 ◀)) 8 a Hören Sie und ergänzen Sie die Satzmelodie: ↗ oder ↘.

Phonetik

1 Warten Sie einen Moment? ↗
2 Bitte hören Sie zu! ……
3 Machen Sie einen Deutschkurs! ……
4 Warten Sie einen Moment! ……
5 Bezahlen Sie an der Kasse? ……
6 Machen Sie viel Sport? ……

2 ◀)) 9 b Hören Sie noch einmal und sprechen Sie nach.

2 ◀)) 10 c Hören Sie und ergänzen Sie: *?* oder *!*

1 Kommen Sie heute ?
2 Essen Sie ein Brötchen ……
3 Lernen Sie jeden Tag zehn Wörter ……
4 Kommen Sie heute um fünf ……
5 Essen Sie einen Apfel ……
6 Lernen Sie jeden Tag eine Stunde ……

B3 15 Schreiben Sie Sätze in der *Sie*-Form.

a Ich bin so müde. (→ einen Kaffee trinken oder ein bisschen spazieren gehen)
Trinken Sie einen Kaffee oder gehen Sie ein bisschen spazieren.

b Ich spreche kein Deutsch. (→ einen Sprachkurs machen)
……

c Ich suche eine Wohnung. (→ die Anzeigen in der Zeitung lesen)
……

d Ich verstehe die Übung nicht. (→ Ihre Lehrerin fragen)
……

e Heute fängt mein Deutschkurs an. (→ die Kursgebühren an der Kasse bezahlen)
……

C Sie **dürfen** in der EU Auto **fahren**.

C1 16 Ergänzen Sie *dürfen* in der richtigen Form.

a Frau Kurz, Sie dürfen gern mit Kreditkarte bezahlen.

b .... ich Sie etwas fragen?

c Papa, ... wir jetzt fernsehen?

d Ihr .... kein Auto mieten. Ihr seid noch nicht 21.

e Sofia, du .... hier kein Eis essen.

f .... man hier fotografieren?

C2 17 Ordnen Sie zu.

Hier darf man nicht telefonieren. | Hier darf man doch telefonieren. | Wir müssen warten. | Hier dürfen wir fahren. | Wir dürfen nicht fahren. | ~~Sie müssen das Handy ausmachen.~~ | Aber man muss leise sprechen.

A

◆ Entschuldigung. Aber Sie müssen das Handy ausmachen.

○ Warum?

◆ ....

B

◆ Können Sie bitte leise sein?

○ Warum? ....

◆ Ja. ....

C

◆ Achtung! Es ist rot. Was müssen wir machen?

○ ....

◆ Genau! ....

D

◆ Guck mal. Ein Radweg!

○ ....

◇ C2 18 Was ist richtig? Kreuzen Sie an.

a  Hier ☒ darf ○ muss man rauchen.

b  Hier ○ darf ○ muss man nicht parken.

c  Hier ○ darf ○ muss man die Zigarette ausmachen.

d 

Hier ○ darf ○ muss man parken.

e  Hier ○ dürfen ○ müssen Autos nicht fahren.

f 

Hier ○ darf ○ muss man langsam fahren.

❖ C2 19 Ein Wochenende in Heidelberg

a Ergänzen Sie in der richtigen Form: *müssen – dürfen – wollen – können.*

◆ Hallo, Eva. Hier ist Miriam. Hör mal, Hanna und ich *wollen* am Wochenende ein Auto mieten und nach Heidelberg fahren. .... du mitkommen?

○ Gern. Aber am Freitag .... ich bis 20 Uhr arbeiten.

◆ Kein Problem. Wir fahren erst am Samstagvormittag. .... du bitte ein Picknick für die Fahrt mitbringen?

○ Ja, klar. Und *darf* mein Hund auch mitkommen?

◆ Hm, ich weiß nicht ... Ich glaube, wir .... die Autovermietung fragen. Ich .... dort ja mal anrufen.

○ Okay. Du rufst die Autovermietung an: Sind Hunde erlaubt? Dann kommen wir mit. .... Hunde nicht mitkommen? Dann bleibe ich auch zu Hause.

◆ Gut, Eva. Dann bis später! Tschüs.

2 ◀)) 11 **b** Hören Sie und vergleichen Sie.

C3 20 Im Schwimmbad

a Erlaubt oder verboten? Lesen Sie und kreuzen Sie an.

	Kinder mitbringen	parken	rauchen	Hunde mitbringen	Picknick machen
erlaubt	☒	○	○	○	○
verboten	○	○	○	○	○

Schwimmbad Harthausen – Informationen für Besucher

Öffnungszeiten

Das Schwimmbad ist jeden Tag von 9 bis 21 Uhr geöffnet. Bitte gehen Sie spätestens um 20.30 Uhr zu den Duschen.

Eintritt

Erwachsene: 5 Euro
Kinder (ab 6 Jahren) und Jugendliche: 4 Euro
Für Kinder bis 5 Jahre ist der Eintritt frei.

Parken

Kommen Sie mit dem Auto oder mit dem Fahrrad. In der Pappelallee gibt es Parkplätze.

Hygiene

Bitte duschen Sie vor dem Schwimmen!
Das Rauchen ist im Schwimmbad und auch im Café nicht erlaubt. Hunde sind nicht erlaubt.

Speisen und Getränke

Herzlich willkommen in unserem Café. Hier bieten wir kleine Speisen und Getränke an. Bitte essen und trinken Sie nur im Picknick-Bereich und im Garten.

Viel Spaß beim Schwimmen!

b Lesen Sie noch einmal und ergänzen Sie in der richtigen Form: *müssen – dürfen.*

1 Kinder bis fünf Jahre .... keinen Eintritt bezahlen.
2 Man .... in der Pappelallee parken.
3 Hunde .... nicht ins Schwimmbad.
4 Im Garten *darf* man essen und trinken.

D Informationsbroschüre

D1 **21 Markieren Sie noch acht Wörter und ergänzen Sie dann.**

DEGEBÄUDEDENKAFEGEPÄCKALELFENTRUNDGANGMANSTADTPLAND
ERMÄSSIGUNGKALFEAUFERSENIORENMINDLISEHENSWÜRDIGKEITEN
HELUDAFÜHRUNGWULIGSCHRITTEGF

a Sie kennen Salzburg noch nicht und möchten die .... kennenlernen? Machen Sie eine Stadt................................ .

b Kinder, Schüler, Studenten und .... müssen nicht den Normalpreis bezahlen. Sie bekommen eine ....

c Auf dem Stadt................................ sehen Sie die wichtigsten Gebäude in Salzburg. Es sind immer nur ein paar ....

d Noch ein Tipp: In der Touristeninfo bekommen Sie einen .... – kostenlos! Und dort können Sie auch Ihr .... abgeben.

D2 **22 Grüße aus Salzburg: Schreiben Sie.**

Schreibtraining

ein Museum besuchen → den Dom besichtigen → auf die Festung fahren → in die Oper gehen

E-Mail senden

Liebe Eltern,
viele Grüße aus Salzburg! Die Stadt ist sehr schön und interessant. Wir haben schon viel gemacht: Zuerst haben wir ....
Dann ....
Danach ....
Am Abend ....
Bis bald!
Viele Grüße
Silvia

D2 **23 Was ist richtig? Hören Sie und kreuzen Sie an.**

2 🔊 12

a W. A. Mozart ist 1756 in der Getreidegasse ☒ 9 ○ 17 in Salzburg geboren.

b Mozart hat dort ○ mit seinen Eltern ○ mit seinen Eltern und seiner Schwester gelebt.

c Das Haus ist schon seit ○ 1880 ○ 1818 ein Museum.

d Das Museum ist abends ○ geöffnet. ○ geschlossen.

e Die Touristen können das Mozarthaus am ○ Donnerstagvormittag ○ Donnerstagnachmittag besichtigen.

f Der Eintritt kostet für Senioren ○ 8 €. ○ 8,50 €.

LERNTIPP Lesen Sie zuerst die Aufgaben und hören Sie dann.

E Ein Hotelzimmer buchen

E2 24 Füllen Sie die Anmeldung im Hotel für Akito aus.

Prüfung

Ihr Freund heißt Akito Hirato und kommt aus Japan. Er ist am 24. 2. 1990 in Tokyo geboren. Jetzt wohnt er in Hannover (Schulstr. 24, 30159 Hannover, ak@gmail.jp). Er hat vom 12.–15. 6. ein Zimmer im Hotel „Rosengarten" gebucht und möchte mit Kreditkarte zahlen.

Rezeption — *Hotel* **Rosengarten**

Ankunft am:	Wohnort:
Abreise am: 15. 6.	Straße, Hausnummer:
Name:	Geburtsdatum:
Vorname: Akito	E-Mail:
Postleitzahl:	Zahlungsweise: ○ bar ○ Kreditkarte

E3 25 Ergänzen Sie und vergleichen Sie.

A

B

C

D

E

	Deutsch	Englisch	Meine Sprache
A	Z e n t r u m	centre	.....
B	... if ...	lift/elevator	.....
C	... ... r	terrace	.....
D	... ... pt	reception	.....
E	... o ... ... e ... z ... ... r	double room	.....

E3 26 Ordnen Sie.

- ◯ ◆ Nur Frühstück, bitte.
- ◯ ◆ Ja, gern. Was kostet der Platz in der Garage?
- (1) ○ Guten Tag. Kann ich Ihnen helfen?
- ◯ ○ Der Parkplatz ist für Gäste kostenlos.
- ◯ ◆ Das ist schön. Und wann muss ich auschecken?
- ◯ ○ Also Halbpension ... gern. Ich brauche Ihren Ausweis und Sie müssen bitte das Formular ausfüllen.
- ◯ ○ Um 12 Uhr. Haben Sie noch einen Wunsch?
- ◯ ◆ Nein, danke.
- (2) ◆ Ja, bitte. Mein Name ist Giannini. Ich habe ein Einzelzimmer reserviert.
- ◯ ○ Wir haben eine Garage. Möchten Sie Ihr Auto dort parken?
- ◯ ○ Ah, Herr Giannini. Herzlich willkommen. Möchten Sie Vollpension oder Halbpension?
- ◯ ◆ Gut, das mache ich. Ich habe noch eine Frage: Haben Sie einen Parkplatz?

WÖRTER

1 Im Hotel. Finden Sie noch sieben Wörter und ordnen Sie zu.

1 ...... /7 Punkte

MABEDOPPELZIMMERLOHUSCHLÜSSELFATREFRÜHSTÜCK
JULEANKUNFTZURIGASTDERUZKREDITKARTELÄPUTPASSFA
DEINZELZIMMERHURZ

a ● der: ......
b ● das: Doppelzimmer, ...
c ● die: ......

2 Ergänzen Sie.

2 ...... /3 Punkte

a  Hier dürfen Sie nicht telefonieren.

b  Hier dürfen Sie nicht ...... !

c  Sie dürfen das Gepäck hier ....

d  Hier dürfen Sie nicht ....

...... [● 0–5 ● 6–7 ● 8–10

GRAMMATIK

3 Ergänzen Sie in der richtigen Form.

3 ...... /5 Punkte

a ◆ Dürfen (dürfen) wir fernsehen?
○ Zuerst ...... (müssen) ihr die Hausaufgaben machen.
b ◆ Ich komme gern. ...... (dürfen) ich meine Hunde mitbringen?
○ Natürlich ...... (dürfen) du deine Hunde mitbringen. Gern!
c ◆ Sonja, du ...... (müssen) Äpfel und Bananen kaufen.
○ Ich ...... (müssen) Obst kaufen?! Ich esse doch gar kein Obst.

4 Schreiben Sie Bitten.

4 ...... /3 Punkte

a Sie müssen dort warten. Warten Sie bitte dort.
b Ihr müsst Frau Müller zuhören. ......
c Du musst pünktlich sein. ......
d Sie müssen den Pass zeigen. ......

...... [● 0–4 ● 5–6 ● 7–8

KOMMUNIKATION

5 Ordnen Sie zu.

5 ...... /4 Punkte

Möchten Sie Vollpension oder Halbpension ~~Ich habe ein Einzelzimmer reserviert~~
Ich brauche Ihren Ausweis Wann muss ich am Sonntag auschecken
Hier ist Ihr Schlüssel

○ Guten Tag, mein Name ist Murty. Ich habe ein Einzelzimmer reserviert. (a)
◆ Herzlich willkommen. ...... ? (b)
○ Nur Frühstück, das reicht.
◆ ...... (c) und Sie müssen bitte das Formular ausfüllen.
○ Gut. ...... ? (d)
◆ Um 12 Uhr. .... (e)
Sie haben Zimmer 303.
○ Danke.

...... [● 0–2 ● 3 ● 4

2 🔊 13 **1 Mirko Kuhns Arbeitsplan**

Mirko Kuhn ist Hausmeister. Er hat einen Arbeitsplan für den Tag. Aber sein Chef macht immer neue Termine.

a Was ist heute anders? Hören Sie und markieren Sie im Arbeitsplan.

b Hören Sie noch einmal und korrigieren Sie.

Arbeitsplan *Name:* Mirko Kuhn *Tag:* Mittwoch, 11.04.

09.00	Frau Mehnert, Parkallee 12
10.00	Mehnert
11.00	~~Büro, Termin mit Chef~~ Braun, Schillerstraße 27
12.00	Mittagspause
13.00	Schneider, Friedrichsallee 3
14.00	Schneider
15.00	Schneider
16.00	frei
17.00	

Braun, Schillerstraße 27

Zeman, Gartenstraße 17

Heimann, Klarastraße 3

2 Ordnen Sie zu.

A nicht verstehen / fragen  B verstehen 

- A Wie bitte?
- ◯ Können Sie das bitte wiederholen?
- ◯ Stimmt das?
- ◯ Tut mir leid, ich verstehe Sie nicht.
- B Okay, ich verstehe.
- ◯ Nicht am Montag?
- ◯ Nicht um 18 Uhr?
- ◯ Richtig?
- ◯ Gut. Alles klar.
- ◯ Ich verstehe.
- ◯ Darf ich Sie etwas fragen?

3 Ergänzen Sie passende Sätze aus 2.
Achtung: Manchmal gibt es mehrere Lösungen.

a

◆ Der Chef ist heute nicht da. ....

○ Ja, er ist erst morgen wieder da.

◆ ....

b

▲ Fahren Sie bitte noch in die Schillerstraße zu Familie Braun.

◆ ....

▲ In die Schillerstraße zu Braun.

Party-Service Müller
Mittwoch, 10.10.
Hemmerichs: 18.00 Uhr

c

▲ Bringen Sie bitte alles um 19 Uhr zu Hemmerichs.

◆ ....

▲ Nein, erst um 19 Uhr.

◆ ....

Bis morgen also.

▲ Gut. Alles klar.

A Ihr Auge tut weh.

A1 **1 Lösen Sie das Rätsel.**

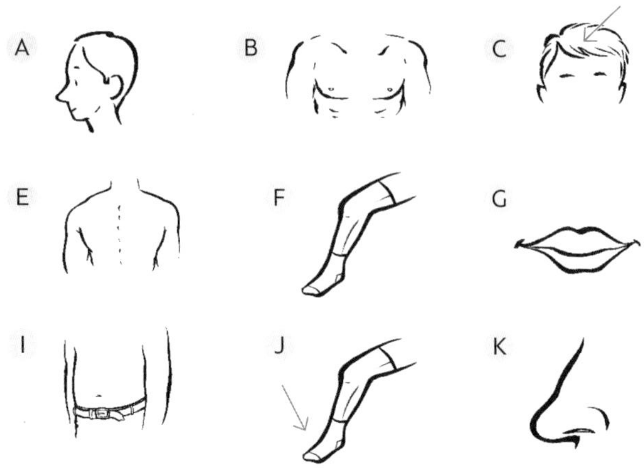

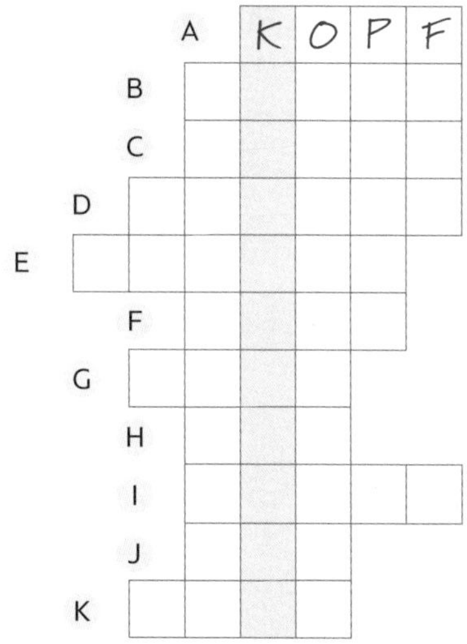

Lösung: ....

A1 **2 Ergänzen Sie Wörter aus 1 mit • *der* – • *das* – • *die* und • *die* und vergleichen Sie.**

Deutsch	C • die Haare	D	H	K
Englisch	hair	finger	ear	nose
Meine Sprache				

A1 **3 Ergänzen Sie: *mein – meine – dein – deine – Ihr – Ihre.***

Wiederholung A1, L2

a
- Tag, Frau Müller. Ist das Ihre Tochter?
- Nein, das ist .... kleine Schwester.

b
- Klara, warte mal, ... Freund Niko ist am Telefon.
- Das ist doch nicht .... Freund!

c
- Einen Moment bitte, Frau Abt, ... Mann ist am Telefon.
- Wer? .... Mann? Danke, Frau Schneider.

d
- .... Augen sind ja ganz grün!

e
- Wie alt sind .... Kinder?
- Sieben und elf.

A2 **4 Was ist richtig? Kreuzen Sie an.**

a Alba hatte einen Unfall. ☒ Ihr ○ Sein Bein tut weh.
b Tomoko hat Schmerzen. ○ Ihr ○ Sein Hals tut weh.

c Kweku kann nicht Fußball spielen. ○ Ihr ○ Sein Arm tut weh.
d Ben kann heute nicht Tennis spielen. ○ Ihre ○ Seine Hand tut weh.

A2 5 Markieren Sie und ergänzen Sie Pfeile.

Grammatik entdecken

A

Réka

Ihr Vater lebt in Westungarn.

Ihr Hobby ist Tanzen.

Ihre Mutter lebt in Eger.

Ihre Eltern sind geschieden.

B

Hung

Sein Bruder heißt Minh.

Sein Hobby ist Badminton spielen.

Seine Frau heißt Lan.

Seine Kinder sind 13 und 15 Jahre.

A2 6 Ergänzen Sie: *sein – seine – ihr – ihre*.

Das ist meine Freundin Meene aus Indien. Ich kenne sie aus dem Tennisklub. Tennis spielen ist *ihr* Hobby. Sie ist verheiratet und sie hat zwei Kinder: ...... Tochter ist zehn Jahre alt und ...... Sohn ist acht. ...... Kinder spielen auch gern Tennis. ...... Mann Raghav spielt nicht so gern Tennis. ...... Hobby ist Gitarrespielen. Früher haben Raghav und ...... Vater oft zusammen Gitarre gespielt. Aber ...... Eltern leben nicht in Deutschland. Sie leben in den USA. Dort lebt auch ...... Schwester. ...... Mann ist Amerikaner.

◇ A2 7 Ergänzen Sie: -*e* oder /.

a Sandro kommt heute etwas später. Sein */* Sohn muss zum Arzt.
b Hakan arbeitet als Polizist in Berlin. Sein...... Chef ist sehr freundlich und sein...... Kollegen sind auch sehr nett.
c Vor zwei Tagen haben wir Sam besucht. Sein...... Wohnung ist sehr schön.
d Ilena kann nicht zum Deutschkurs kommen. Ihr...... Eltern besuchen Sie.
e Meine Freundin hat zwei Kinder, ihr...... Sohn heißt Leo und ihr...... Tochter heißt Lena.

❖ A2 8 Was erzählt Marina? Schreiben Sie.

Name: Ivano
aus Italien
Ivano: sehr nett und lustig
ganze Familie: seit 25 Jahren in Deutschland
Schwester und drei Brüder in Deutschland geboren
Schwester: hat ein Restaurant
Restaurant: am Schillerplatz
Pizzen: sehr lecker
dort: Ivano kennenlernen
dann: heiraten

◇ Hallo Marina, wie geht es dir?
• Super! Ich habe am Wochenende geheiratet.
◇ Wirklich? Wen denn? Erzähl mal.
• Also, sein Name ist …

B Unsere Augen sind so blau.

B2 **9 Ordnen Sie zu.** Ihr | Unser | eure | euer | ihre | ~~Unser~~ | unsere

A
Frau Schulte ist krank. Unser Deutschkurs fällt aus. Informierst du bitte Kiril? Danke! Asma

B
Liebe Maria, ich bin wieder gesund, aber nun sind .... Kinder krank. Ich kann also nicht kommen. .... Treffen muss leider ausfallen. Nächste Woche bin ich hoffentlich wieder da. Grüße Rosina

C
Hallo ihr zwei, was machen .... Töchter? Sind .... Freundinnen aus Spanien schon da? Gruß Ina

D
Hallo Leo und Mona, wie war .... Ausflug? Seid ihr schon zu Hause? LG Mama

E
Elke und Rainer können am Wochenende doch nicht kommen. .... Sohn ist seit zwei Tagen krank. Küsse von Peter

◇ B2 **10 Was ist richtig? Kreuzen Sie an.**

A

☒ Unsere ○ Eure Lehrerin ist super, oder?

B

Seht mal, da kommt ○ unser ○ euer Bus.

C

▲ ○ Unsere ○ Ihre Augen sind nicht mehr so gut, aber ○ eure ○ unsere Ohren hören alles, oder Theodor?
□ Was sagst du?

D

Sind das ○ ihre ○ eure Fahrräder?

❖ B2 **11 Ergänzen Sie in der richtigen Form: *unser – euer – ihr*.**

◆ Sieh mal. Das sind meine beiden Brüder Anton und Max. Und das sind unsere Eltern.
○ Ist das .... Oma?
◆ Ja, und das ist .... Opa.
○ Was war .... Opa denn von Beruf?
◆ Er war Verkäufer. .... Großeltern hatten einen Gemüseladen. Hier, das ist .... Gemüseladen.
○ Und gibt es den Laden heute noch?
◆ Nein, ... Vater hat den Laden verkauft. Heute ist dort ein Reisebüro.

B2 12 *unser* oder *unseren*?

Grammatik entdecken

a Ordnen Sie zu.

unseren Hund | euer Auto | eure Bücher | ihre Telefonnummer | unser Auto | unsere Kinder | ~~deinen Stift~~

1
Jo, warte! Ich habe noch deinen Stift!
Und ihr habt ______ vergessen.

2
▲ Rufst du bitte Klaus und Silvia noch an?
□ Ja, hast du ______?
◆ Ja, und sag ihnen, wir bringen am Samstag ______ mit.

3
□ Wo ist denn Balou? Hast du ______ gesehen?
✚ Balou ist im Garten.

4
◆ Mama, kann ich heute Abend vielleicht ______ haben?
□ Ich brauche ______ nicht, aber frag bitte auch Papa.

b Markieren Sie in a: Wen?/Was? Ergänzen Sie dann.

• einen	meinen	deinen	seinen	ihren		euren	ihren	Stift, Hund
• ein	mein	dein	sein	ihr			ihr	Auto
• eine	meine	deine	seine	ihre	unsere	eure		Telefonnummer
• –	meine	deine	seine	ihre			ihre	Bücher, Kinder

B2 13 Ergänzen Sie.

a
◆ Hast du dein Geld und d______ Pass?
○ Ja, Schatz, ich habe m______ Geld und m______ Pass.

b
Tragen Sie bitte I______ Namen und I______ Adresse in das Formular ein.

c
◆ Lars und Svea, sind das eure Schlüssel?
○ Oh, Svea! Wir haben u______ Schlüssel vergessen.

d
◆ Hast du u______ Hund gesehen?
○ Guckt mal! Ist das e______ Hund?

C Ich **soll** Schmerztabletten **nehmen**.

C2 14 Ergänzen Sie *sollen* in der richtigen Form.

a .... ich wirklich zwei Tage zu Hause bleiben?
b Du .... ein paar Schritte gehen.
c Er .... Sarah die Medizin morgens, mittags und abends geben.
d .... wir immer noch leise sein?
e Ihr .... nicht so viel trainieren.
f .... die Kinder wirklich die Tabletten nehmen?
g Frau Erl, Sie sollen im Wartebereich warten.

C2 15 Ergänzen Sie die Sätze aus 14.

Grammatik entdecken

Frau Erl, Sie	sollen	im Wartebereich	warten	.

C2 16 Schreiben Sie die Sätze neu.

a Geh nicht so spät ins Bett! — Du sollst nicht so spät ins Bett gehen.
b .... — Du sollst endlich aufstehen.
c .... — Ihr sollt leise sein.
d Füllen Sie bitte den Antrag aus! — ....
e .... — Sie sollen „Ja" oder „Nein" ankreuzen.
f .... — Sie sollen zum Chef kommen.
g Wartet bitte hier! — ....
h .... — Du sollst nicht so viel Schokolade essen.

C3 17 Ordnen Sie zu.

darf | soll | soll | ~~Sollst~~ | Willst | soll | Willst

a
◆ Na, was hat die Ärztin gesagt? Sollst du im Bett bleiben?
○ Nein, aber ich .... meinen Hals warm halten.

b
▲ Wie geht es Lukas?
□ Nicht so gut. Er .... Schmerztabletten nehmen und er .... leider nicht Fußball spielen.

c
◆ Anja und ich gehen morgen in die Berge. .... du auch mitkommen?
▲ Nein, mein Fuß tut weh. Der Arzt sagt, ich .... zu Hause bleiben.

d
Du siehst krank aus. Du hast bestimmt Fieber. .... du nicht lieber zum Arzt gehen?

◇ C3 18 Verbinden Sie.

a Sagen Sie Herrn Mujevis, er soll
b Ihre Hand sieht ja schlimm aus. Sie müssen
c Wir haben keine Milch mehr. Kannst du
d Das ist verboten. Du darfst
e Ich bin müde. Ich muss
f Der Arzt hat gesagt, ich soll

1 bitte einen Liter kaufen?
2 hier nicht rauchen.
3 meine Ohren warm halten.
4 die Salbe hier verwenden.
5 bitte in mein Büro kommen.
6 jetzt meinen Computer ausmachen.

❖ C3 19 Ergänzen Sie die Gespräche mit *müssen – sollen – können – dürfen – wollen* in der richtigen Form.

viel trinken | bis 20.00 Uhr arbeiten | ~~Cola trinken~~ | mitkommen | hier nicht telefonieren | Handy ausmachen | leider nicht mitkommen | Tee trinken

A

◆ Der Arzt hat gesagt, ...
○ Können wir Cola trinken?
▲ Nein. ....

B

▲ Entschuldigung. Sie ....
Sie ....
□ Oh, tut mir leid.

C

✚ Sabine und ich gehen jetzt ins Kino.
.... ?
● Tut mir leid, ... Ich ....

C4 20 Gesundheitstag

2 🔊 14 **a** Was ist richtig? Hören Sie und kreuzen Sie an.

1 Herr Elber hat ○ Zahnschmerzen. ○ Schlafprobleme.
2 Frau Hallberg hat ○ Schnupfen. ○ Kopfschmerzen.

1

2

b Was ist richtig? Hören Sie noch einmal und korrigieren Sie.

1 Herr Elber schläft seit zehn ~~Tagen~~ nicht gut. Wochen
2 Er hat gerade keinen Job. ....
3 Dr. Blum sagt: Er soll morgens spazieren gehen. ....
4 Frau Hallberg hat seit zwei Wochen Kopfschmerzen. ....
5 In ihrer Freizeit kocht sie oder surft im Internet. ....
6 Sie soll abends Freunde treffen oder früh ins Bett gehen. ....

D Eine Anfrage schreiben

D3 21 Ordnen Sie zu.

~~Bauernhof~~ | Menschen | beobachten | Lebensmittel | Wald | ~~wenig~~ | Kursleiterin | dick | Müsli | Ruhige

________ Stunden im ________: Tiere ________, interessante ________ kennenlernen, den Stress vergessen, ... Kommen Sie mit! Immer freitags um 16 Uhr im Stadtwald. Am 16. 4. Extra-Angebot: Ausflug zum Demetra-Bauernhof in Brix! Kurs-Nr. 7765

Welche ________ sind gesund, welche machen ________? Ist wenig Fleisch essen gesund oder nur Mode? Und wie kann ich auch jeden Tag im Büro gesund essen? Antworten auf diese Fragen gibt Ihnen ________ Eva Martens im Kurs-Nr. 4532 „Nur ________ und Gemüse? Gesund essen – was heißt das?“

D4 22 Einen Brief schreiben

a Markieren Sie noch sechs Wörter.

DEKUABSENDEROLAUANREDEDAMPOEMPFÄNGERPELOSAMORTTIEMER GRUSSNUDATBETREFFEKODATUMUMA

b Ordnen Sie die Wörter aus a zu und ergänzen Sie: • *der* – • *das* – • *die*.

1 Diese Person schreibt den Brief: ________
2 Diese Person bekommt den Brief: ________
3 Ein anderes Wort für „die Stadt“: ________
4 Wann schreiben Sie den Brief?: ________
5 Warum schreiben Sie den Brief?: ________
6 Das schreiben Sie vor dem Brieftext: ________
7 Das schreiben Sie nach dem Brieftext: • der Gruß

D4 23 Ordnen Sie zu.

~~Sehr geehrte Frau Winter~~ | Sehr geehrte Damen und Herren | Lieber Jakob | Mit freundlichen Grüßen | Hallo Susan | Sehr geehrter Herr Sommer | Liebe Klara | Viele Grüße

	Sie sagen „Sie“:	Sie sagen „du“:
Anrede	Sehr geehrte Frau Winter	
Gruß		

D5 24 Lesen Sie die Anzeige. Was ist richtig? Kreuzen Sie an.

Lassen Sie Ihren Stress zu Hause!

Kommen Sie ins Wellnesshotel „Zur Mühle“!

Wellnesshotel ZUR MÜHLE

Hier finden Sie Ruhe und Entspannung. Machen Sie lange Spaziergänge im Wald oder liegen Sie einfach nur auf unserer großen, ruhigen Sonnenterrasse.

Unser Schwimmbad und das Fitness-Studio sind 24 Stunden für Sie geöffnet. In die Sauna können Sie täglich von 16 Uhr bis 22 Uhr gehen.

Wir haben auch einen Arzt und eine Physiotherapeutin im Haus. Sie helfen Ihnen gern – immer montags und donnerstags von 8 bis 12 Uhr.

Zum Frühstück ein gesundes Müsli mit Obst? Am Mittag und zum Abendessen frische Salate, viel Gemüse und wenig Fleisch? Das alles finden Sie in unserem Gourmetrestaurant.

Im Frühjahr Ermäßigung für Familien.
Im Herbst Ermäßigung für Senioren.

Schreiben Sie uns: Wellnesshotel „Zur Mühle“
Kufsteiner Str. 6, A-5324 Hintersee
info@wellnesszurmuehle.at

a ☒ Die Hotelgäste können das Fitness-Studio Tag und Nacht benutzen.
b ○ Eine Physiotherapeutin arbeitet acht Stunden pro Woche im Hotel.
c ○ Im Restaurant kann man kein Fleisch essen.
d ○ Im Frühjahr gibt es billige Angebote für Familien.
e ○ Das Hotel liegt in der Schweiz.

D5 25 Schreiben Sie eine Anfrage. Denken Sie auch an Anrede und Gruß.

Schreibtraining

E-Mail senden

…………………………………,
wir möchten gern im Sommer für …………………
………………… Urlaub in Ihrem Hotel machen.
Wir sind …………………………………
………………… Ich habe noch ein paar Fragen:
Wie viel …………………………………
…………? Gibt es …………………………
…………………………………
…………? Können wir …………………………
…………………………………?
Vielen Dank. …………………………
…………………………………

Wann kommen Sie? (Sommer)
Für wie lange? (zwei Wochen)
Wie viele Erwachsene/Kinder? (zwei/zwei)
Preis für Doppelzimmer?
Ermäßigung für Kinder?
Hund mitbringen?

LERNTIPP Überlegen Sie vor dem Schreiben: Wie gut kenne ich den Empfänger? Sage ich *du* oder *Sie*? Wählen Sie dann eine passende Anrede und einen Gruß.

E Terminvereinbarung

E3 26 Einen Termin beim Arzt vereinbaren

a Wer sagt was? Lesen Sie und ergänzen Sie: Arztpraxis (A) oder Patient (P).

- ◯ .... Ja natürlich, Herr Benedetti. Wann haben Sie denn Zeit?
- ◯ .... Hm, erst nächste Woche? Kann ich nicht früher kommen? Es ist dringend.
- ① A Praxis Dr. Rubeck, Juliane Willer, guten Tag.
- ◯ .... Freitag also, vielen Dank, Frau Willer, das ist sehr nett. Auf Wiederhören.
- ◯ .... Auf Wiederhören, Herr Benedetti!
- ◯ .... Heute und morgen geht es leider nicht. Aber nächste Woche am Montag um 10:30 Uhr ist ein Termin frei.
- ② P Guten Tag, Frau Willer, hier ist Silvano Benedetti. Könnte ich bitte einen Termin bei Frau Dr. Rubeck haben?
- ◯ .... Ich habe heute oder morgen Zeit.
- ◯ .... Nein, das geht nicht ... Hm, na gut, kommen Sie am Freitag um 16 Uhr.

b Ordnen Sie das Gespräch.

2 🔊 15 **c** Hören Sie und vergleichen Sie.

E3 27 Ergänzen Sie die E-Mail.

Schreib-training

E-Mail senden

Benedetti11@f-online.de

PraxisRubeck@oal.com

Betreff: Termin verschieben

Sehr geehrte Frau Willer (geehrte – Frau – Sehr),

Leider ....

....

(am Freitag – doch nicht – kommen – 16 Uhr – ich – können).

Ich ....

(bleiben – bis 17:30 Uhr – im Büro – müssen).

Können ....

(den Termin – verschieben – wir – bitte)?

Um 18 Uhr .... (Zeit – ich – haben). Vielen Dank.

.... (Grüßen – freundlichen – Mit)

Silvano Benedetti

E3 28 Was ist richtig? Hören Sie und kreuzen Sie an.

2 🔊 16

a ☒ Frau Rösner ruft eine Praxis für Physiotherapie an.
b ○ Sie möchte den Termin am Freitag um sechs Uhr absagen.
c ○ Sie möchte einen neuen Termin vereinbaren.
d ○ Herr Anderson bietet einen Termin am Montagnachmittag an.
e ○ Frau Rösner möchte gern vormittags kommen.
f ○ Nur am Donnerstag ist ein Termin frei.
g ○ Der Termin am Donnerstag um halb vier passt Frau Rösner gut.

E4 29 Was ist richtig? Hören Sie und kreuzen Sie an.

2 🔊 17–19

Prüfung

Sie hören jeden Text zweimal.

1 Wann haben Alex und Sergej Fußballtraining?

a ○ Heute. 

b ○ Morgen. 

c ○ Am Donnerstag. 

2 Für wann hat die Arzthelferin Frau Bönisch in den Terminplan geschrieben?

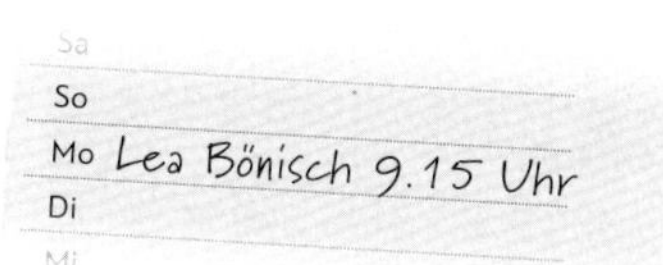

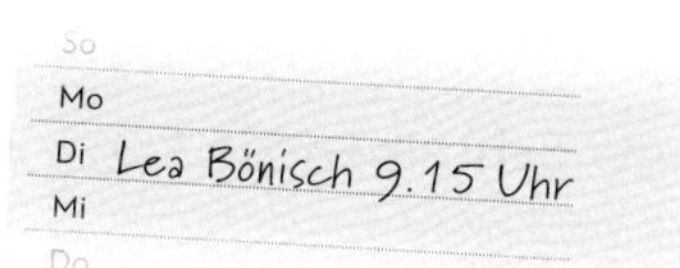

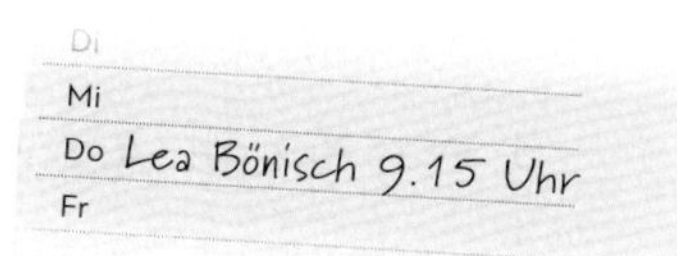

a ○ Für Montag. b ○ Für Dienstag. c ○ Für Donnerstag.

3 Wie ist die neue Telefonnummer?

a ○ 87 34 56 b ○ 78 34 65 c ○ 78 34 56

E4 30 Hören Sie und sprechen Sie nach.

2 🔊 20

Phonetik

Haus – aus | Hund – und | hier – ihr | haben – Abend | am Abend | heute Abend | um ein Uhr | Otto und ich | Hans und Anna

Hast du heute gearbeitet? – Am Wochenende nie!
Mein Hals tut weh. – Warst du schon beim Arzt?
Was macht Ihre Hand, Herr Albers? – Meine Hand ist wieder okay.

Test Lektion 10

WÖRTER

1 Was passt nicht? Streichen Sie.

1 .... /5 Punkte

a das Ohr – die Nase – ~~die Hand~~ – das Auge
b der Schnupfen – der Husten – die Tablette – das Fieber
c die Schritte – die Augen – die Arme – die Ohren
d kühlen – wehtun – schlafen – warm halten
e der Absender – der Empfänger – die Anrede – der Kursleiter
f der Unfall – der Kuss – die Schmerzen – die Notaufnahme

● 0–2 ● 3 ● 4–5

GRAMMATIK

2 Was ist richtig? Kreuzen Sie an.

2 .... /7 Punkte

☒ ***Unser*** ○ ***Unsere*** ○ ***Ihr*** ***Sommer*** (a)

Im Sommer waren ○ dein ○ meine ○ deine Schwester (b) und ich in Griechenland. ○ Unser ○ Unsere ○ Ihre Familie (c) kommt aus Griechenland. Wir haben ○ euer ○ unseren ○ euren Bruder Jorgos (d) in Kavala besucht. Dort sind wir alle geboren. ○ Unser ○ Ihre ○ Unsere Eltern (e) wohnen jetzt in Athen. Jorgos lebt aber nicht allein in Kavala: ○ Ihre ○ Seine ○ Ihr Frau Sofia (f) und Sofias Vater leben auch da. Ich habe ○ sein ○ ihren ○ euren Vater (g) im Sommer das erste Mal getroffen. Er ist sehr lustig. Wir hatten viel Spaß. Und wie war ○ euer ○ unser ○ ihre Sommer (h)?

3 Was hat der Arzt gesagt? Schreiben Sie Sätze mit *sollen*.

3 .... /5 Punkte

a Ihr sollt Tabletten nehmen. (Tabletten – ihr – nehmen)
b .... (eine Salbe – ich – kaufen)
c .... (wir – machen – Sport)
d .... (viel – trinken – Tee – Ida)
e .... (kühlen – Bein – du – dein)
f ....
(im Bett – Flavia und Sofie – bleiben)

● 0–6 ● 7–9 ● 10–12

KOMMUNIKATION

4 Ordnen Sie.

4 .... /6 Punkte

○ ◆ Wann haben Sie denn Zeit? Morgen Vormittag haben wir noch einen Termin frei.
(1) ◆ Praxis Doktor Stein, guten Morgen.
○ ● Kann ich früher kommen? Es ist dringend.
○ ● In Ordnung. Bis gleich.
○ ◆ Dann kommen Sie doch in einer halben Stunde.
○ ● Guten Morgen, Petersen hier. Könnte ich bitte einen Termin haben?
○ ● Das passt sehr gut, danke. Dann komme ich gleich vorbei.

● 0–3 ● 4 ● 5–6

1 Verbinden Sie.

A

B

C

D

E

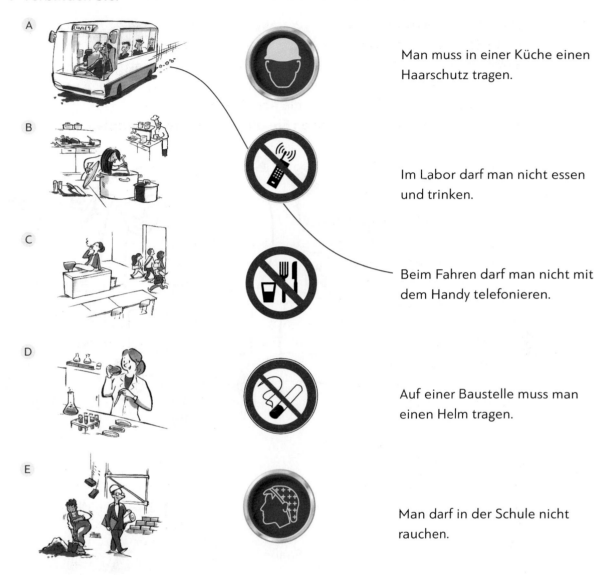

Man muss in einer Küche einen Haarschutz tragen.

Im Labor darf man nicht essen und trinken.

Beim Fahren darf man nicht mit dem Handy telefonieren.

Auf einer Baustelle muss man einen Helm tragen.

Man darf in der Schule nicht rauchen.

2 Was dürfen Sie nicht? / Was müssen Sie bei Ihrer Arbeit?

Erzählen Sie.

Ich arbeite in einem Kindergarten. Da darf ich natürlich nicht rauchen. Und ich darf nicht mit meinem Handy telefonieren.

3 Was bedeuten diese Schilder?

Erklären Sie.

Das Schild A findet man zum Beispiel in einer Bibliothek. Hier muss man leise sein. Man darf nicht sprechen.

A

Bitte Ruhe!

B

Notausgang

C

Feuerlöscher

D

Schutzbrille tragen!

E

Notfalltelefon

F

Betreten verboten!

A Fahren Sie dann **nach links**.

A2 **1 Wie heißen die Wörter? Ergänzen Sie mit • *der* – • *das* – • *die*.**

a SEMUUM	• das Museum	e LETOH	
b GEMEREITZ		f STPO	
c LETANKSTEL		g BHNAHFO	
d WRKSTTAET		h KERÜBC	

A3 **2 Wo ist hier …? Hören Sie und zeichnen Sie die Wege in den Stadtplan.**

2 🔊 21–23

a die Post
b die Apotheke
c das Hotel

Sie sind hier.

A3 **3 Ergänzen Sie in der richtigen Form.**

a Fahren Sie die dritte (drei) Straße rechts .

b Fahren Sie die .... (zwei) Straße .... .

c Fahren Sie 300 Meter ....  und dann .... .

A3 **4 Ordnen Sie zu.**

in der Nähe | Ich suche | ~~wo ist hier~~ | auch fremd hier | hier rechts | dann an der Ampel links | Fahren Sie | Wo ist bitte

a
◆ Entschuldigung, wo ist hier das Kino?
○ .... immer geradeaus.

b
✚ Ist hier ein Supermarkt ....?
● Tut mir leid, ich bin ....
....

c
▲ .... den Bahnhof.
◻ Gehen Sie ....

d
◆ .... die Autobahn?
◻ Fahren Sie zuerst geradeaus und ....
....

B Wir fahren **mit dem Auto**.

B1 **5 Finden Sie noch acht Verkehrsmittel und ergänzen Sie mit • *der* – • *das* – • *die*.**

S	T	R	A	ß	E	N	B	A	H	N
A	U	T	O	T	O	C	U	X	E	T
ß	C	H	W	E	ß	T	S	E	G	R
F	L	U	G	Z	E	U	G	B	S	A
A	M	U	T	T	L	-	M	R	O	R
H	U	-	B	A	H	N	L	A	H	E
R	C	B	O	S	S	-	B	A	H	N
R	B	A	M	Z	E	O	P	A	R	B
A	O	H	A	U	K	I	U	D	E	A
D	S	L	H	G	T	A	X	I	R	H

• das Auto
....
....
....
....
....
....
....
....

B1 **6 Ordnen Sie die Wörter aus 5 zu und ergänzen Sie in der richtigen Form.**

Grammatik entdecken

	• der	• das	• die
Ich fahre/fliege mit ...	....	dem Auto	....
	....	....	....
		....	....
		....	

B2 **7 Ergänzen Sie: *zum* – *zur*.**

Heute ist Herr Roth in der Stadt: Zuerst bringt er Briefe zur Post. Dann fährt er .... Bahnhof und trifft einen Freund. Sie gehen .... Café Eckstein und essen Kuchen. Danach kauft Herr Roth ein: Er geht .... Metzgerei und zum Schluss .... Obst- und Gemüseladen.

◇ B2 **8 Ergänzen Sie: *mit dem* – *mit der* – *zum* – *zur*.**

a ◆ Am Samstag sind wir mit dem Fahrrad .... Museum gefahren.
○ Wirklich? Das ist aber weit. Warum seid ihr nicht .... Bus gefahren?
◆ Ach, das Wetter war so schön.

b ◆ Wie komme ich .... Werkstatt?
○ Fahren Sie immer geradeaus. .... Auto sind Sie in zwei Minuten dort.

c ◆ Kann ich zu Fuß .... Supermarkt gehen?
○ Nein. Das ist viel zu weit. Fahren Sie doch .... U-Bahn. Gleich an der nächsten Station ist der Supermarkt.

❖ B2 **9 Mit welchem Verkehrsmittel und wohin fährt/geht Frau Singer?**

2 🔊 24 **a** Hören Sie und verbinden Sie.

1	S-Bahn	Schule
2	Auto	Supermarkt
3	Fahrrad	Kreuzstraße
4	Zu Fuß	Bahnhof

b Schreiben Sie Sätze.

Frau Singer fährt mit dem Fahrrad zum Bahnhof. Dann ... Danach ... Am Nachmittag ...

C Da! **Vor der Brücke** links.

C2 10 Ordnen Sie zu.

an ~~auf~~ hinter in neben über unter vor zwischen

A  auf

B  ______

C  ______

D  ______

E  ______

F 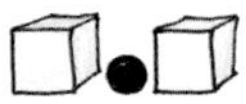 ______

G  ______

H  ______

I 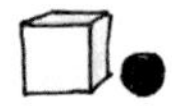 ______

◇ C2 11 Wo ist das Auto? Kreuzen Sie an.

A 

B 

C 

D 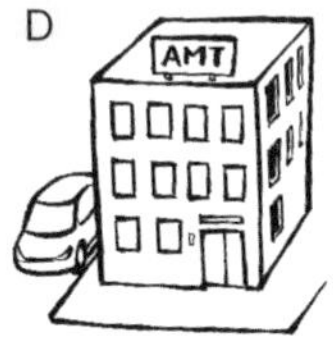

E 

F 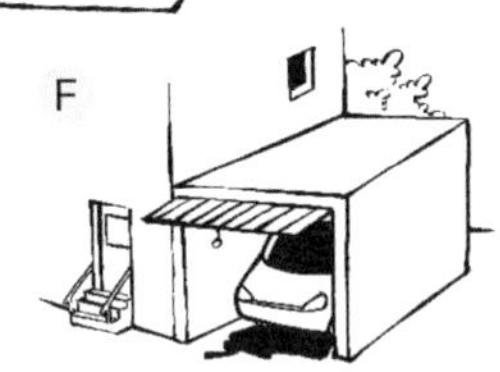

a Das Auto ist ☒ vor ○ neben dem Bahnhof.

b Das Auto ist ○ zwischen ○ hinter dem Restaurant.

c Das Auto ist ○ über ○ an der Tankstelle.

d Das Auto ist ○ neben ○ unter dem Amt.

e Das Auto ist ○ auf ○ in dem Parkplatz.

f Das Auto ist ○ unter ○ in der Garage.

❖ C2 12 Ergänzen Sie.

a Jens liegt im Bett.

b Das Auto steht ______ der Garage.

c Schnuffel ist ______ dem Sofa.

d Schnuffel ist ______ dem Tisch.

e Die Apotheke ist ______ der Post.

f Patricia wartet ______ Mario.

g Eva wartet ______ der Bushaltestelle.

h Die Schule ist ______ der Bank.

A 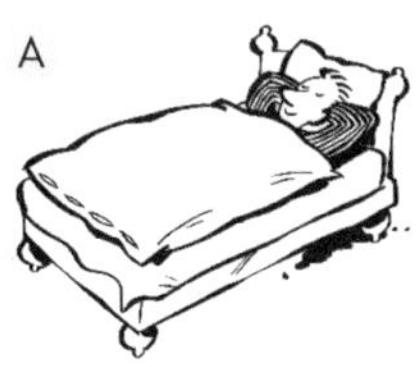

B 

C 

D 

E 

F 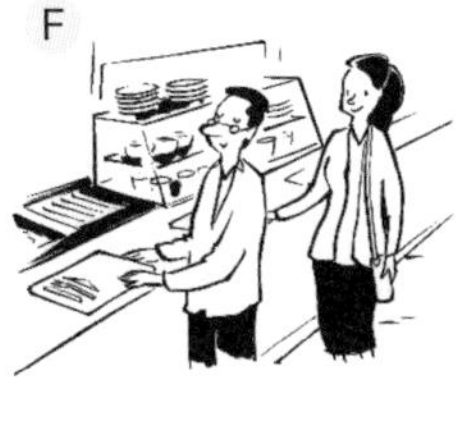

G 

H 

C2 13 Wo ist der Einkaufszettel?

Grammatik entdecken

a Sehen Sie das Bild an und ergänzen Sie.

Der Einkaufszettel ist ...

1 unter dem .... Tisch.
2 .... Regal.
3 .... Uhr.
4 .... Milch.
5 .... Herd.
6 .... Flaschen.
7 .... Buch.
8 am .... Kühlschrank.
9 .... Büchern.

b Ordnen Sie aus a zu.

Wo?	● der	● das	● die	● die
an, auf, hinter, in, neben, über, unter, vor, zwischen	dem Tisch ⚠ am Kühlschrank	⚠	....	....

C2 14 Sehen Sie das Bild an und ordnen Sie zu.

Neben der | Im | zwischen den | Vor dem | Hinter dem | ~~In der~~ | In der | Über der | unter den | Auf dem

In der Amalienstraße 40 gibt es eine Buchhandlung. .... Buchhandlung kann man Bücher kaufen. .... Buchhandlung ist eine Bäckerei. .... Buchhandlung und der Bäckerei ist die Praxis von Dr. Zahnstein. Die Praxis ist .... Wohnungen von Familie Georgos und Frau Schön. Sie ist also .... Wohnungen und der Buchhandlung und der Bäckerei. .... Haus sind eine Straße und ein kleiner Parkplatz. .... Parkplatz sind oft Autos. .... Haus ist ein Park mit vielen Bäumen. .... Park gibt es ein Café.

D Wir gehen **zu Walter** und holen das Auto.

D3 15 Wo warst du und wohin fährst du?

Grammatik entdecken

a Markieren Sie: Wo? und Wohin?

1
- ◆ Wo warst du am Samstag?
- ○ Ich war zuerst bei Paul im Garten und dann waren wir im Kino.

2
- ▲ Wohin fährst du?
- ◻ Ich fahre zu Felix. Wir gehen in den Park oder ins Kino.

3
- ✚ Was hast du gestern gemacht?
- ● Ich war in der Bäckerei und beim Zahnarzt.

4
- ◆ Was machst du heute?
- ○ Zuerst gehe ich zum Arzt und dann zur Apotheke.

5
- ▲ Wo hast du studiert?
- ◻ Zuerst in Italien, in Rom. Und dann in der Schweiz.

6
- ✚ Wohin fährst du im Sommer? Wieder nach Spanien?
- ● Nein, in die Türkei. Nach Izmir.

7
- ◆ Ich war gestern erst um drei Uhr morgens zu Hause. Die Party war echt super!
- ○ Mir hat die Party nicht gefallen! Ich bin schon um zehn Uhr nach Hause gegangen.

b Ordnen Sie aus a zu.

	Wo?		Wohin?	
Person	bei	Paul	zu	Felix
		Zahnarzt		Arzt
Geschäft		Bäckerei		Apotheke
„Haus"/Ort		Kino		Kino
	im	Garten	in den	Park
Land/Stadt		Italien		Spanien
		Schweiz		Türkei
		Rom		Izmir
	⚠	Hause	⚠	Hause

D3 16 Was ist richtig? Kreuzen Sie an.

a Fährt der Lkw ○ bei ☒ nach Ungarn?
b Ich gehe noch schnell ○ zur ○ nach Post.
c Im Herbst fahren wir ○ zur ○ in die USA.
d Warst du schon ○ beim ○ zum Arzt?
e Ulla sitzt ○ zum ○ im Garten und liest.
f Gehen wir später ○ im ○ ins Konzert?
g Heute Abend sind wir ○ nach ○ zu Hause.
h Am Freitag fahre ich ○ zu ○ bei Oma Ida.
i Ich bin müde. Ich gehe ○ zu ○ nach Hause.
j Lars arbeitet ○ in die ○ in der Schweiz.
k Wir haben ○ nach ○ in Wien studiert.

D3 **17 Ordnen Sie zu.**

Zur | im | ins | nach | ~~bei~~ | in | nach | zu | beim | zu | ins

a
- Wo warst du am Wochenende?
- Ich war *bei* meinen Großeltern.

b
- Wohin gehst du denn?
- Ich gehe ______ Denis.

c
- Wohin fährst du?
- ______ Bäckerei, Brötchen kaufen.

d
- Was hast du gestern gemacht?
- Ich war ______ Deutschkurs und dann ______ Arzt.

e
- Gehst du mit ______ Museum?
- Ach, am Sonntag sind da so viele Leute.

f
- Wo wohnst du?
- Gleich hier, ______ der Fußgängerzone.

g
- Fährst du bald wieder ______ Prag?
- Ja! Die Parks und die Brücken dort sind so schön.

h
- Bist du um 20 Uhr schon ______ Hause?
- Nein, ich komme heute erst um 22 Uhr ______ Hause. Ich gehe noch ______ Konzert.

D3 **18 Schreiben Sie.**

Schreib-training

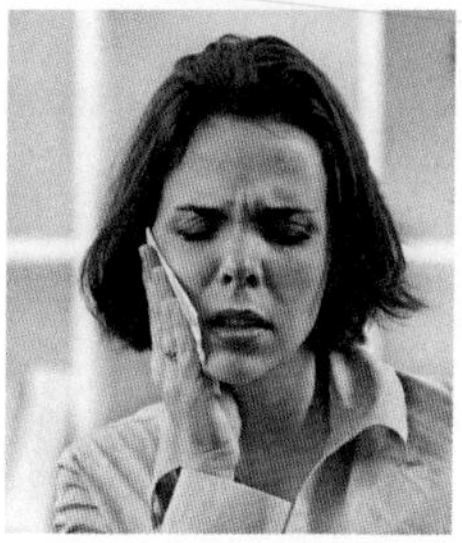

am Montagmorgen: Auto → Arzt fahren
keinen Parkplatz finden → am Bahnhof parken müssen
dann: Straßenbahn → Praxis fahren
sofort: Bäckerei gehen → Kuchen essen
danach: Hause fahren wollen

Laura hat Zahnschmerzen. Am Montagmorgen *fährt sie mit dem Auto zum Arzt*. Aber ______. Laura ______. Dann ______. Dr. Möller kann Laura helfen und sie hat keine Schmerzen mehr. Sofort ______ und ______. Danach ______. Aber: Wo ist der Autoschlüssel?

D5 **19 Wo kann man das machen? Ergänzen Sie und vergleichen Sie.**

	Deutsch	Englisch	Meine Sprache
kopieren	*im* Copyshop	at the copyshop	
Zeitungen, Getränke kaufen	*am* Kiosk	at the newsagent/ kiosk	
Bücher ausleihen	______ Bücherei	in the library	
schlafen und essen	______ Hotel	in the hotel	
Fleisch kaufen	______ Metzgerei	at the butcher's	
Bücher kaufen	______ Buchhandlung	in the bookstore/ bookshop	

D

D5 20 Wo finde ich ...?

a Ordnen Sie zu.

1 Wo finde ich einen Copyshop? ◯ Gleich da drüben an der Ecke, neben der Post.
◯ Ist die Adalbertstraße da hinten? ◯ Und wo gibt es einen Kiosk? ◯ Nein, sie ist gleich da vorne.
◯ Da müssen Sie zu einem Kiosk oder zu einer Buchhandlung gehen.
◯ Wo kann ich hier eine Zeitung bekommen? 2 In der Adalbertstraße ist ein Copyshop.

1 nach Orten und Wegen fragen 2 Auskunft geben

b Schreiben Sie zwei Gespräche mit den Sätzen aus a.

◇ Wo finde ich einen Copyshop?
• In der ...

D6 21 Unterwegs

a Wo sind die Personen? Sehen Sie die Bilder an und ergänzen Sie.

A

B

C

am Bahnhof .... am .... im ....

2 ◀)) 25–27 **b** Hören Sie und ordnen Sie die Bilder zu.

Gespräch	1	2	3
Bild			

2 ◀)) 25–27 **c** Hören Sie noch einmal und korrigieren Sie

1 Robert ~~fliegt nach Oxford~~. kommt aus London
Andy fliegt zu seiner Freundin nach Sevilla. ....
2 Der Mann sagt, sie müssen vor der Tankstelle rechts fahren. ....
Die Frau sagt, ihr Mann hört nicht mehr gut. ....
3 Der Mann sucht den Bahnhof. ....
Die Frau sagt, er muss bei der Buchhandlung rechts gehen. ....

D6 22 z hören und sprechen

2 ◀)) 28 **a** Was hören Sie? Kreuzen Sie an.

Phonetik

1 ◯ s ☒ z   3 ◯ s ◯ z   5 ◯ s ◯ z   7 ◯ s ◯ z
2 ◯ s ◯ z   4 ◯ s ◯ z   6 ◯ s ◯ z   8 ◯ s ◯ z

2 ◀)) 29 **b** Hören Sie und sprechen Sie nach.

1 Zug – mit dem Zug – mit dem Zug in die Schweiz – Wir fahren mit dem Zug in die Schweiz.
2 zwischen – zwischen der Post und der Metzgerei – Zwischen der Post und der Metzgerei gibt es einen Kiosk.
3 Zahnarzt – zum Zahnarzt – mit dem Bus zum Zahnarzt – Isa fährt mit dem Bus zum Zahnarzt.

E Am Bahnhof

E1 23 Ergänzen Sie.

A

B

C

einsteigen ....

E2 24 Ordnen Sie zu und ergänzen Sie in der richtigen Form.

Verspätung ~~fahren~~ Circa Durchsagen ankommen hin und zurück Bahnsteig abfahren Einfach

▲ Entschuldigung, wann fährt der nächste Zug nach Neuss?

◻ Also, der nächste Zug .... um 10.38 Uhr von Gleis 5 .... Der Zug fährt aber nicht direkt. Sie .... um 11.24 Uhr in Düsseldorf .... und um 11.42 Uhr haben Sie dann Anschluss nach Neuss.

▲ Ah, das passt, danke! Dann bitte eine Fahrkarte nach Neuss.

◻ .... oder ....?

▲ Einfach, bitte.

◻ Gern. Oh, ich sehe gerade: Der Zug nach Düsseldorf hat leider ....

▲ Oje! Wie viel?

◻ .... 20 Minuten. Aber achten Sie bitte auch auf die .... Vielleicht fährt der Zug auch an einem anderen .... ab.

▲ Gut. Vielen Dank.

◇ E2 25 Ordnen Sie das Gespräch.

- ◯ Um 14.56 Uhr. Von Gleis 23.
- ③ Muss ich umsteigen?
- ◯ Nein, einfach.
- ① Ich brauche eine Auskunft. Wann fährt der nächste Zug nach Mannheim?
- ◯ Ja, in Karlsruhe. Sie haben Anschluss um 18.31 Uhr.
- ◯ Ich brauche auch noch eine Fahrkarte. Bekomme ich die bei Ihnen?
- ◯ Ja, hin und zurück?

❖ E2 26 Schreiben Sie Gespräche.

A

B

C

E3 27 Fahrpläne

a Wo finden Sie die Fahrpläne? Sehen Sie die Pläne an und ordnen Sie zu.

○ An der Bushaltestelle. (1) Am Bahnhof. ○ Im Internet oder am Schalter.

1

Abfahrt **Nürnberg Hbf** 14.12.–13.06.

Zeit	Zug	Richtung	Gleis
8:33	RE 19927	Roßtal 8:46 — Heilsbronn 8:53 — Wicklesgreuth 8:59 — Ansbach 9:06 — Crailsheim 9:41 — Schwäbisch Hall-H. 9:59 — Backnang 10:49 — **Stuttgart 11:18**	8
8:33	S1 39127	**Lauf (li.Pegn) 8:55**	2
8:34	ICE 1512	Bamberg 9:06 — Jena Hbf 10:52 — Naumburg 11:17 — Leipzig 11:56 ⊙	8

Zeit	Zug	Richtung	Gleis
8:52 Mo*	ICE 1603	**München Hbf 10:04** ⊙ *30	8
8:53	S1 39129 39247 2. KL	**Abfahrt Abschnitt A–C:** Lauf (li. Pegn) 9:15 — Hersbruck (li. Pegn) 9:25	3 4
8:57 Mo*	ICE 3777	Augsburg 10:07 — M-Pasing 10:31 — **München Hbf 10:41** ⊙ *15. Dez bis 23. Mär	8

2

Bahnhof/Haltestelle	Datum	Zeit	Gleis
Ulm Hbf	31.07.	ab 10:05	1
Stuttgart Hbf	31.07.	an 11:06	9
Stuttgart Hbf	31.07.	ab 11:27	8
Mannheim Hbf	31.07.	an 12:05	3

Dauer: 2:00; fährt täglich

3

Haltestellen:			
Marienburg Südpark	**20:33**	**20:48**	**21:03**
Marienburger Str.	20:34	20:49	21:04
Goltsteinstr./Gürtel	**20:35**	**20:50**	**21:05**
Tacitusstr.	20:37	20:52	21:07
Koblenzer Str.	**20:38**	**20:53**	**21:08**
Bonntor	20:39	20:54	21:09
Alteburger Wall	**20:40**	**20:55**	**21:10**
Rolandstr.	20:41	20:56	21:11
Chlodwigplatz	**20:43**	**20:58**	**21:13**

b Sehen Sie die Fahrpläne in a an.
Welche Informationen finden Sie? Kreuzen Sie an.

1 ○ Wann kommen die Züge in Nürnberg an? ☒ Wann fahren die Züge in Nürnberg ab?
2 ○ Wo muss man umsteigen? ○ Was kostet die Fahrkarte?
3 ○ Hat der Bus Verspätung? ○ Wie oft fährt der Bus?

LERNTIPP Lesen Sie zuerst die Fragen und markieren Sie dann die Antworten im Plan.

c Ergänzen Sie die Informationen.

1 Sie möchten um ca. 8.30 Uhr nach Stuttgart fahren.
Abfahrt: Zugnummer: RE19927
Gleis: Ankunft Stuttgart:

2 Sie fahren von Ulm nach Mannheim.
Abfahrt: Gleis: 1
Umsteigen in: Fahrtzeit:

3 Sie sind in der Koblenzer Straße und müssen um 21 Uhr am Chlodwigplatz sein.
Abfahrt: Ankunft:

E3 28 Hören Sie und kreuzen Sie an: richtig oder falsch? Sie hören jeden Text einmal.

2 🔊 30–33
Prüfung

a Das Kinderessen kostet 3,90 Euro. ○ richtig ○ falsch
b Der Zug fährt nach Berlin. ○ richtig ○ falsch
c Die Fahrgäste sollen mit dem Bus fahren. ○ richtig ○ falsch
d Für aktuelle Fahrplaninformationen muss man die „Zwei" wählen. ○ richtig ○ falsch

1 Markieren Sie noch vier Wörter und ordnen Sie zu.

1 ____ /4 Punkte

WÖRTER

VAMPELSVERSPÄTUNGBUBAHNAHALTESTELLEXAUTOBAHN

◆ Gestern hatte der Bus Verspätung (a). Ich habe 40 Minuten an der ____________ (b) gewartet.

○ Das Problem kenne ich. Ich nehme nie den Bus oder die ____________ (c). Ich fahre nur mit dem Auto.

◆ Aber mit dem Auto musst du an der ____________ (d) warten.

○ Nein, ich fahre auf der ____________ (e). Das geht schnell.

2 Ordnen Sie zu.

2 ____ /3 Punkte

geradeaus | rechts | links | ~~an der Ecke~~

◆ Wo ist die Bank?

○ Die Bank ist gleich  an der Ecke (a). Fahren Sie zuerst  ____________ (b) und an der Ampel nach  ____________ (c). Fahren Sie dann die zweite Straße  ____________ (d).

____ ● 0–3 ● 4–5 ● 6–7

3 Ergänzen Sie.

3 ____ /9 Punkte

GRAMMATIK

Linda fährt mit d______ Bus (a) z______ Arbeit (b). Sie arbeitet bei einem Arzt (c). Die Praxis ist zwischen d______ Hotel Ritz (d) und d______ Post (e). Am Abend fährt sie wieder n______ Hause (f). Sie geht noch z______ Supermarkt (g) und kauft ein. Z______ Hause (h) wartet ihr Hund Max. Am Abend geht Linda mit Anne i______ Kino (i). Am Wochenende fährt sie in d______ Schweiz (j).

4 Ergänzen Sie: Der Ball ist …

4 ____ /5 Punkte

a  neben dem Schrank.
b  ________ ________ Tisch.
c  ________ ________ Bett.
d  ________ ________ Küche.
e 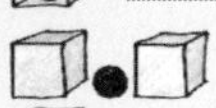 ________ ________ Büchern.
f  ________ ________ Lampe.

____ ● 0–7 ● 8–11 ● 12–14

5 Was ist richtig? Kreuzen Sie an.

5 ____ /4 Punkte

KOMMUNIKATION

a Entschuldigung, ich suche den Bahnhof.
[x] Tut mir leid, ich bin nicht von hier. ○ Da drüben ist ein Fahrkartenautomat.

b Wie komme ich zum Krankenhaus?
○ Das ist in der Nähe. ○ Fahren Sie mit der S-Bahn bis zum Barbaraplatz.

c Wo gibt es hier eine Bäckerei?
○ Ja, in der Baumstraße. ○ An der Ecke, neben der Apotheke.

d Kann ich zu Fuß zur Universität gehen?
○ Nein, das ist viel zu weit. ○ Gehen Sie immer geradeaus.

e Wo kann ich Bücher ausleihen?
○ Tut mir leid, ich habe keine Bücher. ○ Da gehen Sie zur Bücherei.

____ ● 0–2 ● 3 ● 4

Fokus Beruf: Ein Termin bei einer Firma

2 🔊 34–36 **1 Was ist richtig? Hören Sie und kreuzen Sie an.**

a Was soll Alejandro López machen?
- ○ Er soll eine Bewerbung schicken.
- ○ Er soll am Donnerstag einen Termin machen.
- ○ Er soll Frau Losert anrufen.

b Was möchte Alejandro wissen?
- ○ Passt der Termin am Donnerstag?
- ○ Wie kommt man zur Firma Bause & Bause?
- ○ Kann man vom Hauptbahnhof zu Fuß gehen?

c Wie soll Alejandro von Lüneburg nach Hamburg fahren?
○ Mit dem Zug. ○ Mit dem Auto. ○ Mit der U-Bahn.

2 Eine E-Mail

a Lesen Sie und markieren Sie: Termin – Adresse – Weg vom Bahnhof.

E-Mail senden

Von: losert@bausebause.de

An: a.lopez@netz.net

Betreff: Ihr Termin

Sehr geehrter Herr López,

gern bestätigen wir Ihnen den Termin zum Bewerbungsgespräch am Donnerstag, 5. September, 15.00 Uhr.
Wir sind in der Alexanderstraße 38 in Hamburg.
Und so finden Sie zu Bause & Bause:
Vom Hauptbahnhof mit der U1 Richtung Großhansdorf, Ausstieg an der ersten Haltestelle Lohmühlenstraße, dann circa 250 Meter zu Fuß: Nehmen Sie den Ausgang Steindamm, gehen Sie die erste Straße links (Stiftstraße) und dann die zweite Straße rechts. Das ist die Alexanderstraße.
Im Anhang ist auch ein kleiner Stadtplan.

Mit freundlichen Grüßen
U. Losert

b Lesen Sie noch einmal und korrigieren Sie.

1 Vom Hauptbahnhof soll Alejandro mit ~~dem Bus~~ fahren. der U-Bahn
2 Er muss an der Station „Lohmühlenstraße“ umsteigen. ……………
3 Von der U-Bahn bis zur Firma Bause & Bause sind es circa 200 Meter. ……………
4 Vom Ausgang Steindamm muss er zuerst links und dann geradeaus gehen. ……………

2 🔊 37 **3 Hören Sie und ergänzen Sie.**

Alejandros Zug hat Verspätung. Er kommt erst um …………… an. Frau Losert sagt, das ist kein …………… . Alejandro soll am Bahnhof ein …………… nehmen.

A Gleich **nach dem Kurs** gehe ich hin.

A1 **1 Ergänzen Sie: *vor – nach*.**

Wiederholung A1, L5

a  Viertel nach eins.

c  Zwanzig .... neun.

b  Viertel .... sieben.

d  Fünf .... acht.

A1 **2 Ergänzen Sie: *beim – bei der – bei den – nach dem – nach den – vor dem – vor der*.**

Das ist Kioko ...

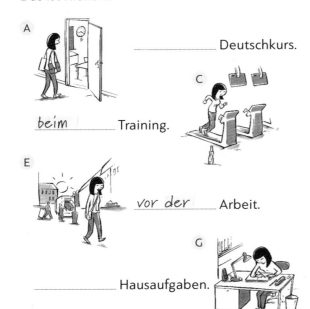

A  .... Deutschkurs.

B 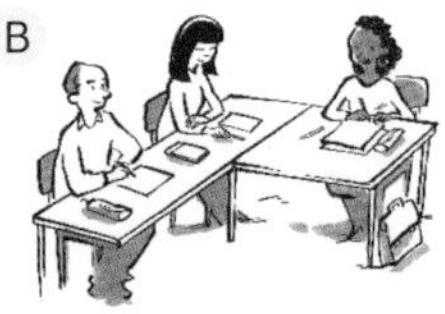 .... Deutschkurs.

C  beim Training.

D  .... Training.

E  vor der Arbeit.

F  .... Arbeit.

G  .... Hausaufgaben.

H  .... Hausaufgaben.

A1 **3 Markieren Sie in 2 und ergänzen Sie.**

Grammatik entdecken

	• der Deutschkurs	• das Training	• die Arbeit	• die Hausaufgaben
vor/nach			der	
bei	⚠	⚠ beim		

A1 **4 Sorins Tag: Schreiben Sie.**

Schreibtraining

6.30 aufstehen | joggen ← Frühstück | Frühstück + Zeitung lesen | Frühstück → mit dem Fahrrad zur Arbeit fahren | 12.00 Mittagspause machen | 20 Minuten spazieren gehen ← Mittagessen | Mittagessen + mit Kollegen sprechen | bis 17.00 arbeiten | Arbeit → sofort nach Hause fahren | Abendessen machen | Abendessen + fernsehen | Abendessen → mit Ella telefonieren

← vor
\+ bei
→ nach

Sorin steht um halb sieben auf.
Vor dem Frühstück ...

A2 **5 Ergänzen Sie: *vor – seit*.**

Wieder-holung A1, L8

◆ Hallo, Tina! Wie geht es dir? Ich habe dich ja seit fast drei Monaten nicht mehr gesehen.
○ Danke, prima. Ich war doch in den USA. Ich bin erst ______ einer Woche nach Hause gekommen. Und wie geht es dir?
◆ Super. Danke. Ich arbeite ______ zwei Wochen wieder. Ich habe ______ zwei Monaten endlich einen Job gefunden.

A2 **6 Was ist richtig? Kreuzen Sie an.**

a
Hast du mal wieder Zeit?
☒ Ja, nach den Prüfungen.
○ Ja, bei den Prüfungen.

b
Ist dein Auto schon lange kaputt?
○ Ja, seit dem Picknick am Sonntag.
○ Ja, vor der Arbeit.

c
Wann hattest du deine Deutschprüfung?
○ Seit zwei Wochen.
○ Vor einem Jahr.

d
Meine Waschmaschine ist kaputt. Wann kannst du mir helfen?
○ Vor einer Stunde.
○ Nach dem Unterricht.

e
Wann hast du die Waschmaschine gekauft?
○ Vor einem Monat.
○ Seit einem Monat.

f
Und seit wann ist sie kaputt?
○ Nach drei Tagen.
○ Seit einer Woche.

A2 **7 Markieren Sie in 6 und ergänzen Sie.**

Grammatik entdecken

	• der/ein	• das/ein	• die/eine	• die/drei ...n
nach/vor/seit	______ Unterricht	______ Picknick	______ Arbeit	den Prüfungen
	______ Monat	______ Jahr	______ Woche	______ drei Tagen

A3 **8 Ergänzen Sie: *bei – seit – vor – nach* und die Artikel in der richtigen Form.**

a
Der Kühlschrank war erst ______ Monat in Reparatur, aber seit drei Tagen funktioniert er nicht mehr.

b
◆ Wann hast du dein Auto verkauft?
○ ______ Jahr.

c
Neue Adresse: ______ Woche wohne ich in der Emsstr. 3.

d
______ Arbeit darfst du nicht rauchen.

e
✚ Wann gehst du immer zum Training?
● Am Mittwochabend ______ Arbeit.

f
▲ Wie lange lernst du schon Deutsch?
□ ______ Monat.

g
Gehen wir morgen Abend ______ Unterricht noch spazieren?

h
______ Prüfungen macht Lea ihr Smartphone aus.

B Sie bekommen sie **in vier Wochen**.

B1 **9 Verbinden Sie und schreiben Sie.**

WANN SEHE ICH SIE WIEDER?

in einer
in einem
in zwei

Stunden ___in zwei Stunden___
Tagen ______
Woche ______
Monaten ______
Stunde ______
Jahr ______
Wochen ______
Monat ______
Jahr ______

B1 **10 Ergänzen Sie: *bis – ab – in*.**

a
▲ Bis wann machst du Hausaufgaben?
◻ ______ vier Uhr.
▲ Ich arbeite ___bis___ fünf Uhr. ______ fünf Uhr habe ich Zeit.

b
✚ Wann fährst du nach Berlin?
○ Am Montag. Also ______ einer Woche.
✚ Und ab wann bist du wieder zu Hause?
○ ______ Sonntag. Also ______ zwei Wochen.

c
◆ Wann kann ich Sie morgen anrufen?
○ ______ acht Uhr bin ich bei der Arbeit.
◆ Und wie lange?
○ ______ zwölf Uhr.

d
◆ Hallo Tanja, ist Iris da?
▲ Nein, sie hat ______ sechs Uhr Kurs, sie kommt aber sicher gleich.
◆ Gut, dann rufe ich ______ einer Stunde wieder an.

B1 **11 Was passt nicht? Streichen Sie.**

a
◆ Wann bist du nach Deutschland gekommen?
○ Im Sommer. – ~~Morgen~~. – Vor einem Semester.

b
◆ Ab wann kannst du zum Deutschkurs gehen?
○ Ab Montag. – Ab heute. – Bis morgen.

c
◆ Wann kommen deine Eltern nach Berlin?
○ Zwei Wochen. – In zwei Tagen. – Am Sonntag.

d
◆ Wie lange bleibt Eleni in Köln?
○ Bis Montag. – Im Herbst. – Zwei Monate.

B2 **12 Ergänzen Sie: *wann – seit wann – ab wann – wie lange – bis wann*.**

a
◆ Mein Herd funktioniert nicht.
○ ___Seit wann___ ist der Herd denn kaputt?
◆ Seit gestern Abend. ______ kann der Techniker kommen?
○ In einer Stunde.
◆ ______ braucht er für die Reparatur?
○ Das kann ich Ihnen nicht sagen.

b
▲ Mein Drucker druckt nicht mehr. ______ kann ich den Drucker abgeben?
◻ Bis 18:00 Uhr.
▲ ______ dauert die Reparatur?
◻ Eine Woche. Am Freitag ist er fertig.
▲ Und ______ kann ich ihn abholen?
◻ Ab 8.00 Uhr.

◇ B2 13 Was ist richtig? Kreuzen Sie an.

a
- ◆ ☒ Bis wann ○ Seit wann können Sie den Fernseher reparieren?
- ○ Bis Samstag.
- ◆ Holen Sie ihn heute noch ab?
- ○ Ja, ○ seit ○ in einer Stunde.

b
- ◆ ○ Ab wann ○ Seit wann kann ich Sie morgen anrufen?
- ▲ ○ Bis ○ Ab sieben Uhr und ich bin ○ bis ○ ab 16 Uhr da.

c
- ✚ ○ Wie lange ○ Wann kann ich den Computer abholen?
- ● ○ In ○ Ab 17 Uhr. Wir haben ○ seit ○ bis 19 Uhr geöffnet.

d
- ▲ ○ Wann ○ Wie lange bringen Sie das Gerät wieder?
- ✚ ○ In ○ Am Freitag.

e
- ▲ Wann kommen Sie?
- ◻ ○ Am ○ Um 15 Uhr. Sind Sie da zu Hause?
- ▲ Ja, ich bin ○ ab ○ bis 14 Uhr zu Hause.

❖ B2 14 Kamilas Woche: Was macht Kamila wann?

a Schreiben Sie vier Fragen mit *wann? – wie lange? – ab wann? – bis wann?* und die Antworten.

	MONTAG	DIENSTAG	MITTWOCH	DONNERSTAG	FREITAG	SAMSTAG	SONNTAG
08:00-10:00	Deutschkurs	Deutschkurs	Deutschkurs	Deutschkurs			1 Woche
10:00-12:00							zu Peter
12:00-14:00							fahren
14:00-16:00						Arbeiten	→
16:00-18:00							
18:00-20:00	Arbeiten		Arbeiten				
20:00-22:00		Fitness-Studio		Kino mit Samira			

Bis wann ist Kamila am Dienstag im Fitness-Studio? – Bis 22 Uhr.
Wie lange arbeitet Kamila am Samstag? – ...

b Stellen Sie die Fragen Ihrer Partnerin / Ihrem Partner und vergleichen Sie mit Ihrer Antwort.

B3 15 Anruf beim Reparaturservice

a Ordnen Sie.

- ( ) ◆ Guten Tag, meine Name ist Lechner. Mein Smartphone funktioniert nicht mehr.
- ( ) ◆ Gut, dann bis später. Auf Wiederhören.
- ( ) ○ Was für ein Modell ist es denn?
- (6) ◆ Wie lange dauert die Reparatur?
- ( ) ◆ Ein Vony S5. Ich habe noch ein Jahr Garantie.
- ( ) ○ Gut, dann bringen Sie Ihr Smartphone bitte vorbei. Wir schicken es dann zur Reparatur.
- ( ) ○ Media-Kaufhaus, guten Tag. Sie sprechen mit Cosima Radu. Was kann ich für Sie tun?
- ( ) ○ Tut mir leid, das kann ich Ihnen nicht sagen.

2 🔊 38 **b** Hören Sie und vergleichen Sie.

C **Könnten** Sie mir das bitte **zeigen**?

C1 16 Schreiben Sie höfliche Bitten.

a Ich brauche ein Wörterbuch. (du mir – mein Wörterbuch – zurückgeben – könntest – bitte)
Könntest du mir bitte mein Wörterbuch zurückgeben ?

b Tut mir leid, der Chef ist nicht da. (Sie – später noch einmal – anrufen – bitte – könnten)
______________________________ ?

c Ich muss für die Party Getränke kaufen. (ihr – helfen – würdet – bitte)
______________________________ ?

d Wir haben kein Brot mehr. (bitte – zum Bäcker – würdest – gehen – du)
______________________________ ?

C1 17 Markieren Sie in 16 und ergänzen Sie.

Grammatik entdecken

	könnte-	würde-	
du	Könntest du		bitte ...?
Sie		Würden Sie	bitte ...?
ihr	Könntet ihr		bitte ...?

LERNTIPP Lernen Sie wichtige Sätze wie *Könnten/Würden Sie bitte ...?* auswendig. Diese Sätze brauchen Sie oft.

C2 18 Schreiben Sie höfliche Bitten.

a Mein Herd ist kaputt. Kommen Sie doch bitte vorbei.
Könnten/Würden Sie bitte vorbeikommen?

b Wo ist die Goethestraße? Erklär mir bitte den Weg.
K______/W______

c Sie dürfen hier nicht telefonieren. Machen Sie bitte Ihr Handy aus.
K______/W______

d Ich muss morgen früh aufstehen und möchte schlafen. Seid bitte leise.
K______/W______

◇ C2 19 Höflich oder nicht so höflich?

a Ordnen Sie zu und ergänzen Sie: *würde-* und *könnte-* in der richtigen Form.

kaufen ~~fahren~~ aufräumen geben

1 ☒ Würdest du bitte nicht so schnell fahren ?
○ Fahr bitte nicht so schnell!
2 ○ K______ du mir bitte eine Tüte ______?
○ ______ mir bitte eine Tüte!
3 ○ ______ bitte ein bisschen ______!
○ W______ ihr bitte ein bisschen ______?
4 ○ ______ Sie bitte Papier!
○ K______ Sie bitte Papier ______?

b Was ist höflich? Kreuzen Sie an.

C

❖ C2 20 Ordnen Sie zu und schreiben Sie Bitten mit *könnte-* oder *würde-* in der richtigen Form.

~~noch einmal wiederholen~~ | Zigarette ausmachen | mir bei der Übung helfen | Musik leise machen

A

B

C

D

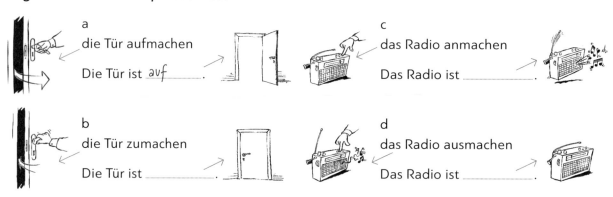

(A) Entschuldigung, ich habe Sie nicht verstanden. Könnten Sie das bitte noch einmal wiederholen?

C2 21 Ergänzen Sie: *an – auf – aus – zu.*

a
die Tür aufmachen
Die Tür ist auf .

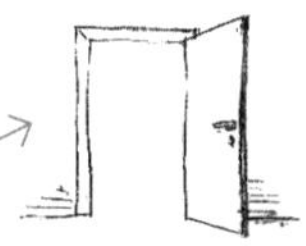

c
das Radio anmachen
Das Radio ist ....

b
die Tür zumachen
Die Tür ist ....

d
das Radio ausmachen
Das Radio ist ....

C2 22 Ordnen Sie in der richtigen Form zu und vergleichen Sie.

~~• ein Ausflug~~ | • der Fernseher | • das Fenster | • ein Kuchen | • der Schrank | • eine Party | • das Licht

Deutsch		Englisch	Meine Sprache
einen Ausflug		to go on a trip	....
....	machen	to make a cake	....
....		to have a party	....
....	aus-/anmachen	to switch off the TV	....
....		to turn off the light	....
....	auf-/zumachen	to open/close the window /	....
....		the cupboard	....

C3 23 Hören Sie und markieren Sie die Betonung: ___. Sprechen Sie dann nach.

2 🔊 39
Phonetik

◆ Erwin, hast du die Waschmaschine ausgemacht?
◆ Hast du überall das Licht ausgemacht?
◆ Hast du die Balkontür zugemacht?
◆ Und das Radio?
◆ Und die Fenster?

○ Aber ja, die Waschmaschine ist aus.
○ Natürlich. Das Licht ist überall aus.
○ Aber sicher. Die Balkontür ist zu.
○ Klar! Das Radio ist aus.
○ Oje! Die Fenster sind auf.

D Nachrichten am Telefon

D2 24 Was ist richtig? Hören Sie und kreuzen Sie an.

2 40–42 Sie hören jeden Text zweimal.

Prüfung

1 Wann ist die Arztpraxis geschlossen?
a ○ Am Montagnachmittag.
b ○ Am Freitagnachmittag.
c ○ Am Mittwoch- und Freitagnachmittag.

2 Wie lange dauert die Reparatur?
a ○ Bis morgen.
b ○ Bis Freitag.
c ○ Bis neunzehn Uhr.

3 Wann ruft Steffi noch einmal an?
a ○ Vor dem Training.
b ○ Nach dem Training.
c ○ Morgen vor der Arbeit.

D3 25 Eine Nachricht

a Ordnen Sie die Nachricht.

(5) Bitte rufen Sie mich an.
○ Ich weiß nicht, warum.
○ Guten Tag.
○ Hier spricht Frederike Junghans vom Institut für Biotechnologie.
○ Vielen Dank und auf Wiederhören.
○ Meine Nummer ist 030 – 753 682 – 1.
○ Ich habe Ihre Rechnung vom 28. 4. per Überweisung bezahlt, aber das hat nicht funktioniert.

2 43 b Hören Sie und vergleichen Sie.

D3 26 Schreiben Sie und sprechen Sie eine Nachricht.

Hallo Freunde, heute ist der erste schöne Sommertag. Wollen wir nicht am See grillen? Ich bringe meinen kleinen Grill und Würste mit. Wer kommt? Was bringt ihr mit? Bitte sprecht kurz auf meine Mailbox oder schickt eine Nachricht. Grüße Elias

Kommen Sie? → Nein: Warum nicht?
Kommen Sie? → Ja: Was bringen Sie mit?

Hallo, Elias, super Idee!
Ich komme gern und …

Hallo, Elias, das ist eine super Idee! …

D3 27 Wörter mit *ng*

2 44 a Hören Sie und sprechen Sie nach.

Phonetik

die Rechnung – die Anmeldung – das Training – die Wohnungstür – der Junge – der Hunger – der Finger – anfangen – vorbeibringen – langsam – Ich brauche dringend ein Glas Wasser. – Könntest du bitte die Zeitung mitbringen? – Wie lange? – Schon sehr lange.

b Ergänzen Sie andere Wörter mit *ng* und lesen Sie laut.

Entschuldigung, ……………………………

E1 **28 Hören Sie und schreiben Sie die Antwort.**

2 🔊 45

a Warum möchte Frau Wendel gut aussehen?
Sie hat eine Präsentation in der Firma.

b Was kostet eine Frisur bei Frau Lex?
……………………………… .

c An welchem Tag kommt Frau Lex zu Frau Wendel? ……………………………… .

d Um wie viel Uhr ist der Termin?
……………………………… .

Michaelas *mobiler* Friseur
Meisterbetrieb
Tel.: 0176/36 50 49 87

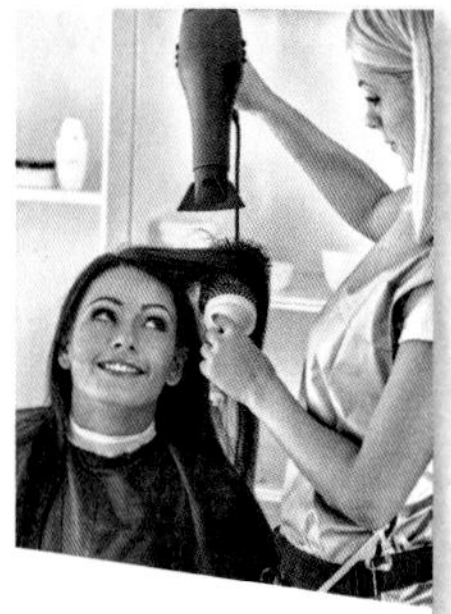

Liebe Kundin, lieber Kunde,
ich komme zu Ihnen nach Hause, ins Büro oder ins Hotel und frisiere oder schneide Ihre Haare. Denn schöne Haare und eine gute Frisur sind wichtig, im Job oder in der Freizeit.

Michaela Lex

E1 **29 Sie möchten einen Service anbieten.**

Schreib-training

Schreiben Sie eine Anzeige wie im Beispiel.

SHOPPINGSERVICE FÜR MÄNNER
Sie brauchen gute Outfits für Büro und Freizeit, kaufen aber nicht gern ein?
Eine Ex-Mode-Journalistin macht das für Sie.
shoppingservice@e-online.de 0176/28 53 96 47

Englischunterricht | mobiler Koch | Shoppingservice | Nähservice | Babysitter | Computerservice | ...

LERNTIPP Sammeln Sie vor dem Schreiben wichtige Wörter für Ihre Anzeige.

E2 **30 Ergänzen Sie.**

◆ Brixen, guten Tag. Könnte ich bitte den EAG – Reparatur (turpaRera)-Service sprechen? Unsere Waschmaschine ist ……………… (ttupka).
○ Guten Tag. Kennen Sie die ……………… (lledMo)-Nummer? Welches ……………… (ztasErliet) brauchen Sie für die Waschmaschine? Wir haben eigentlich alles im ……………… (regLa).
◆ Ja, das ist die Simac 557. Welches Ersatzteil? Das weiß ich nicht. Aber die Maschine reinigt nicht mehr ……………… (dnürgchil) und sie ist erst elf Monate alt! Das kann doch nicht sein!
○ Die Maschine ist ganz neu? Dann haben Sie noch ……………… (narGatie).

E3 **31 Ordnen Sie zu.**

~~anbieten~~ | Mitarbeiter | genießen | Nudel | Terminal | Snacks | Flug | Ausland

Sie fliegen öfter ins ………………?
Im neuen Bistro „Weltweit“ im ……………… 2 am Flughafen Frankfurt bieten wir Ihnen in exklusiver Atmosphäre von 7:00 bis 23:00 Uhr exzellente ………………, leichte ………………gerichte und kalte Getränke an. Unsere freundlichen ……………… erwarten Sie. Kommen Sie vorbei und ……………… Sie bei uns die Wartezeit bis zu Ihrem nächsten ……………… .

E3 32 Was passt nicht? Streichen Sie.

a ~~den Flug~~ – das Lager – das Dachfenster — putzen
b einen Service – eine Beratung – einen Fehler — anbieten
c ein Nudelgericht – eine Übersetzung – Snacks — genießen
d ein Zeugnis – eine Freude – ein Dokument — brauchen

◇ E3 33 Ergänzen Sie jeweils drei bis fünf Wörter.

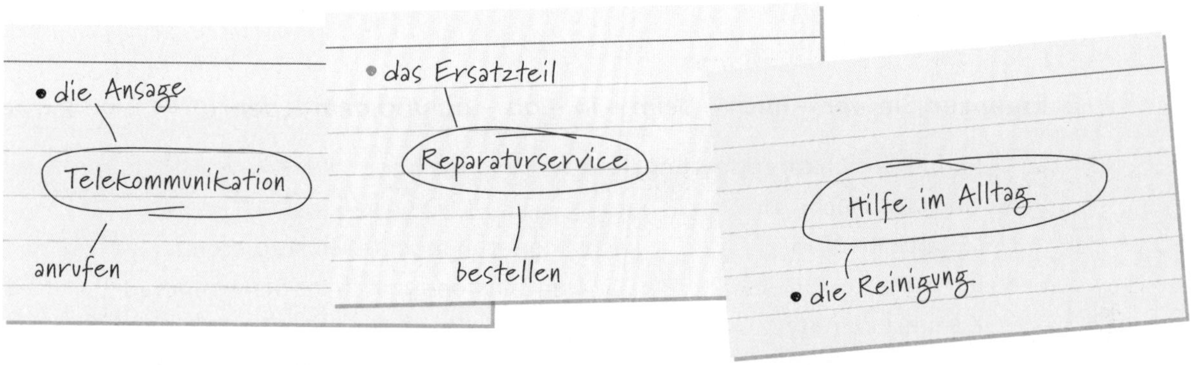

❖ E3 34 Schreiben Sie wie im Beispiel.

Wir wandern im Wald – im Restaurant reservieren – die Augen aufmachen – viel vergessen – sauer sein ...

E3 35 Formulieren Sie Bitten zu den Kärtchen und reagieren Sie.

Prüfung

Könnten Sie mir bitte eine Pizza bringen?
Ja, natürlich.

Kann ich bitte ... bekommen/haben/nehmen?
Können Sie bitte ... bringen/mitbringen/kaufen/reparieren?
Könnten Sie ...?
Würden Sie ...?

Natürlich, hier bitte.
Ja, natürlich. | Ja, gern.
Okay, mache ich. | Na klar!
Nein, das geht leider nicht.
Nein, tut mir leid.

Test Lektion 12

1 Ordnen Sie zu.

1 ...... /7 Punkte — WÖRTER

kaputt ~~gründlich~~ empfehlen Drucker günstig Lager reparieren putzen

a Verkäufer .... „Superweiß-Papier" für Faxgeräte und ....

b Ihre Waschmaschine ist ....? Wir .... alle Elektrogeräte schnell und ....!

c XXL-Clean: Wir .... Ihr Büro und Ihr .... schnell und gründlich.

...... ● 0–3 ● 4–5 ● 6–7

2 Ergänzen Sie: *vor – nach – beim – in – bis – ab* und *dem – der*.

2 ...... /8 Punkte — GRAMMATIK

a ○ Mein Deutschkurs dauert noch bis November.
◆ Und was machst du .... Deutschkurs?
○ Ich arbeite. Und .... sechs Monaten möchte ich studieren.

b ✚ Ich gehe .... Deutschstunde noch ins Schwimmbad. Kommst du mit? .... wann hast du Zeit?
▲ .... halb vier bin ich .... Training. Danach habe ich Zeit.

3 Schreiben Sie Bitten mit *könnte-* oder *würde-*.

3 ...... /3 Punkte

a Frau Sauerfeld ist nicht da. Rufen Sie bitte später noch einmal an.
Könnten Sie bitte später noch einmal anrufen?

b Ich möchte jetzt schlafen. Mach bitte das Licht aus.
W..?

c Mein Computer funktioniert nicht mehr. Hilf mir bitte.
K..?

d Mein Herd ist kaputt. Schicken Sie bitte heute noch einen Techniker.
W..
....?

...... ● 0–5 ● 6–8 ● 9–11

4 Verbinden Sie.

4 ...... /4 Punkte — KOMMUNIKATION

a ◆ TechnikWelt, guten Tag. Was kann ich für Sie tun?
b ◆ Was für ein Modell ist es?
c ◆ Haben Sie noch Garantie?
d ◆ Okay, bringen Sie das Gerät bitte vorbei.
e ◆ Normalerweise drei Tage.

1 ○ Ein Naki 7.
2 ○ Vielen Dank! Dann komme ich heute Nachmittag. Auf Wiederhören.
3 ○ Ja, vier Monate.
4 ○ Guten Tag. Mein Name ist Kaminski. Mein Smartphone funktioniert nicht.
5 ○ Gut. Wie lange dauert die Reparatur?

...... ● 0–2 ● 3 ● 4

1 Im Büro: Welche Produkte muss Frau Engel bestellen?

Sehen Sie das Bild an und sprechen Sie.

Es gibt noch genug Papier.

Ja, aber nur DIN-A3-Papier. Frau Engel muss DIN-A4-Papier bestellen.

2 Lesen Sie die Angebote. Was ist richtig? Kreuzen Sie an.

Ordner – günstig und stabil! Ab 100 St. 28 % gespart!

Best.-Nr.	€/St.	€/St. ab 20 St.	€/St. ab 100 St.
11 1583-44	1,75	1,55	1,25

Kopierpapier DIN-A4 – Für Laser- und Inkjet-Drucker

Best.-Nr.	€/Pack.	€/Pack. ab 10 Pack.	€/Pack. ab 50 Pack.	€/Pack. ab 100 Pack.
38 1913-44	5,59	5,09	4,39	3,79

50 Kugelschreiber Diamant – 1 Pack. = 50 Stück! Ab 3 Pack. 0,17 €/St.

Best.-Nr.	€/Pack.	€/Pack. ab 3 Pack.
83 1453-23	9,93	8,59

a ☒ Eine Firma kauft 100 Ordner. Dann kostet ein Ordner 1,25 Euro.
b ○ Ordner haben die Bestellnummer 11 1583-44.
c ○ 100 Packungen Kopierpapier kosten 3,79 Euro.
d ○ Eine Firma kauft 15 Packungen Kopierpapier. Dann kostet eine Packung 5,59 Euro.
e ○ In einer Packung sind immer 50 Kugelschreiber.

Best.-Nr. = Bestellnummer
St. = Stück
Pack. = Packung

3 Frau Engel bestellt 25 Ordner, 30 Packungen DIN-A4-Kopierpapier und 3 Packungen Kugelschreiber.

Ergänzen Sie den Bestellschein mit den Informationen aus 2.

Artikelbezeichnung	Bestellnummer	Menge	Preis pro Stück/Pack. (€)	Preis gesamt (€)
Ordner	11 1583-44	25	1,55	38,75
Kopierpapier DIN-A4	38 1913-44			152,70
Kugelschreiber	83 1453-23			25,77
			Gesamtbetrag (€):	217,22

A Sieh mal, Lara, **die Jacke** da! **Die** ist super!

A1 **1 Ergänzen Sie.**

A

1 ● das T-S h i r t
2 ● der ___ ü ___ ___ ___ l
3 ● die ___ ___ s ___
4 ● die S ___ ck ___ ___
5 ● die ___ ___ ___ uh ___

B

1 ● das T ___ ___ ___
2 ● die ___ a ___ k ___
3 ● die B ___ ___ s ___
4 ● der ___ ___ ck
5 ● die ___ t ___ ü ___ ___ f ___

A2 **2 Ordnen Sie zu.**

Wieder-holung

A1, L3
L4
L6

LERNTIPP Was tragen Sie gern? Notieren Sie. Diese Wörter lernen Sie besonders leicht.

ein | einen | ~~eine~~ | der | den | Das | die

Hugo kauft eine Hose, ___ Hemd und ___ Pullover. ___ Hemd ist hellblau und ___ Pullover ist braun. Klara findet ___ Hose toll und ___ Pullover auch sehr schön.

A2 **3 Ordnen Sie die Gespräche. Hören Sie dann und vergleichen Sie.**

2 🔊 46

a
- ◯ ◆ Das ist zu klein, oder?
- ◯ ◆ Die finde ich toll!
- ◯ ○ Nein, das finde ich auch super!
- ◯ ○ Ja, die passt wirklich gut. Und das Hemd?
- ① ○ Na, wie gefällt dir die Jeans?

b
- ◯ ◆ Stimmt. Und wie findest du den Anzug?
- ② ○ Ja, die finde ich auch schön, aber teuer.
- ◯ ◆ Ja, und der ist auch günstig!
- ◯ ○ Den finde ich toll.
- ◯ ◆ Sieh mal, die Stiefel. Die sind wirklich schön.

A2 **4 Markieren Sie in 3 und ergänzen Sie.**

Grammatik entdecken

	● der Anzug	● das Hemd	● die Jeans	● die Stiefel
Wer/Was **ist** schön?/ **passt** gut?/**gefällt** dir?			die	
Wen/Was **findest** du schön?			die	

A2 **5 Ordnen Sie zu.**

Das | Das | den | den | der | ~~Die~~ | Die | die | die

a
- ▲ Sieh mal, die Jacke dort. Die ist wirklich toll.
- ◻ Ja, ___ finde ich auch schön, aber leider ist sie etwas dünn.
- ▲ Und wie findest du das Kleid? ___ ist doch zu weit, oder?
- ◻ Ja, stimmt. ___ ist zu groß.

b
- ◆ Ich brauche einen Schirm. Wie findest du ___?
- ○ Hm, ___ finde ich etwas langweilig. Aber ___ hier ist sehr schön.
- ◆ Ja, stimmt. – Oh, sieh mal, die Stiefel da! ___ sind ja toll.
- ○ Ja, ___ finde ich auch super.

◇ A2 6 Was ist richtig? Kreuzen Sie an.

a
- ◆ Sieh mal, ☒ der ○ den Mantel. ○ Der ○ Den ist doch schön!
- ○ Nein, ○ der ○ den ist langweilig.
- ◆ Was? ○ Der ○ Den finde ich prima.

b
- ▲ Wie findest du ○ die ○ das Schuhe?
- ◻ ○ Den ○ Die finde ich gut.
- ▲ Und ○ der ○ die Jacke?
- ◻ ○ Den ○ Die auch.

c
- ◆ Wo hast du ○ das ○ den Fernseher gekauft?
- ○ ○ Das ○ Den habe ich im E-Markt gekauft.

d
- ▲ Gehst du jetzt zum Training?
- ◻ Nein, ○ die ○ das fängt erst um 17 Uhr an.

e
- ✚ Hast du ○ das ○ den Regal für 200 Euro oder ○ den ○ das für 350 Euro gekauft?
- ● ○ Das ○ Den für 200 Euro.

❖ A2 7 Verbinden Sie und ergänzen Sie.

a ◆ Da kommt unser Bus.
b ◆ Findest du den Computer auch so günstig?
c ◆ Dein Mantel ist sehr schön.
d ◆ Wie findest du das Hemd hier?
e ◆ Seit wann hast du denn das Auto?
f ◆ Sollen wir noch Orangensaft kaufen?
g ◆ Luka braucht einen Becher.

1 ○ Das .... finde ich nicht so schön.
2 ○ Nein, ... finde ich teuer.
3 ○ Nein, das ist nicht unser Bus. .... können wir nicht nehmen.
4 ○ Danke. .... ist ganz neu!
5 ○ .... habe ich seit drei Monaten.
6 ○ Er kann .... da nehmen!
7 ○ Nein, ... schmeckt nicht so gut. Nimm doch den Apfelsaft!

A3 8 Ergänzen Sie die Gegensätze und vergleichen Sie.

LERNTIPP Lernen Sie Wörter für Gegensätze zusammen.

Deutsch	Englisch	Meine Sprache
kurz ≠ lang	short ≠ long	....
alt ≠	old ≠ new	....
dünn ≠	thin ≠ thick	....
.... ≠ warm	cold ≠ warm	....
langweilig ≠	boring ≠ interesting	....

A3 9 Ordnen Sie zu.

Achtung: Manchmal gibt es mehrere Lösungen.

~~teuer~~ billig günstig alt neu modern schön hässlich breit schmal groß klein lang kurz laut leise ~~gut~~ langweilig interessant schnell langsam dünn

A

teuer,

B

C

teuer, gut,

D

E

B Die Jacke passt **dir** perfekt.

B1 10 Ergänzen Sie in der richtigen Form: *gefallen – passen – helfen*.

Wieder-holung A1, L4

a ◆ Wie gefallen dir die Schuhe? ○ Die sind super. Sie passen perfekt.
b ◆ Und? .... dir die Stiefel? ○ Nein, leider nicht. Die sind zu klein.
c ◆ Wie .... Ihnen das Haus? ○ Sehr gut. Die Zimmer sind groß und hell.
d ◆ Reparierst du dein Fahrrad selbst? ○ Ja, aber mein Bruder .... mir.

B2 11 Der gefällt ihm sehr gut.

Grammatik entdecken

a Ordnen Sie zu.

Ja, das schmeckt mir total gut. | Der gefällt ihm sehr gut. | ~~Die passt mir super.~~ | Natürlich, ich helfe euch gern.

1

◆ Passt Ihnen die Hose?
○ Die passt mir super.

2

▲ Wie geht's Andrej? Was macht sein Job?
□ ....

3

✚ Klaus, kannst du uns helfen?
● ....

4

▼ Sag mal, schmeckt dir das Eis?
■ ....

b Markieren Sie in a und ergänzen Sie.

		ich	du	er/sie	wir	ihr	sie/Sie
die Hose	passt						
der Job		mir		/ihr			ihnen/
ich							Ihnen
das Eis							

B3 12 Was ist richtig? Kreuzen Sie an.

a
◆ Hast du Patricias Kleid gesehen?
Das steht ○ ihm ☒ ihr sehr gut!
○ Ja, das finde ich auch.

b
▲ Wie finden Sie die Bluse?
□ Schön! Die Farbe steht
○ Ihnen ○ euch sehr gut.

c
◆ Wie funktioniert die Waschmaschine?
Kannst du ○ uns ○ euch bitte helfen?
○ Natürlich helfe ich ○ ihr. ○ euch.

d
▲ Ist die Sonnenbrille neu?
Die steht ○ euch ○ dir sehr gut.
□ Danke! ○ Mir ○ Dir gefällt sie auch.

◇ B3 13 Schreiben Sie die Sätze neu mit *er – es – sie* und *ihm – ihr – ihnen*.

a Oleks Freundin Renata hat Namenstag. Olek backt Renata einen Kuchen.	Oleks Freundin Renata hat Namenstag. Er backt ihr einen Kuchen.
b Sie essen den Kuchen zum Frühstück. Der Kuchen schmeckt Renata und Olek gut.	Sie essen den Kuchen zum Frühstück.
c Renata möchte abends mit Olek essen gehen und Renata möchte Olek gefallen.	Renata möchte abends mit Olek essen gehen und
d Am Nachmittag kauft Renata ein Kleid. Das Kleid steht Renata super.	Am Nachmittag kauft Renata ein Kleid.
e Im Restaurant bestellen Olek und Renata ihr Lieblingsessen. Das Essen schmeckt Olek und Renata sehr gut.	Im Restaurant bestellen Olek und Renata ihr Lieblingsessen.

❖ B3 14 Schreiben Sie die Sätze neu mit *gefallen – schmecken – passen* in der richtigen Form.

a Ich finde den Kuchen lecker. Der Kuchen schmeckt mir.
b Ich finde dein Kleid zu lang. Das Kleid passt
c Er findet den Mantel schön.
d Sie findet die Jacke zu groß.
e Wir finden den Salat lecker.
f Wie findet ihr das Hemd?
g Wie finden Sie die Pizza?
h Wie finden Martin und Anna die Stühle?

B4 15 Markieren Sie noch acht Wörter und schreiben Sie mit • *der* – • *das* – • *die*.

OLALANDSCHAFTAMECHAFENIRLANORDSEEKELMIBERGALRWMEERKLUIR
STRANDÄMUWALDQUISUETOMULDORFANEBRATWURST

• die Nordsee

B4 16 Ihr Land: Was gefällt/schmeckt Ihnen / Ihren Freunden / Ihrer Familie besonders gut?

Schreiben Sie jeweils vier Sätze.

Lieblingsplätze
Ich: Das Meer gefällt mir besonders gut.
Meine Freundin: Der Wald gefällt …
Mein Bruder: Die Strände im Süden …

Typisches Essen
Ich: Salate schmecken mir besonders gut.
Meine Mutter: …
Mein Vater: …
Meine Großeltern: …

B4 17 Hören Sie und sprechen Sie nach.

2 47
Phonetik

am Mittwoch – in Norddeutschland – aus Salzburg – mit dem Bus – Und du? – Gefällt dir das? – Wie findest du das? – Sind das seine Bücher? – Wohnst du in Nürnberg? – Was ist denn das? – Fährst du mit dem Fahrrad? – Kommst du aus Salzburg? – Das Hemd ist teuer, aber es sieht toll aus.

C Und hier: Die ist noch **besser**.

C2 18 Ergänzen Sie: *mehr – besser – lieber* (++), *am meisten – am besten – am liebsten* (+++).

a ◆ Wie ist dein Job? Bist du zufrieden?
○ Es geht. Ich möchte lieber (++) nur halbtags arbeiten.

b ◆ Geht es dir gut?
□ Ich war krank, aber jetzt geht es mir wieder .... (++)

c Im E-Markt kostet ein Pfund Kaffee 6,99 Euro, bei Topfit kostet er .... (++) und .... (+++) kostet er bei Superspar.

d ○ Was machst du gern am Wochenende?
□ Ich gehe gern tanzen oder ins Kino, aber .... (+++) koche ich.

e ✚ Was findest du .... (++)? Das Hemd oder die Bluse?
◆ Die Bluse, aber .... (+++) gefällt mir der Pullover.

C2 19 Kleidung fürs Büro

2 🔊 48 **a** Was ist richtig? Hören Sie und kreuzen Sie an.

1 Paula, Carla und John sind
○ im Café. ○ zu Hause.

2 Sie sprechen über ○ Einkäufe.
○ Probleme im Job.

b Was ist richtig? Hören Sie noch einmal, kreuzen Sie an und korrigieren Sie die falschen Sätze.

1 ○ Carla hat heute ~~wenig~~ eingekauft. viel
2 ○ Carla arbeitet bei einer Bank. ....
3 ○ Carla trägt am liebsten Schwarz. ....
4 ○ Paula meint: Die Farbe Blau steht Carla nicht. ....
5 ○ Carla hat Röcke, Blusen und eine Jacke gekauft. ....
6 ○ Carla kauft lieber Kleidung fürs Büro. ....
7 ○ Paula kauft gern Schuhe. ....
8 ○ John muss bei der Arbeit einen Anzug tragen. ....

C3 20 Schreiben Sie.

a Was macht Amidou viel?
☺ laufen
☺☺ Musik hören
☺☺☺ im Internet surfen

c Was machen Mila und Adrian gern?
☺ wandern
☺☺ Rad fahren
☺☺☺ Motorrad fahren

b Was kann Ajit gut?
☺ kochen
☺☺ Fahrräder reparieren
☺☺☺ Schach spielen

a Amidou läuft viel.
Aber noch mehr hört er Musik.
Und am meisten surft er im Internet.

D **Welche** meinst du? – Na, **diese**.

D2 21 Ergänzen Sie: *Welcher* – *Welches* – *Welche* und *Dieser* – *Dieses* – *Diese*.

a ◆ Welcher Regenschirm gehört dir? ○ Dieser hier.
b ◆ ________ Sofa gefällt Ihnen? ○ ________ hier.
c ◆ ________ Bluse steht mir? ○ ________ hier.
d ◆ ________ Finger tut dir weh? ○ ________ hier.
e ◆ ________ Socken passen euch? ○ ________ hier.

D2 22 *Welcher ...? – Dieser.*

Grammatik entdecken

a Verbinden Sie.

1 Welcher Mantel gefällt dir am besten?
2 Welchen Film wollen wir sehen?
3 Welches Fahrrad gehört dir? Dieses hier?
4 Welches Auto möchtest du kaufen?
5 Welche Hose steht mir?
6 Welche Brille soll ich nehmen?
7 Welche Schuhe passen dir am besten?
8 Welche Würste soll ich kaufen?

a Na, diese hier. Die anderen sind viel zu groß.
b Nein, dieses da. Mein Fahrrad ist rot.
c Dieser hier. Der ist schön warm.
d Diese da. Die passt perfekt und ist nicht zu kurz.
e Am liebsten diesen hier, den Krimi.
f Kauf diese hier. Die sind lecker.
g Nimm diese hier. Die ist nicht so teuer.
h Dieses da. Das ist nicht so groß. Da finde ich immer einen Parkplatz.

b Markieren Sie in a und ergänzen Sie.

	● der Mantel/Film	● das Fahrrad/Auto	● die Hose/Brille	● die Schuhe/Würste
Wer/ Was ...?	Welch er ? Dies er .	Welch ___ ? Dies ___ .	Welch ___ ? Dies ___ .	Welch ___ ? Dies ___ .
Wen/ Was ...?	Welch en ? Dies ___ .	Welch ___ ? Dies ___ .	Welch ___ ? Dies ___ .	Welch ___ ? Dies ___ .

D2 23 Verbinden Sie und ergänzen Sie: *Dieser* – *Diesen* – *Dieses* – *Diese*.

◆ Welcher
◆ Welchen
◆ Welches
◆ Welche

Fahrrad soll ich kaufen? ○ Dieses hier ist nicht so teuer, aber gut.
Buch möchtest du? ○ ________ da.
Schuhe soll ich nehmen? ○ ________ passen gut.
Rock findest du besser? ○ ________ da. Der gefällt mir.
Pullover gefällt dir besser? ○ ________ hier.
Pizza möchtest du lieber? ○ ________ hier, mit Käse und Tomaten.
Kuchen möchtest du? ○ ________ Schokoladenkuchen da.

◇ D2 24 Was ist richtig? Kreuzen Sie an.

a ◆ ☒ Welchen ○ Welcher Koffer findest du schön? ○ ○ Diesen ○ Dieser hier.
b ◆ ○ Welches ○ Welche Musik hörst du gern? ○ Jazz.
c ◆ ○ Welche ○ Welcher Rock gefällt dir? ○ ○ Diese ○ Dieser hier.
d ◆ ○ Welches ○ Welcher Buch gehört Victoria? ○ ○ Diesen ○ Dieses hier.
e ◆ ○ Welchen ○ Welche Stiefel stehen mir am besten? ○ ○ Dieses ○ Diese hier.

❖ D2 25 Ergänzen Sie in der richtigen Form: *welche – diese.*

a
- ◆ Gehen wir dieses .... Wochenende ins Kino?
- ○ Ja gern. .... Film möchtest du sehen?

b
- ▲ Sag mal, ... Übungen sollen wir machen?
- ◻ .... da.

c
- ✚ .... Formular muss ich ausfüllen?
- ● .... hier.

d
- ● Hast du .... Salat gemacht?
- ✚ .... meinst du?
- ● Na, ... da, den Kartoffelsalat. Der ist lecker.

e
- ◆ .... Getränk magst du am liebsten?
- ▲ Orangensaft.

f
- ○ .... Bus fährt zum Bahnhof?
- ◻ .... da, die Nummer 5.

D3 26 Ergänzen Sie in der richtigen Form: *mögen – finden – gefallen.*

a
- ◆ Welche Farben mögt .... ihr am liebsten?
- ○ Ich .... Rot und Gelb.
- ▲ Mir .... Blau besser. Und welche Farbe .... du?
- ◆ Ich .... auch Blau am besten.

b
- ◆ Es gibt heute Fisch. Ich hoffe, ihr esst Fisch?
- ◻ Ja, wir .... alles: Fisch, Fleisch und Gemüse.
- ◆ Das .... ich super. Da macht das Kochen gleich viel mehr Spaß.

c
- ▲ .... deine Eltern Bratwürste?
- ● Also mein Vater .... Bratwürste sehr gern. Aber meine Mutter isst nie Bratwürste.

d
- ○ Welche Witze .... du lustig?
- ▲ Am besten .... mir Arztwitze.

e
- ● Welcher Wochentag .... dir gar nicht?
- ◻ Ich .... den Montag nicht so toll. Nach dem Wochenende ist die Arbeit so schwer.

D3 27 Matteo und Elena beim Einkaufen

2 🔊 49 **a** Hören Sie und ergänzen Sie die Antwort.

1 Was ist im Moment günstig? ....
2 Wer kauft eine Jacke? ....

b Was ist richtig? Hören Sie noch einmal und kreuzen Sie an.

1 ☒ Matteo braucht eine Jacke.
2 ○ Er findet die Jacke zu kurz.
3 ○ Elena findet ihre Traumjacke.
4 ○ Die Jacke passt Elena perfekt.
5 ○ Die Jacke kostet 200 Euro.
6 ○ Matteo findet die Jacke zu teuer.
7 ○ Elena findet die Jacke günstig.
8 ○ Matteo kauft einen Mantel.

E Im Kaufhaus

E1 28 Markieren Sie noch neun Wörter und ordnen Sie zu. Ergänzen Sie mit • *der* – • *das* – • *die*.

KUHK(BECHER)LIUTBLUSEGERTIKÜHLSCHRANKLADERKLEIDOLPTGLASO
ZAHNBÜRSTERIUDRUCKERAGERDZAHNPASTAJÜLADROCKHINBURSMANTELR

a Geschirr: • der Becher,
b Damenmode:
c Drogerie und Kosmetik:
d Elektrogeräte:

E2 29 Was ist richtig? Kreuzen Sie an.

a
▲ Entschuldigung, können Sie mir bitte helfen?
□ ○ Die finden Sie im Erdgeschoss.
□ ☒ Ja, natürlich.

b
▲ Ich suche Uhren. Wo gibt es die denn?
□ ○ Ja, Moment.
□ ○ Da müssen Sie ins Untergeschoss gehen.

c
▲ Haben Sie den Rock auch in Größe 40?
□ ○ Was kostet er denn?
□ ○ Ja, hier bitte.

d
▲ Entschuldigen Sie bitte, wo finde ich Schreibwaren? Wissen Sie das vielleicht?
□ ○ Wo ist denn die Kasse, bitte?
□ ○ Die sind gleich neben dem Eingang.

E2 30 Ordnen Sie zu und schreiben Sie Gespräche.

Haben Sie die Bluse auch in Rot?
Entschuldigung, wo ist denn die Kasse, bitte?
~~Entschuldigung, ich finde die Spielwaren nicht.~~
Ist die Größe so richtig? Ist die Hose nicht zu lang?
Dort bei der Tür können Sie bezahlen.
Nein, mit Schuhen ist sie perfekt.
Die finden Sie gleich neben der Kasse.
Nein, in Größe 40 haben wir sie nur noch in Blau.

A

◆ Entschuldigung, ich finde die Spielwaren nicht.
○

B

▲
□

C

✚
●

D

●
◆

E3 31 Im Kaufhaus

a Wer sagt was? Lesen Sie und ergänzen Sie: Verkäufer (V), Kundin (K).

(1) K Können Sie mir bitte helfen? Ich suche eine Hose.
( ) ...... Weiß ist auch nicht schlecht. Ich ziehe sie mal an.
(2) V Ja, gern. Welche Größe haben Sie?
( ) ...... Ich hätte gern Schwarz oder Blau.
( ) ...... Ja, die passt mir. Die nehme ich.
( ) ...... Und welche Farbe hätten Sie gern?
( ) ...... Gut, dann probiere ich sie mal an.
( ) ...... Aber in Weiß habe ich sie auch in 38. Hier, bitte.
(10) ...... Leider nicht. Die habe ich nur in dieser Größe.
( ) ...... Und? Passt Ihnen die Hose?
( ) ...... Ich brauche Größe 36.
( ) ...... Na ja, sie ist ein bisschen klein. Haben Sie die auch in 38?
( ) ...... Hier habe ich eine schöne Hose in Schwarz.
( ) K Das ist schade.
( ) ...... Und, passt die besser?

b Ordnen Sie und schreiben Sie das Gespräch.

K: Können Sie mir bitte helfen? Ich suche eine Hose.
V: Ja, gern. Welche ...

2 50 c Hören Sie und vergleichen Sie.

d Schreiben Sie ein Gespräch und spielen Sie mit Ihrer Partnerin / Ihrem Partner.

Kundin/Kunde	Verkäuferin/Verkäufer
Sie möchten einen Pullover in Blau oder in Rot kaufen. Sie haben Größe 52.	Sie haben den Pullover in Rot in Größe 52, den Pullover in Blau aber nur in Größe 54.

- Entschuldigen Sie bitte, ich suche einen Pullover.
- ◇ Welche Farbe möchten Sie?
- ...

E3 32 Lesen Sie und kreuzen Sie an: richtig oder falsch?

Prüfung

a Im Kaufhaus

Zum Ende des Winters
ALLES MUSS RAUS
Jacken, Mäntel, Stiefel ab sofort nur noch 50 %

Winterkleidung kostet jetzt mehr als normal. ○ richtig ○ falsch

b Im Elektrogeschäft

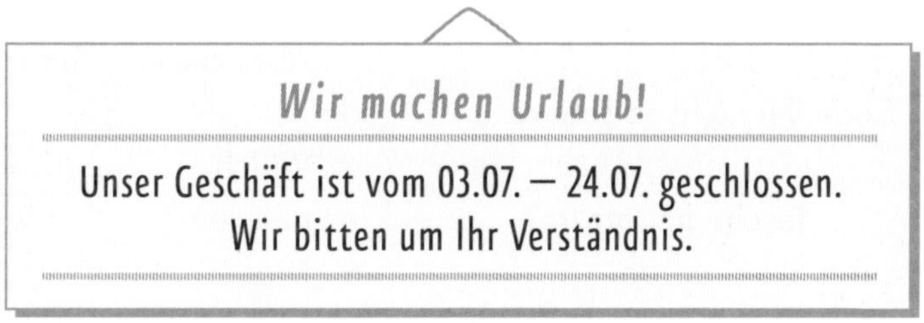

Wir machen Urlaub!
Unser Geschäft ist vom 03.07. – 24.07. geschlossen.
Wir bitten um Ihr Verständnis.

Sie können am 25.07. wieder einkaufen. ○ richtig ○ falsch

c In der Bäckerei

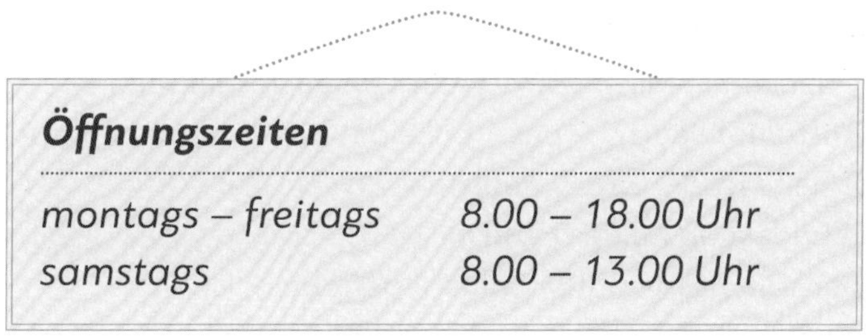

montags – freitags 8.00 – 18.00 Uhr
samstags 8.00 – 13.00 Uhr

Es ist Samstagnachmittag.
Sie können jetzt keine Brötchen kaufen. ○ richtig ○ falsch

E3 33 Wählen Sie eine Situation und schreiben Sie eine E-Mail.

Schreibtraining

a

Eine Freundin / Ein Freund macht bald eine Reise nach Marokko. Sie/Er soll etwas mitbringen: zwei T-Shirts von „Onyx". Sie finden die ganz toll und sie sind dort sicher günstig. Nennen Sie die Größe und Farbe. Danken Sie und schreiben Sie einen Gruß.

E-Mail senden

Liebe/r ...,
Du fährst doch bald nach Marokko ...

b

Eine Freundin / Ein Freund fährt am Wochenende nach Dortmund zum Spiel von Borussia Dortmund. Sie/Er soll etwas mitbringen: eine Baseballcap und eine Jacke aus dem Fan-Shop. Nennen Sie die Größe. Danken Sie und schreiben Sie einen Gruß.

E-Mail senden

Liebe/r ...,
am Wochenende fährst Du doch nach Dortmund ...

Test Lektion 13

1 Markieren Sie noch neun Wörter und ordnen Sie zu.

1 ...... /9 Punkte

WÖRTER

AGRBERGLUPTRU(PULLOVER)RTJACKETURSCHUHEHOLWALD
MUDANZUGALBDORFBÜRSTMEERVMANTELRUHSTRANDVO

a Kleidung: Pullover, ...
b Landschaft: ......

...... 0–4 / 5–7 / 8–9

2 Ergänzen Sie.

2 ...... /11 Punkte

GRAMMATIK

a
◆ Wie gefällt dir d*er* Mantel?
○ Welch...... ? D...... hier?
◆ Nein, dies*er* dort.
○ D...... finde ich nicht so schön.

b
▲ Welch...... Tasche gehört Ira?
□ Ich glaube, dies...... da.

c
□ D...... Kleid sieht ja toll aus.
◆ Nein, d...... gefällt mir nicht. Aber dies...... ist schön.

d
✚ Welch...... Stiefel soll ich nehmen?
● Dies...... ! D...... sind schön.

3 Was ist richtig? Kreuzen Sie an.

3 ...... /4 Punkte

a ◆ Deine Bluse ist schön! Die steht ☒ dir ○ mir sehr gut.
○ Oh, danke! ○ Mir ○ Dir gefällt sie auch sehr gut.
b ◆ Kannst du ○ euch ○ uns bitte mit den Koffern helfen?
○ Klar helfe ich ○ uns. ○ euch.
c ◆ Wie findest du Marias Hose?
○ Super! Die passt ○ ihr ○ ihm perfekt.

4 Ergänzen Sie in der richtigen Form: *gut – gern – viel.*

4 ...... /5 Punkte

a ◆ Isst du gern Salat?
○ Ja, aber noch *lieber* ☺☺ esse ich Obst.
Und ...... ☺☺☺ esse ich Pizza.
b ✚ Kannst du gut Fußball spielen?
□ Ja, aber noch ...... ☺☺ kann ich Handball spielen.
Und ...... ☺☺☺ spiele ich Tennis.
c Im Supermarkt kostet der Kuchen viel. In der Bäckerei kostet er ...... ☺☺, aber ...... ☺☺☺ kostet er im Café.

...... 0–9 / 10–15 / 16–20

5 Verbinden Sie.

5 ...... /4 Punkte

KOMMUNIKATION

a ◆ Entschuldigung, wo gibt es Gürtel? — 4
b ◆ Haben Sie das Hemd auch in Größe 56?
c ◆ Wie steht mir diese Farbe?
d ◆ Haben Sie das Kleid auch in Rot?
e ◆ Wo ist denn hier die Kasse, bitte?

1 ○ Nein, nur in Blau.
2 ○ Sehr gut.
3 ○ Da vorne.
4 ○ Im Erdgeschoss.
5 ○ Ja hier, bitte.

...... 0–2 / 3 / 4

Fokus Beruf: Über Vorlieben im Beruf sprechen

1 Wie gefällt Ihnen Ihr Beruf?

a Welcher Beruf ist das? Ordnen Sie zu.

leh ~~trai~~ ~~ball~~ re sit te rin ~~Fuß~~ rin Kla ~~ner~~ Hun de vier

A

B

C

Fußballtrainer

2 51–53 **b** Hören Sie drei Gespräche und ordnen Sie die Bilder aus 1 zu.

Gespräch	1	2	3
Bild			

2 51–53 **c** Was ist richtig? Hören Sie noch einmal und kreuzen Sie an.

1 ○ Frau Lohse ist Klavier- und Cellolehrerin.
○ Sie hat mit ihrem Mann eine Musikschule.
○ Der Unterricht ist nur für Kinder.
2 ○ Herr Kleinert arbeitet am Vormittag im Büro.
○ Er trainiert Jugendliche und Erwachsene.
○ Er findet seine Arbeit manchmal langweilig.
3 ○ Frau Kirova passt auf Hunde auf.
○ Sie kommt wie ein Babysitter zu ihren Kunden nach Hause.
○ Sie ist nicht angestellt.

2 Was gefällt Ihnen an Ihrer Arbeit / Ihrer Ausbildung (nicht) gut? Schreiben Sie.

Ich bin ... von Beruf. / Ich arbeite als ...
Ich finde meine Arbeit nicht so gut. / gut. / sehr gut.
Meine Arbeit ist interessant/super/...
Mir gefällt ... gut. / am besten.
Ich mache am liebsten ...
Meine Arbeit macht mir viel / nicht so viel Spaß.
Ich bin gern selbstständig/angestellt.

Ich bin Journalist von Beruf.
Meine Arbeit ...

A Am **fünfzehnten** Januar fange ich an.

A2 1 Jahreszeiten und Monate in Europa: Ergänzen Sie und vergleichen Sie.

Deutsch	Frühling: März, 			
Englisch	spring: March, April, May	summer: June, July, August	autumn: September, October, November	winter: December, January, February
Meine Sprache				

A3 2 Ergänzen Sie.

a 23.08. der dreiundzwanzigste August
b 20.04. ……
c 15.06. ……
d 12.02. ……
e 03.11. ……
f 01.01. ……

A3 3 Was macht Bruno im Mai?

Sehen Sie den Kalender an und ergänzen Sie.

a Am ersten Mai muss Bruno nicht arbeiten.
b …… spielt er Fußball.
c …… kann er sein Auto abholen.
d …… feiert Julia Geburtstag.
e …… muss er zum Zahnarzt.
f ……
hat er Urlaub.
g …… kauft er Blumen für Julia.
h ……
besucht er Tante Eva in Dortmund.

{Mai}

1	Fr	Feiertag! Frei! ☺
2	Sa	Tante Evas 50. Geburtstag (2–3)
3	So	
4	Mo	
5	Di	Werkstatt!
6	Mi	
7	Do	Zahnarzttermin
8	Fr	Blumen kaufen
9	Sa	Party bei Julia
10	So	Fußballspiel gegen FC Puch
11	Mo	Juhu! Italien! (11–15)
12	Di	
13	Mi	
14	Do	
15	Fr	

A3 4 Hören Sie und ergänzen Sie.

2 54–58

a Omas Geburtstag: am 4. Oktober
b Antrag abgeben: ……
c neuer Termin: ……
d Konzert: ……
e Party: ……

B Ich habe **dich** sehr lieb, Opa.

B1 **5 Markieren Sie den Akkusativ und ergänzen Sie die Tabelle.**

Grammatik entdecken

a Marta bringt die Getränke für die Party mit. Ich habe sie gerade gefragt.
b Was schenken wir Sandra? Soll ich etwas kaufen? Ruf mich bitte an.
c Hakim kommt auch zu Henrys Geburtstag. Ich habe ihn lange nicht mehr gesehen.
d Bist du zu Hause? Ich rufe dich gleich an.
e Wir sind an Karneval in Köln. Besucht uns doch.
f Die Blumen für Opas Geburtstag sind im Wohnzimmer, vergiss sie nicht!
g Was macht ihr am Feiertag? Wir fahren nach Mainz. Sollen wir euch mitnehmen?

ich	du	er	es	sie	wir	ihr	sie/Sie
....	....	....	es	sie	....	....	............/Sie

B2 **6 Markieren Sie: Wer?/Was? und Wen?/Was?**

a Leon hat zum Geburtstag ein Fahrrad bekommen. Er findet es toll.
b Emily hat eine Salbe gekauft. Sie verwendet sie jeden Tag.
c Leni hat einen Bruder. Ich finde ihn sehr nett.
d Wollt ihr am Wochenende auch nach Berlin? Ich kann euch gern mitnehmen.
e Mia und Ben haben zwei Sessel gekauft. Sie finden sie sehr schön.
f Bitte ruf mich vor 19 Uhr an. Danach bin ich beim Sport.
g Bist du heute im Büro? Wann kann ich dich sprechen?

B2 **7 Ordnen Sie zu.**

dich | euch | es | Er | ihn | Es | mich | Sie | sie | ihr | Sie | ~~du~~

a
◆ Kennst du .... Ricardos Mutter? .... ist zurzeit in Deutschland.
○ Ja, ich habe .... letzte Woche kennengelernt.

b
◆ Das ist mein Auto. .... ist neu. Ich liebe .... einfach!

c
◆ Ich fahre später zum Supermarkt.
○ Wunderbar! Nimmst du .... mit?

d
◆ Entschuldigung, Frau Schubert, kann ich .... etwas fragen?
○ Natürlich.

e
▲ Hallo, Paula. Wie geht's dir?
◆ Hallo, Jessica. Hallo, Simon. Ich habe .... ja schon lange nicht mehr gesehen. Was macht .... so?

f
◆ Den Film musst du sehen. .... ist super. Ich habe .... schon zweimal gesehen.
○ Gehst du noch mal mit?
◆ Na, klar. Ich hole .... um 19 Uhr ab, um 20 Uhr beginnt der Film.

B

◇ B2 8 **Ergänzen Sie.**

A

Alles Gute zum Valentinstag. Ich habe dich ______ sehr lieb! Küsse Max

B

Hallo Nils und Kathi, kann ich ______ am Wochenende besuchen? Ich glaube, das Wetter wird super! :-) Lutz

C

Hallo Tom, vergiss bitte nicht die Tickets für Rocky! Oder hast du ______ schon gekauft? Und Lena? Kommt sie? Hast du ______ gefragt? Gruß, Jo

D

Opa hat heute Geburtstag! Hast du schon das Geschenk für ______ gekauft oder soll ich ______ kaufen? Eine Geburtstagskarte brauchen wir auch noch. Ruf ______ doch bitte an. LG Sam

E

Hallo Marc, ruf ______ doch bitte an. Eli + Semra

❖ B2 9 **Schreiben Sie die Sätze neu mit *er* – *ihn* – *es* – *sie*.**

a Meine Freundin wohnt in Frankfurt.
Meine Freundin hat zwei Kinder.
Sie hat zwei Kinder.

b ◆ Kennst du John?
○ Ja, natürlich. Ich kenne John schon lange.
______

c ◆ Wo finde ich die Rezeption?
○ Sie finden die Rezeption da hinten.
______

d Frank ist von Beruf Taxifahrer.
Frank arbeitet bei „Taxandgo".
______

e ◆ Kaufst du den Rock?
○ Nein. Ich finde den Rock nicht so schön.
______
______

f ◆ Kannst du das Hotel „Sonne" empfehlen?
○ Nein. Ich kann das Hotel „Sonne" nicht empfehlen.
______

g Vielen Dank für die Blumen.
Die Blumen sind sehr schön.
______

B4 10 **Hannahs Geburtstagsparty: Schreiben Sie.**

die Küche putzen
die Blumen kaufen
die Getränke holen
den Nachtisch machen
die Pizza backen
das Geschenk kaufen
das Geschirr waschen

Ich habe sie schon geputzt.

C2 11 Ordnen Sie zu.

heute Abend kommen Freunde | er muss noch lernen | ~~er hat nicht genug Geld~~ | er hat den Schlüssel vergessen

a
Herr Nehm kann das Auto nicht kaufen, denn er hat nicht genug Geld.

b
Frau Nehm putzt die Wohnung, denn ______________________.

c
Moritz kann die Tür nicht öffnen, denn ______________________.

d
Leo darf nicht fernsehen, denn ______________________.

◇ C2 12 Schreiben Sie Sätze mit *denn*.

a Meine Großmutter fährt viel Fahrrad, ______________________.
(keinen Führerschein – hat – sie)
b Herr Kaiser fährt lieber mit dem Auto, ______________________.
(nicht – er – mag – Busse und Züge)
c Alina gibt das Gepäck ab, denn in einer Stunde geht ihr Flug.
(in einer Stunde – ihr Flug – geht)
d Stefan nimmt gern den Bus, ______________________.
(nicht viel – ein Busticket – kostet)
e Herr Ilg kann nicht zur Arbeit fahren, ______________________.
(heute nicht – fahren – die S-Bahnen)

❖ C2 13 Und Sie? Schreiben Sie Sätze mit *denn*.

a Ich kann dir keine E-Mail schreiben, denn mein Laptop ist kaputt.
b Ich mache eine Feier, ______________________.
c Ich gehe nicht in den Deutschkurs, ______________________.
d Ich habe keine Zeit, ______________________.
e Ich bin sauer, ______________________.
f Mir geht es heute nicht so gut, ______________________.
g Meine Lieblingsjahreszeit ist ______________, denn ______________________.

C3 14 Hören Sie und sprechen Sie nach.

2 🔊 59
Phonetik

a Wir feiern heute Abschied, → denn nächste Woche endet der Deutschkurs. ↘
b Ich bringe einen Salat mit → und Peter kauft die Getränke. ↘
c Ich möchte gern ein Auto kaufen, → aber ich habe kein Geld. ↘
d Heute Nachmittag gehe ich schwimmen → oder ich fahre mit dem Fahrrad. ↘
e Kommst du um drei Uhr ↗ oder kannst du erst um fünf kommen? ↘
f Trinkst du einen Kaffee ↗ oder möchtest du lieber einen Tee? ↘

D Einladungen

D1 15 Was ist richtig? Kreuzen Sie an.

a ein Fest ☒ organisieren ○ einladen
b Geburtstag ○ freuen ○ feiern
c Bescheid ○ geben ○ haben
d Glück und Gesundheit ○ bekommen ○ wünschen
e eine Einladung ○ nehmen ○ schreiben
f die Grillsaison ○ einladen ○ eröffnen
g Nachbarn ○ einladen ○ freuen
h für Essen und Getränke ○ sorgen ○ kaufen
i eine Veranstaltung ○ besuchen ○ geben

D1 16 Wie alt werden Sie?

a Ergänzen Sie *werden* in der richtigen Form.

1 Mein Mann und ich, wir *werden* dieses Jahr zusammen 65 Jahre alt.
2 Wie alt .... ihr?
3 Was? Du .... schon 30?!
4 Tine und Bine .... im Juni 18.
5 Sie .... heute 80? Herzlichen Glückwunsch, Frau Becker.
6 Ich .... nächste Woche 40.

b Ihre Kollegen, Ihre Freunde ...
Wer wird wann wie alt? Schreiben Sie fünf Sätze.

Mein Kollege Hans wird am 21. Mai 49. Meine Deutschlehrerin ...

D2 17 Eine Einladung schreiben

Schreib-training

a Ordnen Sie.

E-Mail senden

(7) Ich würde mich freuen.
○ am Freitag werde ich 40 Jahre alt
(5) Wann und wo: am Samstag, 30.3., um 20 Uhr bei mir zu Hause.
○ Liebe Corinna, lieber David,
○ Ich lade Euch zum Abendessen ein.
○ Könnt Ihr kommen?
○ Herzliche Grüße
○ Bitte gebt bis Mittwoch, 27.3., Bescheid.
○ Alina
○ und das möchte ich gern zusammen mit Euch feiern.

b Sie können kommen. Schreiben Sie eine Antwort an Alina.

Liebe Alina, vielen Dank ...

c Machen Sie Notizen und schreiben Sie eine Einladung an Ihre Nachbarin / Ihren Nachbarn zu einem Fest in Ihrem Land. Hilfe finden Sie in a.

Welches Fest? ....
Datum und Uhrzeit? ....
Ort? ....
Bitte um Antwort bis ...? ....

Denken Sie auch an Anrede, Gruß und Unterschrift.

Lieber Herr Müller, nächste Woche feiern wir Songkran. Das ist ...

E2 18 Ergänzen Sie.

a terseOsha • der Osterhase

b erEi ensteckver

c tenbraLamm enses

d koNilaus

e ckSa

f zenKer zünanden

g derLie gensin

h schenGeke enpackaus

E2 19 Was ist Ihr Lieblingsfest?

2 ◀)) 60–62 a Hören Sie und ordnen Sie die Gespräche zu.

○ 

① 

○ 

b Hören Sie noch einmal und ergänzen Sie.

Gespräch	Lieblingsfest	Mit wem feiert sie/er?	Was macht sie/er?
1	Weihnachten		Weihnachtslieder singen
2			
3			

E3 20 Ergänzen Sie die Glückwünsche.

A

C

B

D

E3 21 Verbinden Sie und schreiben Sie.

a	Herzlichen	1	Glück!	....
b	Viele	2	Gute!	....
c	Viel	3	Glückwunsch!	....
d	Alles	4	Grüße!	....

(a – 3 verbunden)

E3 22 Lesen Sie die Texte und die Aufgaben. Wo finden Sie die Informationen? Kreuzen Sie an.

Prüfung

a Sie brauchen ein Hochzeitskleid.

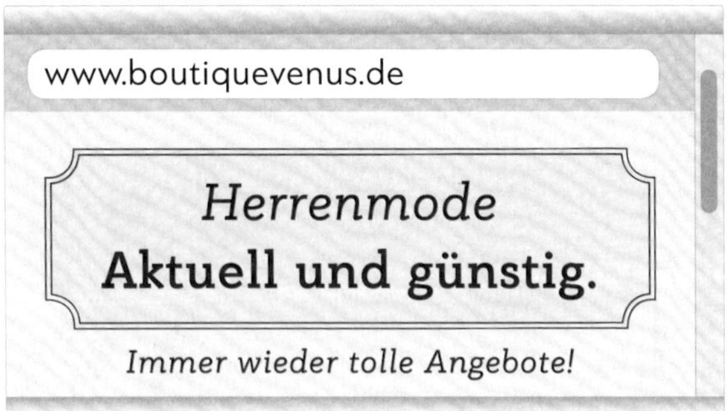

1 ○ www.boutiquevenus.de 2 ○ www.carmenpereira.de

b Sie wollen eine Geburtstagsfeier für Ihr Kind machen.

Malschule Kunterbunt
Malkurs für Kinder! Wir malen Ostereier – 3 Tage lang!

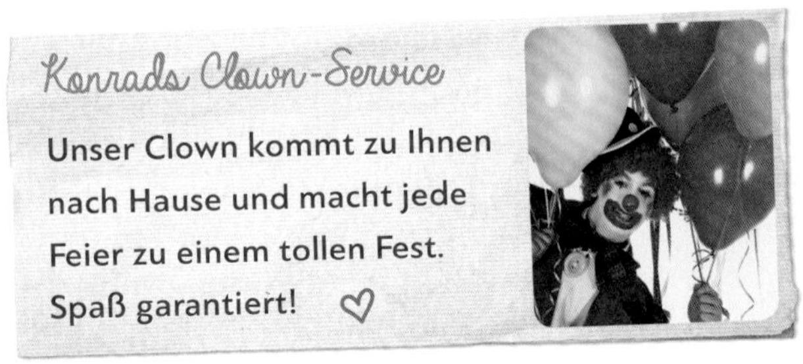

Konrads Clown-Service
Unser Clown kommt zu Ihnen nach Hause und macht jede Feier zu einem tollen Fest.
Spaß garantiert!

1 ○ Malschule Kunterbunt 2 ○ Konrads Clown-Service

c Sie haben am 27. Juli Ihren Hochzeitstag und möchten ihn zu Hause mit Gästen feiern.

Hasans Catering-Service!

Arabische und internationale Spezialitäten

Sommerparty am See mit DJ Fernanda
Feiern Sie mit uns.

Tickets: 10 Euro

1 ○ www.party-catering-leipzig.de 2 ○ www.sommerparty-dresden.de

Test Lektion 14

1 Ordnen Sie zu.

1 ____ /6 Punkte

WÖRTER

August | Einladung | Geschenk | Glückwunsch | feiern | ~~liebe~~ | Blumen

Am 24. ____________ (a) sind Maria und Horst zehn Jahre verheiratet. Horst kauft dann ____________ (b) für Maria und sagt: „Ich liebe dich." (c) Auch Maria hat ein ____________ (d) für Horst, zum Beispiel eine ____________ (e) für einen Ausflug. Ihren Hochzeitstag ____________ (f) sie mit der ganzen Familie. Alle sagen: „Herzlichen ____________ (g)!"

● 0–3 ● 4 ● 5–6

2 Ergänzen Sie in der richtigen Form.

2 ____ /4 Punkte

GRAMMATIK

a ◆ Wann fährst du nach Berlin?
○ Am einunddreißigsten (31.) Juli.

b ▼ Wie lange fährst du weg?
■ Vom ____________ (1.) bis zum ____________ (7.) Mai.

c ✚ Hast du noch Urlaub?
● Ja, noch bis zum ____________ (3.) Oktober.

d ▲ Welches Datum ist heute?
□ Der ____________ (11.) März.

3 Ergänzen Sie.

3 ____ /5 Punkte

A
Hallo Leo! Kannst du mich später abholen? Mein Fahrrad ist kaputt. Vielleicht kannst du ______ reparieren. Sanne

B
Hallo Ali, hallo Zoltán, ich feiere am 3.3. meinen Abschied und lade ______ herzlich dazu ein. Bringt auch eure Familien mit. Ich möchte ______ gern kennenlernen.

C
Hallo Paul, Opa wird am Samstag 75. Hast du schon ein Geschenk für ______? Ich rufe ______ heute Abend an, ja? Britta

4 Schreiben Sie die Sätze neu mit *denn*.

4 ____ /3 Punkte

a Galina braucht ein Kleid. Sie geht zu einer Hochzeit.
b Bob feiert seinen Geburtstag nicht. Er findet Geburtstage nicht wichtig.
c Henry fährt am Montag nach Mainz. Es ist Karneval.
d Mandy organisiert eine Party. Sie hat eine neue Wohnung.

a Galina braucht ein Kleid, denn sie geht zu einer Hochzeit.

● 0–6 ● 7–9 ● 10–12

5 Schreiben Sie eine Einladung.

5 ____ /7 Punkte

KOMMUNIKATION

(ich – Geburtstag – habe – am Mittwoch – und – Jahre alt – werde – 43)! (a)
(Das – gern zusammen mit Euch – ich – möchte – feiern). (b)
(Euch – ein – zu Kaffee und Kuchen – lade – Ich): (c)
(am 13. Januar – um 15 Uhr – im Café Mozart). (d)
(kommen – Kannst – Du)? (e)
(würde – Ich – freuen – mich). (f)
(Anastasia – Viele Grüße) (g)

Liebe/r …,
ich habe am Mittwoch Geburtstag und …

● 0–3 ● 4–5 ● 6–7

Fokus Beruf: Feiern im Büro

1 Lesen Sie die Einladungen und ordnen Sie zu.

◯ Geburtstag (A) Abschied von Kollegen ◯ der erste Arbeitstag

A

EINLADUNG

Liebe Kolleginnen und Kollegen,

nächsten Monat werde ich 65 Jahre alt und am Freitag, 30.4.,
ist mein letzter Arbeitstag. Das möchte ich gern zusammen mit
Ihnen bei einem Glas Sekt feiern.
Wann? Am Freitag um 17 Uhr in der Kantine.
Können Sie kommen? Bitte geben Sie mir bis zum 26.4. Bescheid.
Ich würde mich freuen.

Herzliche Grüße
Konrad Küster

B

E-Mail senden

Hallo, liebe Kolleginnen und Kollegen,
am 24. Juni werde ich 30 Jahre alt.
Das möchte ich mit Euch feiern.
Ich lade Euch herzlich zu Kaffee und Kuchen ein. Kommt Ihr? Bitte!
Ich freue mich. Ab 16 Uhr in der Teeküche. Bis dann!
Viele Grüße
Lisa

C

E-Mail senden

Liebe Kolleginnen und Kollegen,
ich habe Kuchen gebacken und mitgebracht, denn heute ist mein erster Arbeitstag in der IT-Abteilung. Er wartet in der Küche auf Sie.
Ich freue mich auf gute Zusammenarbeit!
Viele Grüße
Corinna Semmler

2 Ordnen Sie zu.

Sie bedanken sich: f, ...
Sie kommen und sagen zu: ....
Sie können nicht kommen und sagen ab: ....

a Ich komme sehr gern!
b Vielen Dank für die Einladung!
c Ich kann leider nicht kommen.
d Ich komme ein bisschen später.
e Tut mir leid, aber ich habe keine Zeit.
f ~~Das ist sehr nett von Dir/Ihnen.~~
g Deine/Ihre Einladung hat mich sehr gefreut.
h Ich würde gern kommen, aber leider ...

3 Wählen Sie eine Einladung aus 1 und schreiben Sie eine Zu- oder Absage.

Liebe/Lieber ...,
vielen Dank ...

Anhang

Meine Wörter im Kurs

ansehen		Sehen Sie die Fotos an.
• das Bild, -er		Sehen Sie die Bilder an.
hören		Hören Sie.
noch einmal		Hören Sie noch einmal.
ankreuzen		Kreuzen Sie an.
zuordnen		Ordnen Sie zu.
ergänzen		Ergänzen Sie.
machen		Machen Sie einen Film.
• der Kurs, -e		Im Kurs.
sprechen		Sprechen Sie im Kurs.
lesen		Lesen Sie.
• das Gespräch, -e		Lesen Sie die Gespräche.
spielen		Spielen Sie die Gespräche im Kurs.
suchen		Suchen Sie.
zeigen		Zeigen Sie.
fragen		Fragen Sie im Kurs.
markieren		Markieren Sie.
• die Frage, -n		Ergänzen Sie Fragen.
nachsprechen		Hören Sie und sprechen Sie nach.
raten		Raten Sie.
• das Wort, ¨-er		Raten Sie Wörter.
• die Lektion, -en		Raten Sie Wörter aus der Lektion.
meinen		Was meinen Sie?
sagen		Was sagen die Personen?
notieren		Notieren Sie.
vergleichen		Vergleichen Sie.
schreiben		Schreiben Sie Gespräche.
variieren		Variieren Sie.
erzählen		Erzählen Sie.
arbeiten		Arbeiten Sie zu zweit.
zeichnen		Zeichnen Sie.
verbinden		Hören Sie und verbinden Sie.
• die Antwort, -en		Schreiben Sie Fragen und Antworten.
antworten		Fragen Sie und antworten Sie.

1 Guten Tag. Mein Name ist ...

FOTO-HÖRGESCHICHTE

1	• das Foto, -s	Sehen Sie die Fotos an.

A

A1	Guten Tag	Guten Tag.
	Auf Wiedersehen	Auf Wiedersehen.
	hallo	Hallo, Lili!
	tschüs 	Tschüs, Heike!
A2	Guten Abend	Guten Abend.
	• die Dame, -n	Guten Abend, meine Damen und Herren.
	willkommen	Willkommen bei „Musik international“.
	bei	Willkommen bei „Musik international“.
	• die Musik (Sg.)	Willkommen bei „Musik international“.
	international	Willkommen bei „Musik international“.
	Guten Morgen	Guten Morgen, Frau Fleckenstein.
	• die Frau, -en	Guten Morgen, Frau Fleckenstein.
	danke	Oh, danke.
	Gute Nacht	Gute Nacht.
	• der Herr, -en	Gute Nacht, Herr Schröder.

B

B1	ich	Ich bin Lili.
	heißen	Ich heiße Lara Nowak.
	sein	Ich bin Sofia Baumann.
	• der Name, -n	Mein Name ist Walter Baumann.
B2	• die Entschuldigung, -en	Entschuldigung, wie heißen Sie?
	wie	Wie heißen Sie?
	Sie	Wie heißen Sie?
B4	wer	Wer ist das?
	ja	Ja, stimmt.
	nein	Das ist Sofia. – Nein, das ist Lara.
	wissen	Wer ist das? – Ich weiß es nicht.

Lernwortschatz

C

C1	du	Wie heißt du?
	woher	Woher kommst du?
	kommen	Ich komme aus Polen.
	aus	Ich komme aus Portugal.
	• die Firma, -en	Ich bin von der Firma Teletec.
	von	Ich bin von der Firma Teletec.
	• (das) Deutschland	Ich komme aus Deutschland.
	• (das) Österreich	Ich komme aus Österreich.
	• die Schweiz	Ich komme aus der Schweiz.
C2	aha	Aha!
	und	Und Sie? Wie heißen Sie?
C3	nur	Nein, nur ein bisschen.
C4	was	Was sprechen Sie?
	sprechen	Was sprechen Sie?
	ein bisschen	Ich spreche Italienisch und ein bisschen Deutsch.
	• die Sprache, -n	Sprache: Deutsch, Polnisch, Englisch, ...

D

D1	• der Buchstabe, -n (Aa)	Buchstabe: a, k, s ...
	• das Alphabet (Sg.)	das Alphabet: A, B, C, ...
D2	Wie bitte?	Wie bitte? Buchstabieren Sie, bitte.
	buchstabieren (B-A-R-...)	Ich buchstabiere: B - A - R - I
	bitte	Buchstabieren Sie, bitte.
D3	da sein	Ist Frau Beck da, bitte?
	• der Moment, -e	Einen Moment, bitte.
	leid tun	Tut mir leid, Frau Beck ist nicht da.
	nicht	Frau Beck ist nicht da.
	Vielen Dank	Vielen Dank.
	Auf Wiederhören	Auf Wiederhören, Herr Takishima.

E

E1	• die Adresse, -n	Adresse: Keplerstraße 105, 8020 Graz
	• die Visitenkarte, -n 	Schreiben Sie Ihre Visitenkarte.

• der Sport (Sg.)		Sport ist super.
• der Vorname, -n		Vorname: Heidi, Francesco, Bettina, ...
• der Familienname, -n		Familienname: Morbacher, Studer, ...
• die Straße, -n		Straße: Keplerstraße, Paradeplatz, Gärtnergasse, ...
• die Stadt, ¨-e		Stadt: Graz, Zürich, Mainz, ...
• das Land, ¨-er		Land: Österreich, Schweiz, Deutschland, ...
• das Telefon, -e		Telefon: 040-42 83 80
• das Fax, -e		Fax: (089) 2 88 14 29
• die E-Mail, -s		E-Mail: info@jojo-reisen.li
E2 • das Formular, -e 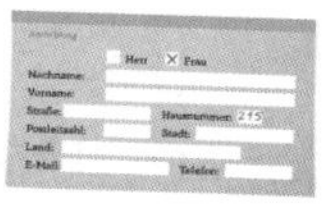		Ergänzen Sie das Formular.
• die Postleitzahl, -en		Die Postleitzahl ist 1700.

TiPP
Lernen Sie Wörter in Gruppen.

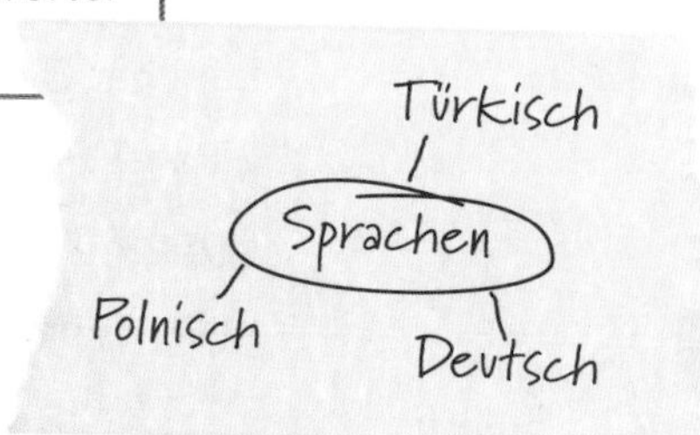

Länder und Sprachen

Polen		Polnisch	• die Schweiz		Deutsch
• die Türkei		Türkisch	Russland		Russisch
Spanien		Spanisch	Großbritannien		Englisch
China		Chinesisch	Frankreich		Französisch
Deutschland		Deutsch	Italien		Italienisch
Österreich		Deutsch	Griechenland		Griechisch

2 Meine Familie

FOTO-HÖRGESCHICHTE

1	• der Lehrer, - / • die Lehrerin, -nen	Tim ist Laras Deutschlehrer.
	lernen	Tim lernt auch Deutsch.
	auch	Tim lernt auch Deutsch.
	haben	Tim und Lara haben Pause.
	• die Pause, -n	Tim und Lara haben Pause.
	• der Park, -s	Tim und Lara lernen im Park.
3	• die Familie, -n 	Das ist meine Familie.
	• der Vater, ¨	Das ist Tims Vater.
	• die Großeltern (Pl.)	Das sind Laras Großeltern.
	• die Mutter, ¨	Das ist Laras Mutter.
	• die Eltern (Pl.)	Das sind Tims Eltern: Tims Vater und Tims Mutter.
	• der Bruder, ¨	Das ist Tims Bruder.
	• die Geschwister (Pl.)	Lara hat Geschwister.
	• das Jahr, -e	Lara ist zwanzig Jahre alt.
	leben	Laras Vater lebt in Poznań.
	in	Laras Vater lebt in Poznań.

A

A1	super 	Wie geht's? – Super.
	sehr	Wie geht's? – Danke, sehr gut.
	gut	Wie geht's? – Gut, danke.
	na ja	Wie geht's? – Na ja, es geht.
	ach	Wie geht's? – Ach, nicht so gut.
	so	Wie geht's? – Nicht so gut.

B

B1	• der Enkel, - / • die Enkelin, -nen	Lili ist Walters Enkelin.
	• die Tochter, ¨	Sofia ist Walters Tochter.
	• der Sohn, ¨e	Tobias ist Walters Sohn.
	• das Kind, -er	Das sind meine Kinder: Mein Sohn und meine Tochter.
	• die Schwester, -n	Sofia ist meine Schwester.

	• die Oma, -s		Luise ist Lilis Oma.
	• die Großmutter, ¨-		Luisa ist Lilis Großmutter.
	• der Mann, ¨-er		Walter ist mein Mann.
	• der Opa, -s		Walter ist Lilis Opa.
	• der Großvater, ¨-		Walter ist Lilis Großvater.
B2	dein-		Wer ist das? Dein Bruder?
	mein-		Nein, das ist mein Vater.
	Ihr-		Wer ist das? Ihre Tochter?
B3	• der Ehemann, ¨-er / • die Ehefrau, -en		María ist deine Ehefrau.
	falsch		Nein, falsch.
	genau		Ja, genau.
	• die Liste, -n		Machen Sie eine Liste.

C

C1	sie (Singular)		Das ist Lara. Sie kommt aus Polen.
	zusammen		Laras Eltern leben nicht zusammen.
	sie (Plural)		Das sind Laras Eltern. Sie sind geschieden.
	geschieden 		Sie sind geschieden.
	er		Das ist Tim. Er kommt aus Kanada.
	wohnen		Tim wohnt jetzt in München.
	jetzt		Tim wohnt jetzt in München.
C3	ihr		Wer seid ihr? – Ich bin Stéphane und das ist Pierre.
	wir		Wir kommen aus Genf.

D

D1	• die Zahl, -en		Zahl: 0, 1, 2, ...
	• die Null, -en		Null ist eine Zahl.
D3	wo		Wo sind Sie geboren?
	geboren		Wo sind Sie geboren?
	liegen		In Biasca. Das liegt in der Schweiz.
	• die Nummer, -n		Wie ist Ihre Telefonnummer?
	verheiratet 		Sind Sie verheiratet?
	alt		Wie alt ist Ihr Kind?
	• der Geburtsort, -e		Geburtsort: Biasca.
	• der Wohnort, -e		Wohnort: 20249 Hamburg

Lernwortschatz

	• der Familienstand (Sg.)	Familienstand: ledig, verheiratet, geschieden, ...
	ledig	Ich bin ledig.
	verwitwet	Ich bin verwitwet.
	• das Alter, -	Alter: drei.

E

E1	• die Hauptstadt, ⸚e	Berlin ist die Hauptstadt von Deutschland.
E2	kennen	Du kennst uns noch nicht?
	also	Also, das sind wir: ...
	hier	Ich bin in Stuttgart geboren und lebe auch hier.
	aber	Ich komme aus Kiel, aber ich lebe in Heidelberg.
	• die Polizei (Sg.)	Ich bin bei der Polizei.
	schon	Ich lebe schon sehr lange hier in Stuttgart.
	lange	Ich lebe schon sehr lange hier in Stuttgart.
	• der Arzt, ⸚e	Ich heiße Franz Waldherr und bin Arzt.
	• der Partner, - / • die Partnerin, -nen	Meine Partnerin Mailin kommt aus Dänemark.
	zurzeit	Zurzeit lebe ich in England.

TiPP
Lernen Sie Verben mit Vokalwechsel immer so:

ich spreche
du sprichst
er/sie spricht

Familienmitglieder

3 Essen und Trinken

FOTO-HÖRGESCHICHTE

1	• die Banane, -n		Lili kauft Bananen.
	• die Butter (Sg.)		Lara und Sofia haben Butter.
	• das Ei, -er		Sie haben Eier.
	• das Mehl (Sg.)		Lara und Sofia haben Mehl.
	• die Milch (Sg.)		Herr Meier hat Milch.
	• der Zucker (Sg.)		Lara und Sofia haben Zucker.
	• der Pfannkuchen, -		Wir machen Pfannkuchen.
	• die Schokolade (Sg.) 		Das ist Schokolade.
2	brauchen		Sie brauchen Eier.
	kaufen		Lili kauft Bananen.
3	• der Hunger (Sg.)		Ich habe Hunger.
	• der Euro (Sg.)		Das macht dann 3 Euro 87.
	dann		Das macht dann zusammen 3 Euro 87.
	helfen		Kann ich dir helfen?
4	• die Welt, -en		Wo auf der Welt gibt es Pfannkuchen?

A

A1	kein-		Das ist doch kein Ei.
	ein-		Das ist ein Schokoladenei.
A2	• der Apfel, ¨		Das ist kein Apfel.
	• die Orange, -n		Das ist eine Orange.
	• der Kuchen, -		Das ist ein Kuchen.
	• der Kaffee, -s		Ist das ein Kaffee?
	• der Saft, ¨-e		Das ist doch kein Saft.
	• das Brötchen, -		Das ist doch ein Brötchen.
	• das Würstchen, -		Das ist ein Würstchen.
	• die Birne, -n		Das ist keine Birne.
	• die Tomate, -n		Das ist keine Tomate.

B

B2	• das Brot, -e		Im Einkaufswagen sind Brote.
B3	• die Kartoffel, -n		Ich kaufe ein Kilo Kartoffeln.
	• der / • das Joghurt, -s 		Ich kaufe drei Joghurts.
	• die Zwiebel, -n		Ich kaufe zwei Zwiebeln.

	• der Fisch, -e		Ich kaufe zwei Fische.
B4	• das Regal, -e 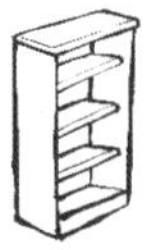		In Regal A sind drei Bananen.

C

C1	• der Käse (Sg.) 		Haben wir Käse?
	• das Salz (Sg.)		Haben Sie Salz?
	• der Tee, -s		Haben wir Tee?
	• das Obst (Sg.)		Ist das Obst?
	• das Gemüse, -		Das ist Gemüse.
C2	• das Mineralwasser (Sg.)		Haben wir Mineralwasser?
	• das Wasser (Sg.)		Brauchen wir Wasser?
	• das Fleisch (Sg.)		Haben wir Fleisch?
	• der Reis (Sg.)		Brauchen wir Reis?
	• der Wein, -e		Haben wir Wein?
	• das Bier, -e		Haben wir Bier?

D

D1	• der Preis, -e		Preis: 50 Cent, ein Euro, ein Euro zehn, ...
	• der Cent (Sg.)		Das macht 2 Euro und 45 Cent.
D3	• der Prospekt, -e		Sehen Sie den Prospekt an.
	• das Sonderangebot, -e 		Heute im Sonderangebot: Wurstbrötchen für 0,99 €!
	• das Lebensmittel, -		Lebensmittel: Milch, Brot, Eier, ...
	• die Abteilung, -en		Sonderangebote aus unserer Lebensmittelabteilung: ...
	• die Wurst, ⸚e		100 Gramm Wurst kosten 2,29 €.
	• das Hackfleisch (Sg.)		Wie viel kostet ein Kilo Hackfleisch?
	• das Öl, -e		Was kostet ein Liter Öl?
	wie viel		Wie viel kostet ein Kilo Orangen?
	kosten		100 Gramm Käse kosten 2,45 €.
	• das Kilo(gramm) (kg) (Sg.)		Ich kaufe ein Kilo Kartoffeln.
	• das Gramm (g) (Sg.)		Was kosten 100 Gramm Käse?
	• das Pfund (Sg.)		Wie viel kostet ein Pfund Kaffee?
	• der Liter (l), -		Was kostet ein Liter Milch?

	• die Flasche, -n		Eine Flasche Saft kostet 1,09 €.
	• die Dose, -n 		Eine Dose Tomaten kostet 0,49 €.
	• die Sahne (Sg.)		Was kostet ein Becher Sahne?

E

E1	• das Restaurant, -s		Wir essen im Restaurant.
	• die Mensa, Mensen		Wir essen in der Mensa.
E2	essen		Wir essen gern Fisch.
	• das Steak, -s		Ich esse Steak und Salat.
	• der Salat, -e		Ich esse Steak und Salat.
	• die Soße, -n		Mmmh! Spaghetti und Tomatensoße!
	• das Hähnchen, -		Ich esse Hähnchen und Pommes.
	• die Pommes frites (Pommes) (Pl.)		Carlos Lieblingsessen ist Hähnchen und Pommes.
	• die Pizza, Pizzen		Ich esse Pizza.
	• das / • die Cola, -s 		Ich trinke Cola.
	• der Durst (Sg.)		Leonie hat Durst.
E3	kochen		Hisako kocht Gemüsesuppe.
	für		Wie viele Kartoffeln brauchen Sie für Kartoffelpuffer?
	Lieblings-		Mein Lieblingsessen ist Kartoffelpuffer mit Apfelmus.
	• das Essen, -		Mein Lieblingsessen ist Gemüsesuppe.
	• das Rezept, -e (Kochrezept) 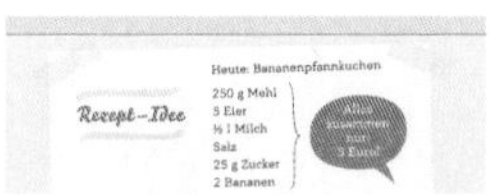		Es gibt viele Rezepte für Gemüsesuppe.
	typisch		Das Rezept ist typisch deutsch und ganz einfach.
	ganz		Das Rezept ist ganz einfach.
	einfach		Das Rezept ist ganz einfach.
	• die Portion, -en		Für vier Portionen brauchst du ein Kilo Kartoffeln.
	groß-		Du brauchst eine große Zwiebel.
	schmecken		Hm, das schmeckt so gut!
	trinken		Jens trinkt Wasser.
	• das Glas, ⸚er		Dazu trinke ich Wasser oder ein Glas Bier.
	studieren		Ich studiere in Berlin.
	• die Suppe, -n		Mein Lieblingsessen ist Gemüsesuppe.

Lernwortschatz

	zum Beispiel (z. B.)	....	Es gibt viele Rezepte. Das hier zum Beispiel: ...
	• der Pfeffer (Sg.)	....	Ich brauche Salz und Pfeffer für die Gemüsesuppe.
	reichen	....	Das reicht für drei oder vier Tage.
	• der Tag, -e	....	Das reicht für drei oder vier Tage.
	teuer	....	Das ist nicht teuer.
E4	gern(e)	....	Was isst du gern?
	• das Getränk, -e	....	Kaffee ist mein Lieblingsgetränk.

TIPP
Lernen Sie die Pluralform immer mit: *ein Apfel – Äpfel*, *ein Ei – Eier*

Lebensmittel

• die Schokolade (Sg.)

• die Banane, -n

• die Butter (Sg.)

• das Ei, -er

• die Milch (Sg.)

• das Brot, -e

• der Fisch, -e

• das Fleisch (Sg.)

• der Käse (Sg.)

• der Apfel, ¨

• die Birne, -n

• das Brötchen, -

• der Kuchen, -

• die Orange, -n

• der Saft, ¨-e

• der/• das Joghurt, -s

• die Kartoffel, -n

• die Zwiebel, -n

• die Tomate, -n

• das Mineralwasser (Sg.)

4 Meine Wohnung

FOTO-HÖRGESCHICHTE

1	• die Wohnung, -en	Sie sind in Laras Wohnung.
	• die Lampe, -n	Die Lampe ist alt.
	• das Zimmer, - 	Laras Zimmer ist hell.
	• die Küche, -n	Die Küche ist schön.
	• das Bad, ¨-er	Das Bad ist klein.
	neu	Die Lampe ist neu.
	klein	Das Bad ist klein.
	hell	Laras Zimmer ist hell.
	dunkel	Laras Zimmer ist dunkel.
	billig	Die Wohnung ist billig.
	schön	Die Küche ist schön.
	hässlich	Die Küche ist hässlich.

A

A1	• der Flur, -e	Hier ist der Flur.
	• die Toilette, -n	Ist hier auch eine Toilette?
	• der Balkon, -e 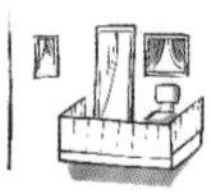	Der Balkon ist schön.
	• das Wohnzimmer, -	Das Wohnzimmer ist hier.
	der, das, die	• der Flur, • das Bad, • die Küche
A2	• das Haus, ¨-er 	Das ist das Haus.
	dort	Das Arbeitszimmer ist dort.

B

B1	• der Monat, -e	Mein Zimmer kostet 350 Euro im Monat.
B2	• das Beispiel, -e	Markieren Sie wie im Beispiel.
B3	schmal	Mein Haus ist sehr schmal.
	richtig	Ja, richtig.
	breit	Die Straße ist breit.

C

C1	• der Schrank, ¨-e	Hier ist noch ein Schrank.
	• der Kühlschrank, ¨-e	Was kostet der Kühlschrank?

	• das Sofa, -s	Was kostet das Sofa?
	• der Tisch, -e	Der Tisch ist sehr groß.
	• der Stuhl, ¨-e	Hier sind Stühle.
	• das Bett, -en	Wo sind denn die Betten?
	• der Fernseher, -	Wie viel kostet der Fernseher?
	• die Dusche, -n	In der Wohnung ist ein Bad mit Dusche.
	• der Herd, -e	Hier ist der Herd.
	• die Badewanne, -n	In der Wohnung ist ein Bad mit Badewanne.
	• der Teppich, -e	Der Teppich ist schön.
	• der Sessel, -	Der Sessel ist schön.
	• die Möbel (Pl.)	Die Möbel sind sehr schön.
	Elektro-	Elektrogeräte: Kühlschrank, Fernseher, Lampe, ...
	• das Gerät, -e	Elektrogeräte: Kühlschrank, Fernseher, Lampe, ...
C2	gefallen	Wie gefallen Ihnen denn die Stühle?
	• die Farbe, -n	Die Farbe ist sehr schön.
	finden	Das finde ich auch.
	modern	Die Lampe ist sehr modern!
C3	schwarz	Meine Stühle sind schwarz.
	grau	Mein Kühlschrank ist grau.
	weiß	Mein Kühlschrank ist weiß.
	grün	Die Lampe ist grün.
	braun	Meine Stühle sind braun.
	blau	Mein Kühlschrank ist blau.
	rot	Mein Kühlschrank ist rot.
	gelb	Der Teppich ist gelb.
	hell- *(+ Farbe)*	Mein Kühlschrank ist hellrot.
	dunkel- *(+ Farbe)*	Mein Kühlschrank ist dunkelrot.

D

D2	• der Zentimeter (cm), -	Ungefähr 60 Zentimeter breit.
	mal	Das Kinderbett ist 60 mal 120 Zentimeter groß.
D3	• das Handy, -s	Meine Handynummer ist: 0163/235621147.

	• die Arbeit (Sg.)	....	Meine Nummer bei der Arbeit ist: ...
D4	• die Anzeige, -n 	....	Lesen Sie die Anzeigen.
	nett	....	Nettes Ehepaar mit Kind.
	• das Ehepaar, -e	....	Nettes Ehepaar mit Kind.
	suchen	....	Sie suchen eine Wohnung.
	• der Garten, ¨	....	Ehepaar mit Kind sucht eine 3–4-Zimmer-Wohnung mit Garten.
	vermieten	....	Vermiete Apartment, 36 m^2.
	• das Apartment, -s	....	Das Apartment kostet 440 Euro im Monat.
	• der Raum, ¨-e	....	Der Wohnraum ist groß.
	• der Stock (Sg.)	....	Ich suche eine Wohnung im 1. Stock.
	circa (ca.)	....	3-Zimmer-Wohnung, ca. 60 m^2.
	privat	....	Von privat: 3-Zimmer-Wohnung.
	ab	....	Anruf ab 19 Uhr.
	sofort	....	Ich suche ab sofort eine 2-Zimmer-Wohnung.
	maximal (max.)	....	2-Zimmer-Wohnung mit Balkon bis maximal 750 Euro.
	• der Anruf, -e	....	Ich freue mich auf Ihren Anruf.
	möbliert	....	Das Zimmer ist möbliert.
	• das TV (Sg.) 	....	Schöne möblierte 1-Zi.-Wohnung mit Balkon und TV.
	• die Garage, -n	....	Sie möchten eine Wohnung mit Garage.
	• der Quadratmeter (m^2/qm), -	....	Das Zimmer ist 21 m^2 groß.
D5	• die Miete, -n	....	Sie möchten nur 400 bis 500 Euro Miete bezahlen.
	bezahlen	....	Sie möchten nur 400 bis 500 Euro Miete bezahlen.

E

E1	• das Buch, ¨-er	....	Da sind die Bücher.
	• der Stift, -e	....	Da ist ein Stift.
E2	welch-	....	Welcher Schreibtisch passt zu welcher Person?
	• der Schreibtisch, -e	....	Mein Schreibtisch ist aus Holz.
	• das Holz, ¨-er	....	Mein Schreibtisch ist aus Holz.
	ungefähr	....	Der Tisch ist ungefähr einen Meter lang.

Lernwortschatz

• der Meter (m.), -		Der Tisch ist ungefähr einen Meter lang.
lang		Der Tisch ist ungefähr einen Meter lang.
hoch		Der Tisch ist 70 Zentimeter hoch.
• der Platz (Sg.)		Ich brauche gar nicht so viel Platz.
• der Computer, -		Mein Computer ist groß.
• das Heft, -e		Ich habe viele Hefte und Schulsachen.
ziemlich		Mein Schreibtisch ist ziemlich voll.
egal		Schön ist der Schreibtisch nicht. Aber das ist egal. Ich schreibe nicht viel.
lieben		Ich liebe meinen Schreibtisch.
immer		Ich mache da immer meine Hausaufgaben.
• die Hausaufgabe, -n		Ich mache da immer meine Hausaufgaben.
glauben		Ich glaube, er ist schon sehr alt.
besonder-/besonders		Besonders schön ist mein Schreibtischstuhl.

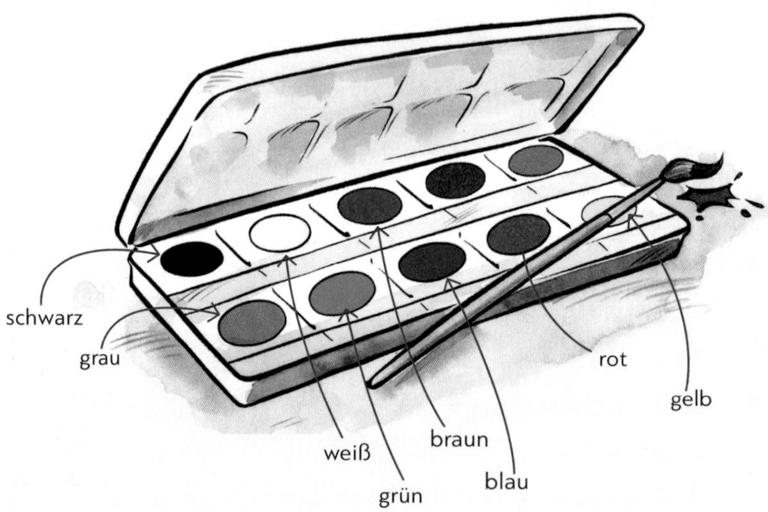

Farben

TIPP

Schreiben Sie Wörter auf Zettel und hängen Sie die Zettel in der Wohnung auf.

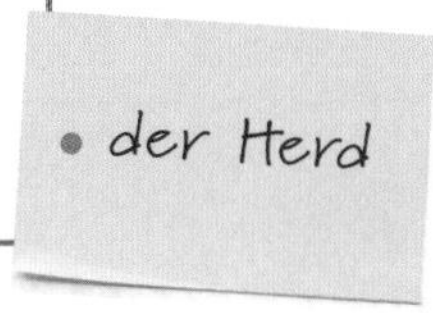

Möbel

5 Mein Tag

FOTO-HÖRGESCHICHTE

1	machen		Lara macht eine Präsentation.
	• die Präsentation, -en		Lara macht eine Präsentation.
2	frühstücken		Lara, Sofia und Lili frühstücken zusammen.
	einkaufen 		Lara kauft ein.
	spazieren gehen		Lara geht spazieren.
	aufräumen		Lara räumt die Küche auf.
	aufstehen		Lara steht um Viertel nach sieben auf.
3	gehen		Lara geht zum Deutschkurs.
	oder		Lara geht am Nachmittag spazieren oder kauft ein.
	arbeiten		Sofia arbeitet sehr viel und ist am Abend müde.
	müde		Sofia ist am Abend müde.
	anrufen		Lara ruft ihre Familie an.

Lernwortschatz

A

A1	früh	Lara steht früh auf.
	• der Supermarkt, ¨-e 	Sie kauft im Supermarkt ein.
	fernsehen	Sie sieht fern.
A2	mit	Sie frühstückt mit Lara und Lili.
	spielen	Sie spielt mit Lili.

B

B1	spät	Wie spät ist es jetzt?
	schon	Ist es schon zwölf?
	erst	Es ist erst elf.
	• das Viertel, -	Es ist Viertel vor zwölf.
	vor	Es ist Viertel vor zwölf.
	nach	Es ist Viertel nach eins.
	halb	Es ist halb zwei.
	• die Uhr, -en 	Das ist eine Uhr.
B2	zeichnen	Zeichnen Sie die Uhrzeit.
B3	kurz	Es ist kurz vor zwölf.
	gleich	Es ist gleich zwölf.

C

	• der Intensivkurs, -e	Deutsch: Intensiv- und Abendkurse
C1	wann	Wann? – Am Montag.
	am	Wann? – Am Montag.
	um	Wann? – Um halb neun.
	von ... bis ...	Der Kurs ist von halb neun bis drei (Uhr).
C2	• die Party, -s	Ich mache am Freitag eine Party.
	• die Zeit (Sg.)	Hast du Zeit?
	• der Fußball (Sg.) 	Ich spiele von fünf bis sechs Fußball.
	anfangen	Wann fängt die Party denn an?
	passen	Das passt gut.
C3	• der Montag, -e	Fangen die Kurse am Montag an?
	• der Dienstag, -e	Am Dienstag spielt Tim Fußball.
	• der Mittwoch, -e	Am Mittwoch macht Tim Hausaufgaben.

	• der Donnerstag, -e	Was macht Tim am Donnerstag?
	• der Freitag, -e	Am Freitag kauft Tim ein.
	• der Samstag, -e • der Sonnabend, -e	Am Samstag/Sonnabend kocht Tim mit Lara.
	• der Sonntag, -e	Wann schläft Tim lange? – Am Sonntag.
	• das Wochenende, -n	Am Wochenende arbeitet Familie Reinhardt nicht.
	• die Mama, -s	Wann ruft Tim Mama und Papa an?
	schlafen	Tim schläft am Sonntag lange.
C4	• der Termin, -e	Schreiben Sie Ihren Terminkalender.
	• der Terminkalender, -	Schreiben Sie Ihren Terminkalender.
	nächst-	Der Terminkalender für nächste Woche: ...
	• die Woche, -n	Der Terminkalender für nächste Woche: ...

D

D1	• der Morgen, -	Am Morgen frühstückt Robert.
	• der Vormittag, -e	Am Vormittag räumt er auf.
	• der Mittag, -e	Am Mittag isst er mit Nina.
	• der Nachmittag, -e	Am Nachmittag macht er Sport.
	• der Abend, -e	Am Abend spielt er Fußball.
	• die Nacht, ¨e 	In der Nacht geht er spazieren.
D2	• das Kino, -s	Am Abend geht Robert ins Kino.
	chatten	In der Nacht chattet Robert.
	hören	Am Morgen hört Robert Musik.
D3	raten	Die anderen raten. Was ist falsch?
	jeder (jedes, jede)	Ich stehe jeden Morgen um sechs Uhr auf.

E

E1	• das Café, -s	Das Café Einstein ist in der Kurfürstenstraße.
	täglich	Öffnungszeiten: täglich 8.00 – 1.00 Uhr
	• das Fahrrad, ¨er	Mit dem Fahrrad durch Berlin: Fahrradstation Mitte ...
	• die Bibliothek, -en	Die Bibliothek öffnet von Montag bis Freitag um 15 Uhr.

Lernwortschatz

	• der Feiertag, -e	....	An Feiertagen ist die Bibliothek geschlossen.
	geschlossen	....	An Feiertagen ist die Bibliothek geschlossen.
	• die Ansage, -n	....	Hören Sie die Ansagen.
	offiziell	....	offiziell: Radio, Fernsehen, Ansagen, ...
E2	• der Film, -e	....	Welchen Film sieht Herr Tanaka?
	sehen	....	Welchen Film sieht Herr Tanaka?
	• das Museum, Museen	....	Herr Tanaka geht gern ins Museum.
	geöffnet	....	Wann ist das Museum geöffnet?
	• das Schiff, -e	....	Am Nachmittag macht er eine Tour mit dem Schiff.
	• die Tour, -en	....	Wann beginnt die Tour?
	• das Kaufhaus, ¨-er	....	Das KaDeWe ist das größte Kaufhaus in Europa.
	• das Europa (Sg.)	....	Das KaDeWe ist das größte Kaufhaus in Europa.
	• der Moment, -e	....	Die Reichstagskuppel ist im Moment nicht geöffnet.
	kennenlernen (sich)	....	Fahren Sie mit dem Schiff und lernen Sie Berlin kennen.
	• die Abfahrt, -en	....	Die Abfahrt ist um 10.30 Uhr.
	• der Erwachsene, -n	....	Für Erwachsene kostet die Tour acht Euro.
E3	• der Plan, ¨-e	....	Machen Sie einen Plan.

TiPP

Lernen Sie Wörter als Reihe.

Montag
Dienstag
Mittwoch
...

Wochentage

Montag	Dienstag	Mittwoch	Donnerstag	Freitag	Samstag/Sonnabend	Sonntag

Alltagsaktivitäten

einkaufen

spielen

arbeiten

aufräumen

fernsehen

aufstehen

anrufen

kochen

6 Freizeit

FOTO-HÖRGESCHICHTE

1	• der Ausflug, ⸚e	....	Familie Baumann und Lara machen einen Ausflug.
	• das Auto, -s	....	Sofia fährt gern Auto.
	wandern	....	Ich wandere sehr gern.
	• das Picknick, -s 	....	Lili hat Hunger und sie machen ein Picknick.
	• die Gitarre, -n	....	Walter spielt Gitarre.
	telefonieren	....	Tim telefoniert.
	fotografieren	....	Lili fotografiert Tim und Laura.
	• die Sonne (Sg.)	....	Die Sonne scheint.
	scheinen	....	Die Sonne scheint.
	regnen	....	Es regnet.
	viel-	....	Es gibt viele Wolken.
	• die Wolke, -n 	....	Es gibt viele Wolken.
3	• das Wetter (Sg.)	....	Das Wetter ist nicht so gut.
	los (losgehen)	....	Sie gehen los.
	vergessen	....	Sofia vergisst die Dose.
	bringen	....	Tim bringt die Dose.

Lernwortschatz

A

A1	• das Grad (Sg.)	Es sind 25 Grad.
	warm	Es ist warm.
	windig	Es ist windig.
	kalt	Es ist kalt.
	schneien	Es schneit.
	bewölkt	Es ist bewölkt.
A2	• der Norden (Sg.)	Im Norden scheint die Sonne.
	• der Osten (Sg.) 	Im Osten ist es bewölkt.
	• der Süden (Sg.)	Im Süden ist das Wetter schlecht.
	• der Westen (Sg.)	Im Norden und Westen ist das Wetter schön.
	schlecht	Im Süden ist das Wetter schlecht.
A3	• der Wetterbericht, -e	Im Radio kommt der Wetterbericht für morgen.
	• das Radio, -s	Im Radio kommt der Wetterbericht für morgen.
	• das Internet (Sg.)	Ich lese den Wetterbericht im Internet.
	sonnig	Im Norden ist es bewölkt, sonst sonnig.
	morgen	Morgen steigen überall die Temperaturen.
	steigen	Morgen steigen überall die Temperaturen.
	überall	Morgen steigen überall die Temperaturen.
	• die Temperatur, -en	Morgen steigen überall die Temperaturen.
	• der Regen (Sg.) 	Ich finde Regen gut.
	• der Schnee (Sg.)	Am Wochenende gibt es im Westen Schnee.
	heute	Heute ist es sonnig und warm.
	bleiben	Auch in den kommenden Tagen bleibt das Wetter schön.
	minus	Es ist minus ein Grad und es schneit.

B

B2	• die Speisekarte, -n	Sehen Sie die Speisekarte an.
	• die Speise, -n	Kleine Speisen: Pommes, Gemüsesuppe, …

	der / das Ketchup, -s		Ich nehme die Pommes mit Ketchup.
	der Hamburger, -		Ich nehme einen Hamburger mit Pommes.
	der Schinken, -		Ich nehme den Salat mit Schinken und Ei.
	das Dessert, -s		Dessert: Schokoladenkuchen, ...
	nehmen		Ich nehme die Würstchen und einen Saft.

C

C1	doch		Haben wir den Käse nicht dabei? – Doch.
	der Papa, -s		Hier, Papa! Ich habe den Käse.
	möchten		Möchtest du ein Würstchen?
	lieber		Aber ich möchte lieber Käse.
C2	der Freund, -e / die Freundin, -nen		Ist das deine Freundin?
	vielleicht		Dann vielleicht Pizza?
	die Idee, -n		Das ist eine gute Idee.
	das Problem, -e		Kein Problem!
C3	der Hund, -e 		Hast du einen Hund?

D

D1	die Freizeit (Sg.)		Was macht Adrian gern in der Freizeit?
	das Hobby, -s		Welches Hobby hat Adrian nicht?
	wichtig		Sport ist für mich total wichtig.
	die Berge (Pl.)		In den Bergen liegt Schnee.
	der Ski, -er		Ich fahre gern Ski oder Snowboard.
	fahren		Ich fahre gern Ski oder Snowboard.
	joggen		Ich jogge gern.
	schwimmen		Ich schwimme jeden Tag.
	tanzen		Ich tanze total gern Salsa.
	lesen 		Lesen macht Spaß!
	der Spaß (Sg.)		Lesen macht Spaß!
	treffen		Am Wochenende treffe ich meine Freunde.
	grillen		Wir grillen zusammen.
	der Klub, -s		Wir gehen ins Kino oder in einen Klub.

Lernwortschatz

	surfen (im Internet)		Das finde ich nicht so gut: im Internet surfen.
D2	• der Krimi, -s		Ich finde Krimis toll.
	toll		Ich finde Krimis toll.
	interessant		Ich finde Fotografieren interessant.
	E		
E1	• der Herbst, -e 		Im Herbst regnet es viel.
	• der Winter, - 		Im Winter ist es kalt.
	• der Sommer, - 		Im Sommer ist das Wetter sehr gut.
	• der Frühling, -e / • das Frühjahr, -e 		Im Frühling ist das Wetter oft schön.
E2	• die Reise, -n		Willkommen im Reiseland „D-A-CH“!
	• der Urlaub, -e		Sie möchten Urlaub machen?
	wunderbar		Sie lernen Deutsch? Wunderbar! In „D-A-CH“ spricht man ...
	• die Natur (Sg)		Wir haben jede Menge Natur für Sie.
	Nord-		Wir fangen in Norddeutschland an.
	Ost-		Hier gibt es die Ostsee.
	Süd-		In Südeuropa ist es oft heiß.
	West-		Bonn liegt in Westdeutschland.
	(wind)surfen		Im Urlaub surfe ich gern.
	• das Programm, -e		Wir haben ein besonderes Programm für Sie.
	heiß		Hier ist es meist nicht so heiß.
	• die Mitte (Sg.)		Auch in der Mitte gibt es viele Freizeitmöglichkeiten.
	• die Möglichkeit, -en		Auch in der Mitte gibt es viele Freizeitmöglichkeiten.
	• das Angebot, -e		Im Winter gibt es viele Angebote für Skifahrer.
	• das Mountainbike, -s		Gefallen Ihnen Touren mit dem Mountainbike?
	klettern		Wie finden Sie Bergsteigen – oder Klettern?

E4	• der Wind, -e		In Norddeutschland gibt es viel Wind.
E5	• die Insel, -n		Malta ist eine Insel im Mittelmeer.

TIPP
Beschreiben Sie Wörter.

Hier tanzt man.
-> Klub

Wetter

• die Sonne / Es ist sonnig.

• der Regen / Es regnet.

• die Wolke, -n / Es ist bewölkt.

• der Schnee / Es schneit.

• der Wind / Es ist windig.

Es ist kalt.

Es ist warm.

7 Lernen – ein Leben lang

FOTO-HÖRGESCHICHTE

4	• der Reifen, -		Walter kauft einen Reifen.
	weiter		Walter übt weiter Hula-Hoop.
	üben		Walter übt Hula-Hoop.
	fragen		Walter fragt Lara: „Was mache ich falsch?"
	schicken		Lara sagt: „Schick ein Foto!"
	funktionieren		Es funktioniert nicht.

A

A1	aussehen (wie)		Das sieht toll aus!
	können		Kann ich das auch lernen?
	stimmen		Das stimmt nicht.
	• der Tipp, -s		Ich kann gute Tipps geben.
A3	reiten		Kannst du gut reiten?

Lernwortschatz

	malen 	Ich kann sehr gut malen.
	backen	Ich kann gut Kuchen backen.
	• das Tennis (spielen) (Sg.)	Ich kann nicht so gut Tennis spielen.
	singen	Ich kann gar nicht singen.
	• das Klavier, -e 	Kannst du gut Klavier spielen?
	senkrecht	senkrecht ↕
	waagerecht	waagerecht ↔

B

B1	wollen	Ich will das so gern wieder lernen!
B2	• der Kurs, -e	Die Schule hat ein gutes Kursangebot.
	• der Stress (Sg.)	Britta will einen Anti-Stress-Kurs machen.
	• die Kommunikation (Sg.)	Ich will ein Kommunikationstraining machen.
	• das Training, -s	Ich will ein Kommunikationstraining machen.
	• die Psychologie (Sg.)	Ich möchte gern einen Kurs in Psychologie machen.
	• das Theater, -	Ich spiele gern Theater.
	• die Produktion, -en	Digitale Musikproduktion finde ich interessant.
	• die Mathematik (Mathe) (Sg.)	In den Ferien macht Nina einen Mathematikkurs.
B3	• die Ferien (Pl.)	Was willst du in den Ferien machen?

C

C1	schreiben	Ich habe lange nicht geschrieben.
	noch	Kennst du noch Hula-Hoop?
	gestern	Ich habe gestern ein Foto gefunden.
	finden	Ich habe ein Foto gefunden.
	früher	Ich habe früher so oft Hula-Hoop geübt.
	oft	Ich habe früher so oft Hula-Hoop geübt.

D

D4	einmal	Bist du schon mal 100 Kilometer mit dem Fahrrad gefahren? – Ja, einmal.

	nie	....	Ich habe noch nie einen Kurs in den Ferien gemacht.
	öfter	....	Ich habe schon öfter im Urlaub einen Tanzkurs gemacht.

E

E1	schwer	....	Die Vokabeln sind so schwer!
	cool	....	Mein Tipp: Immer cool bleiben!
	• die Zeitung, -en	....	Ich kaufe französische Zeitungen.
	meistens	....	Ich kaufe meistens Sportzeitungen.
	• die Antwort, -en	....	Das ist eine super Antwort.
	leicht	....	Tandem-Partner kannst du leicht im Internet finden.
	• der Bus, -se	....	Ich lerne im Bus Vokabeln.
E2	• das Plakat, -e	....	Machen Sie ein Plakat.
	• der Comic, -s	....	Mein Tipp: Comics auf Deutsch lesen.

TIPP
Lernen Sie Wörter zusammen.

Gitarre spielen
Fahrrad fahren

Hobbys/Freizeitaktivitäten

tanzen

Gitarre spielen

wandern

Fahrrad fahren

grillen

schwimmen

Freunde treffen

backen

malen

Ski fahren

Tennis spielen

8 Beruf und Arbeit

FOTO-HÖRGESCHICHTE

1	• die Geschichte, -n	Die Geschichte spielt in Sofias Praxis.
	• das Krankenhaus, ¨-er 	Die Geschichte spielt im Krankenhaus.
	• das Interview, -s	Lara und Tim machen ein Interview für den Deutschkurs.
	• die Ausbildung, -en	Sie sprechen mit Sofia über Ausbildung und Beruf.
	• der Beruf, -e	Sie sprechen mit Sofia über Ausbildung und Beruf.
	• der Chef, -s / • die Chefin, -nen	Der Mann ist Sofias Chef.
	• der Patient, -en / • die Patientin, -nen	Herr Koch ist Sofias Patient.
	• der Journalist, -en / • die Journalistin, -nen	Er ist Journalist von Beruf.
	• der Hausmeister, - / • die Hausmeisterin, -nen	Herr Koch ist Hausmeister von Beruf.
3	• das Thema, Themen	Das Thema ist „Arbeit und Beruf".
	eigen-	Sofia hat eine eigene Praxis.

A

A1	als	Ich arbeite als Hausmeister.
A2	• der Arzt, ¨-e / • die Ärztin, -nen	Sie ist Ärztin.
	• der Ingenieur, -e / • die Ingenieurin, -nen	Er ist Ingenieur von Beruf.
	• der Hausmann, ¨-er / • die Hausfrau, -en 	Sie ist Hausfrau.
	• der Polizist, -en / • die Polizistin, -nen	Sie arbeitet als Polizistin.
	• der Krankenpfleger, -	Er ist Krankenpfleger von Beruf.
	• die Krankenschwester, -n	Sie ist Krankenschwester von Beruf.
A3	beruflich	Was machen Sie beruflich?
	• der Schüler, - / • die Schülerin, -nen	Ich bin Schüler.

	• der Student, -en / • die Studentin, -nen		Ich bin Student.
	• der Job, -s		Ich habe einen Job als Hausmeister.
	• die (Arbeits-)Stelle, -n		Ich habe eine (Arbeits-)Stelle als Ärztin.
	selbstständig		Ich bin selbstständig.
	berufstätig		Ich bin nicht berufstätig.
	arbeitslos		Ich bin arbeitslos.
	• Babysitter, - / • die Babysitterin, -nen		Ich habe einen Job als Babysitterin.

B

B1	dauern (hat gedauert)		Wie lange hat die Ausbildung gedauert? – Drei Jahre.
	seit		Und seit wann bist du schon selbstständig? – Seit vier Jahren.
B3	• die Bewerbung, -en		Bewerbung um ein Praktikum im Marketing
	• das Praktikum, Praktika		Frau Szabo möchte ein Praktikum bei „mediaplanet“ machen.
	• der Leiter, - / • die Leiterin, -nen		Der Abteilungsleiter hat noch Fragen.
	• die Frage, -n		Herr Winter hat noch Fragen.
	geehrt		Sehr geehrter Herr Winter, ...
	• die Abteilung, -en		Ich möchte in Ihrer Abteilung ein Praktikum machen.
	• die Wirtschaft (Sg.)		Ich habe in Budapest Wirtschaft studiert.
	gerade		Ich habe gerade mein Diplom gemacht.
	• das Diplom, -e		Ich habe gerade mein Diplom gemacht.
	• das Büro, -s 		Ich habe im Büro bei „S&P Media“ gearbeitet.
	• die Information, -en		Für weitere Informationen stehe ich gern zur Verfügung.
	• der Gruß, ¨-e		Mit freundlichen Grüßen

Lernwortschatz

B5	heiraten (hat geheiratet)		Wann hast du geheiratet?
	eigentlich		Wann bist du eigentlich geboren?
	später		Ich habe in Florenz und später in Rom gelebt.
	• der Reiseführer, - / • die Reiseführerin, -nen		In Rom habe ich als Reiseführer gearbeitet.
	• der Tourist, -en / • die Touristin, -nen		Ich habe Touristen die Stadt gezeigt.
	zeigen (hat gezeigt)		Ich habe Touristen die Stadt gezeigt.
C			
C1	• die (Berufs-) Erfahrung (Sg.)		Ich hatte ja noch fast keine (Berufs-)Erfahrung.
C2	manchmal		Ich habe die Kunden manchmal nicht verstanden.
	• der Kellner, - / • die Kellnerin, -nen		Ich glaube, ich war keine gute Kellnerin.
C3	• der Architekt, -en / • die Architektin, -nen		Ich war Architektin.
	• der Arbeiter, - / • die Arbeiterin, -nen		Ich war Arbeiter.
	wenig		Ich hatte wenig Arbeit.
	• der Kollege, -n / • die Kollegin, -nen		Die Kollegen waren nett.
D			
D1	• der Koch, ¨-e / • die Köchin, -nen		Ich arbeite seit drei Jahren als Koch.
	• die Uni(versität), -en		Ich studiere Informatik an der Universität in Würzburg.
	leider		Mein Deutsch ist leider noch nicht sehr gut.
	• das Semester, -		Ich suche einen Job für die Semesterferien.
	bekommen (hat bekommen)		Vielleicht bekomme ich ja einen Job mit vielen Kollegen.
	bald		Bald gehe ich für drei Monate nach Hamburg.

	• das Konzert, -e 	…………	Ich mache ein Praktikum bei einer Konzertagentur.
	• die Agentur, -en	…………	Ich mache ein Praktikum bei einer Konzertagentur.
	danach	…………	Danach suche ich noch für zwei Monate ein Praktikum in Österreich oder in der Schweiz.
	• das Studium, Studien	…………	Im Herbst fängt dann mein Studium wieder an.
	letzt-	…………	Im letzten Jahr hatte ich für sechs Wochen einen Job.
	• der Service, -s	…………	Ich hatte einen Job bei einem Catering-Service.
	• der Tourismus (Sg.)	…………	Ich arbeite in der Tourismus-Branche.
	• der Kontakt, -e	…………	Kontakt: wiese@originell-catering.ch
	• die Kenntnisse (Pl.)	…………	Sie haben sehr gute Englischkenntnisse.
	• das Team, -s	…………	Bei uns arbeiten Sie im Team.
	(an)bieten (hat angeboten)	…………	Wir bieten Praktikumsstellen für mindestens einen Monat (an).
	• der / • die Auszubildende, -n	…………	Wir suchen eine Auszubildende als Köchin.
	• die Unterlagen (Pl.)	…………	(Bewerbungs-)Unterlagen bitte an: ...

E

E1	• der Handel (Sg.)	…………	Ich arbeite in einem Modehaus, also im Handel und Gewerbe.
	• der Traum, ¨-e: Traum-	…………	Sie suchen Ihren Traumjob im Bereich Mode?
	• der Bereich, -e	…………	Sie suchen Ihren Traumjob im Bereich Mode?
	• die Mode, -n	…………	Mein Traumjob ist im Bereich Mode.
	jed-	…………	jeden Vormittag = vormittags
	montags, dienstags, mittwochs, ...	…………	jeden Montag/Dienstag/Mittwoch/...
	vormittags, nachmittags	…………	jeden Vormittag/Nachmittag
	morgens/mittags/abends	…………	jeden Morgen/Mittag/Abend

	• der Praktikant, -en / • die Praktikantin, -nen	Die Praktikanten arbeiten montags bis freitags.
	schriftlich	Die Firma will eine Bewerbung schriftlich.
E2	• die Dauer (Sg.)	Praktikumsdauer: 2–4 Monate
	frei	Ist die Stelle noch frei?
	normalerweise	Praktikanten arbeiten normalerweise von 8 bis 17 Uhr.
	• das Geld (Sg.) 	Bekomme ich für das Praktikum auch Geld?
	zahlen	Wir zahlen 12 Euro pro Stunde.
	pro	Wir zahlen 500 Euro pro Monat.
	• die Stunde, -n	Wir zahlen 12 Euro pro Stunde.

Berufe

• der Journalist, -en
• die Journalistin, -nen

• der Arzt, ¨-e
• die Ärztin, -nen

• der Krankenpfleger, -
• die Krankenschwester, -n

• der Ingenieur, -e
• die Ingenieurin, -nen

• der Polizist, -en
• die Polizistin, -nen

• der Kellner, -
• die Kellnerin, -nen

• der Koch, ¨-e
• die Köchin, -nen

• der Architekt, -en
• die Architektin, -nen

• der Arbeiter, -
• die Arbeiterin, -nen

• der Babysitter, -
• die Babysitterin, -nen

TIPP
Schreiben Sie neue Wörter und Beispielsätze auf Kärtchen.

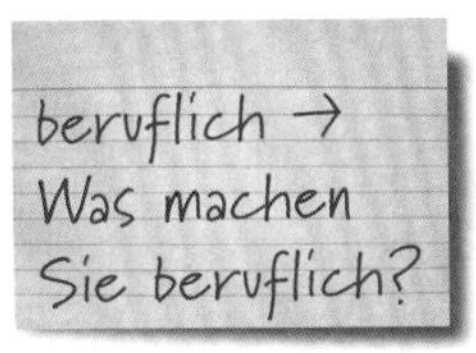

9 Unterwegs

FOTO-HÖRGESCHICHTE

	mit·kommen (ist mitgekommen)	Na los, kommt mit!
1	• der Führerschein, -e	Haben Sie einen Führerschein?
2	• das Ticket, -s	Sie wollen ein Busticket kaufen.

	• das Amt, ¨-er 		Sie sind auf einem Amt.
	gültig		Ist der Führerschein gültig?
	mieten (hat gemietet)		Sie wollen ein Auto mieten.
4	ausländisch		Mit einem ausländischen Führerschein kann man nur acht Monate in Deutschland fahren.
	europäisch		Lara kommt aus der Europäischen Union.
	• die Europäische Union (EU) (Sg.)		Lara kommt aus der EU.
	jung		Sie ist zu jung.
	• die Fahrkarte, -n 		Sie kaufen Fahrkarten im ZOB.
	• die Fahrt, -en		Die Fahrt dauert nur zwei Stunden.
	A		
A1	• der Antrag, ¨-e		Tim muss einen Antrag ausfüllen.
	müssen, ich muss, du musst, er muss		Sie müssen einen Antrag ausfüllen.
	aus·füllen (hat ausgefüllt)		Tim muss einen Antrag ausfüllen.
	• der Ausweis, -e		Er muss den Ausweis mitbringen.
	mit·bringen (hat mitgebracht)		Er muss den Ausweis mitbringen.
A2	• der Pass, ¨-e		Man muss einen Reisepass mitbringen.
	• die Kreditkarte, -n 		Man muss eine Kreditkarte haben.
A3	verstehen (sich) (hat verstanden)		Der Mann versteht den Automaten nicht.
	• der Automat, -en 		Der Mann versteht den Automaten nicht.
	aus·wählen (hat ausgewählt)		Sie müssen „Erwachsener“ oder „Kind“ auswählen.
	• das Ziel, -e		Sie müssen das Ziel wählen.
	wählen (hat gewählt)		Sie müssen das Ziel wählen.
	man		Man muss das Ziel wählen.
	zuerst		Zuerst müssen Sie das Ziel wählen.
	danach		Und danach müssen Sie bezahlen.
	dann		Und dann muss ich noch einkaufen.
	• der Schluss (Sg.)		Zum Schluss müssen Sie die Fahrkarte stempeln.

Lernwortschatz

B

B1	vorne	Da vorne ist eine Autovermietung.
	• der Laden, ¨	Ich will noch schnell in den Laden.
	ab·holen (hat abgeholt)	Tim soll Lili abholen.
	leise 	Sei leise!
	• die Übung, -en	Tim soll Lili die Matheübung erklären.
	erklären (hat erklärt)	Erklär Lili die Matheübung!
B2	laut	Seid bitte nicht so laut!
	aus·machen (hat ausgemacht)	Macht doch die Handys aus!
	schließen	Schließt bitte die Bücher!
	öffnen	Öffnet bitte die Bücher!
	zu·hören (hat zugehört)	Hört doch bitte zu!
	• der Text, -e	Lest bitte den Text.
	auf·stehen (ist aufgestanden)	Steht bitte nicht auf!
	pünktlich	Kommt doch bitte pünktlich!
B3	warten (hat gewartet)	Warten Sie bitte im Wartebereich.
	• die Anmeldung, -en	Bringen Sie Ihren Ausweis zur Anmeldung mit.
	• die Gebühr, -en	Bezahlen Sie die Kursgebühren an der Kasse.
	• die Kasse, -n	Bezahlen Sie die Kursgebühren an der Kasse.
	ander-	Die anderen haben Unterricht.
	• der Unterricht (Sg.)	Die anderen haben Unterricht.
B4	lachen (hat gelacht) 	Lachen Sie viel!

C

C1	beantragen (hat beantragt)	Tim muss einen internationalen Führerschein beantragen.
	dürfen, ich darf, du darfst, er darf	Lara darf in der EU Auto fahren.
C2	• die Zigarette, -n	Ihr müsst die Zigaretten aus-machen.
	rauchen (hat geraucht) 	Hier darf man nicht rauchen.

	langsam		Du musst langsam fahren.
	• der Parkplatz, ¨-e 		Wir müssen einen Parkplatz suchen.
	parken (hat geparkt)		Hier darf man nicht parken.
	Achtung		Achtung! Du musst das Handy ausmachen.
	warum		Warum muss ich das Handy ausmachen?
C3	erlaubt (sein)		Was ist erlaubt?
	verboten (sein)		Was ist verboten?
	mit·nehmen, du nimmst mit, er nimmt mit (hat mitgenommen)		Aber man darf sein Fahrrad mitnehmen.
	• das Eis (Sg.) 		Man darf im Bus kein Eis essen.
	• das Gepäck (Sg.)		Man muss das Gepäck abgeben.
	ab·geben, du gibst ab, er gibt ab (hat abgegeben)		Man muss das Gepäck abgeben.
	benutzen (hat benutzt)		Man darf einen Laptop benutzen.

Auf dem Amt

- einen Führerschein beantragen
- einen Antrag aus·füllen
- den Ausweis mit·bringen

- den Pass mit·bringen
- einen Antrag ab·geben
- eine Gebühr bezahlen

TiPP

Lernen Sie Nomen und Verben zusammen.

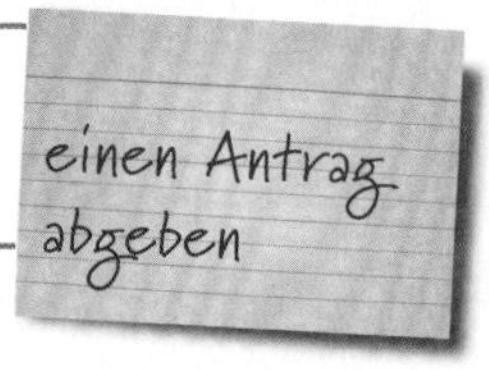

D

D1	• das Hotel, -s		In Salzburg gibt es viele Hotels.
	• die Minute, -n		Besichtigen Sie Salzburg in nur 100 Minuten.
	• der Rundgang, ¨-e		Auf dem Stadtrundgang lernen Sie die Sehenswürdigkeiten kennen.
	• die Sehenswürdigkeit, -en		Sie lernen die wichtigsten Sehenswürdigkeiten kennen.

Lernwortschatz

	beginnen (hat begonnen)		Beginnen Sie den Rundgang an der Getreidegasse.
	• der Einkauf, ⸚e		Die Getreidegasse ist **die** Einkaufsstraße in Salzburg.
	berühmt		Hier ist der berühmte Komponist geboren.
	• der Einwohner, -		Salzburg hat fast 150.000 Einwohner.
	• der Stadtplan, ⸚e		Stadtpläne gibt es an der Tourist-Info.
	besuchen (hat besucht)		Besuchen Sie das Museum in Mozarts Geburtshaus.
	• die Geburt, -en		Besuchen Sie das Museum in Mozarts Geburtshaus.
	• die Ermäßigung, -en		Es gibt eine Ermäßigung für Gruppen.
	• die Senioren (Pl.)		Es gibt eine Ermäßigung für Senioren.
	• die Oper, -n		Das ganze Jahr finden hier Opernaufführungen statt.
	besichtigen (hat besichtigt)		Besichtigen Sie die Festspielhäuser bei einer Führung.
	• die Führung, -en		Besichtigen Sie die Festspielhäuser bei einer Führung.
	• der Dom, -e		Nun kommen Sie zum Dom.
	paar (ein paar)		Vom Dom sind es nur ein paar Schritte zum Residenzplatz.
	• der Schritt, -e		Vom Dom sind es nur ein paar Schritte zum Residenzplatz.
	• das Gebäude, -		Am Residenzplatz gibt es viele schöne Gebäude.
D2	• der Eintritt (Sg.)		Wie viel kostet der Eintritt für Erwachsene?
	• die Auskunft, ⸚e		Entschuldigung. Ich brauche eine Auskunft.

E

E1	• das Zentrum, Zentren		Das Hotel liegt im Zentrum.
	inklusive		Das Frühstück ist inklusive.
	kostenlos		Man kann das Internet kostenlos benutzen.
	• das Ergebnis, -se		Es gibt viele Suchergebnisse.

	• die Altstadt, ¨-e 	....	Man braucht nur 30 Minuten zur Altstadt.
	• der See, -n	....	Man braucht nur 30 Minuten zum See.
	• das WC, -s	....	Im Zimmer gibt es eine Dusche und ein WC.
	• die Klimaanlage, -n	....	Das Hotelzimmer hat eine Klimaanlage.
	• das Frühstück (Sg.)	....	Das Frühstück ist extra.
	• die Lage, -n	....	Lage: Das Hotel liegt im Zentrum.
	zentral	....	Lage: zentral gelegen in der Altstadt
	• der Blick, -e	....	Wir möchten ein Zimmer mit Seeblick.
	• die Terrasse, -n	....	Das Hotel hat ein Restaurant mit Terrasse.
	historisch	....	Das Hotel hat ein historisches Flair.
	• das Schwimmbad, ¨-er	....	Das Hotel hat ein Schwimmbad.
	• die Haltestelle, -n 	....	Die Bushaltestelle ist vor dem Hotel.
E2	buchen (hat gebucht)	....	Sie buchen ein Doppelzimmer.
	• das Doppelzimmer, -	....	Sie buchen ein Doppelzimmer.
	• das Einzelzimmer, -	....	Das Hotel hat Doppelzimmer und Einzelzimmer.
	• der Gast, ¨-e	....	Der Gast bucht das Zimmer.
	• der Wunsch, ¨-e	....	Haben Sie Wünsche an das Hotel?
	• der Nichtraucher, -	....	Er möchte ein Nichtraucherzimmer.
	• die Ankunft, ¨-e	....	Die Ankunft ist um 14:00 Uhr.
E3	• die Rezeption, -en 	....	Füllen Sie das Formular an der Hotelrezeption aus.
	fertig (sein)	....	Das Zimmer ist leider noch nicht ganz fertig.
	wiederholen (hat wiederholt)	....	Können Sie das bitte wiederholen?
	• der Rahm (Sg.)	....	Das ist ein Kaffee mit Rahm, äh, mit Sahne.
	• die Vollpension (Sg.)	....	Möchten Sie Vollpension oder Halbpension?
	• die Halbpension (Sg.)	....	Möchten Sie Vollpension oder Halbpension?

	reservieren (hat reserviert)	Wir haben ein Doppelzimmer reserviert.
	• der Schlüssel, - 	Hier ist Ihr Schlüssel.
	• der Lift, -e	Der Lift ist dort.

10 Gesundheit und Krankheit

FOTO-HÖRGESCHICHTE

1	• die Notaufnahme, -n	Lara und Ioanna sind in der Notaufnahme.
2	• das Auge, -n 	Mein Auge tut weh!
	weh·tun (hat wehgetan)	Mein Auge tut weh!
	• der Unfall, ¨-e	Meine Freundin hatte einen Unfall.
	• der Doktor, -en 	Der Doktor kommt gleich.
	• der Schmerz, -en	Wo haben Sie denn Schmerzen?
	sollen, ich soll, du sollst, er soll	Ich soll das Auge kühlen.
3	• das Mädchen, -	Die Mädchen gehen ins Krankenhaus.
	schlimm	Es ist nicht schlimm.
	geben, du gibst, er gibt (hat gegeben)	Der Arzt gibt Ionna Schmerztabletten.
	• die Tablette, -n	Der Arzt gibt Ioanna Schmerztabletten.
	beide	Die beiden Mädchen sind lustig und singen.
	lustig	Die beiden Mädchen sind lustig und singen.

A

A1	• das Bein, -e	Mein Bein tut weh.
	• das Haar, -e	Ioannas Haare sind braun.
	• das Ohr, -en	Meine Ohren tun weh.
	• der Arm, -e	Mein Arm tut weh.
	• der Bauch, ¨-e	Mein Bauch tut weh.
	• der Finger, - 	Mein Finger tut weh.
	• der Fuß, ¨-e	Mein Fuß tut weh.
	• der Hals, ¨-e	Mein Hals tut weh.

	• der Kopf, ⸚e		Mein Kopf tut weh.
	• der Rücken, - 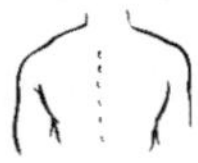		Mein Rücken tut weh.
	• die Brust, ⸚e		Meine Brust tut weh.
	• die Hand, ⸚e		Meine Hand tut weh.
	• die Nase, -n		Meine Nase tut weh.
	• der Mund, ⸚er 		Mein Mund tut weh.
A2	sein, -e		Sein Kopf tut weh.
	ihr, -e		Ihr Bein tut weh.
A4	• der Zahn, ⸚e		Mein Monster heißt Hans. Seine Zähne ...

B

B1	krank		Carlos ist krank.
	informieren (hat informiert)		Ioanna informiert Lara: Sie haben morgen keinen Unterricht.
	unser-		Unsere Augen sind so blau!
	aus·fallen, du fällst aus, er fällt aus (ist ausgefallen)		Unser Unterricht fällt morgen aus.
	• das Lied, -er		Das ist jetzt unser Lied.
B2	• die Nachricht, -en		Lesen Sie die Nachrichten.
	ihr, -e		Julia und Jan sind beide krank. Ihre Ohren tun weh.
	• der Kuss, ⸚e 		Küsse von Marie
	eu(e)r-		Ist eure Mutter wieder gesund?
	gesund		Ist sie wieder gesund?
	hoffentlich		Ist sie wieder gesund? Hoffentlich!
	• der / • die Bekannte, -n		Alle Freunde und Bekannten kommen!

C

C2	• die Medizin (Sg.)		Sie soll die Medizin nehmen.
	trainieren (hat trainiert)		Du sollst nicht trainieren.
C3	• der Husten (Sg.)		Die Tochter hat Husten.
	• die Salbe, -n 		Sie soll Salbe verwenden.
	verwenden (hat verwendet)		Sie soll Salbe verwenden.
C4	• die Gesundheit (Sg.)		Geben Sie Gesundheitstipps.
	tun (hat getan)		Was kann man da tun?

Lernwortschatz

	• das Fieber (Sg.) 		Ich habe Fieber.
	• der Schnupfen (Sg.) 		Meine Freundin hat Schnupfen.
	D		
D1	• der Wald, ¨-er 		Ich gehe abends im Wald spazieren.
D2	dick		Sein Bauch ist zu dick.
	• die Leute (Pl.)		Sie möchte Leute kennenlernen.
	nichts		Sie möchte nichts bezahlen.
	auf·passen (hat aufgepasst)		Die Oma kann auf die Kinder aufpassen.
	• das Fitness-Studio, -s		Peter Hansen sucht ein Fitness-Studio.
	• der Kursleiter, - / • die Kursleiterin, -nen		Unser Kursleiter heißt Hintermeier.
	ruhig		Machen Sie sich ruhige Tage im Grünen.
	beobachten (hat beobachtet)		Beobachten Sie Tiere im Wald.
	• der Bauernhof, ¨-e		Auf unserem Bauernhof ist Platz für Sie und Ihre Freunde.
	• die Gruppe, -n		Unsere Gruppe ist für Menschen aus unserem Stadtteil.
	• der Mensch, -en		Unser Lauftreff ist für Menschen mit viel Stress.
	laufen, du läufst, er läuft (ist gelaufen)		Wir treffen uns und laufen oder machen Spaziergänge.
	• der Spaziergang, ¨-e		Wir treffen uns zweimal in der Woche zu Spaziergängen.
	gegen		Essen gegen Stress ist nicht gut.
	doppelt		Ich trinke einen doppelten Espresso.
	• das Müsli, -s		Viel Müsli, Obst und wenig Fleisch ...
D4	• der Inhalt, -e		Über den Inhalt weiß ich nichts.
	• der Absender, -		Der Absender schreibt den Brief.
	• der Ort, -e		Nennen Sie das Datum und den Ort.
	• der Empfänger, -		Der Empfänger bekommt den Brief.

	• die Anrede, -n	....	Die Anrede steht vor dem Brieftext.
	• das Datum (Sg.)	....	Das Datum steht im Brief oben.
	• der Zug, ⸚e 	....	Kann man mit dem Zug zu Ihnen kommen?
D5	• der Kilometer, -	....	Wie viele Kilometer laufen Sie?

E

E1	• die (Arzt-)Praxis, (Arzt-)Praxen	....	Die Person ruft in einer (Arzt-)Praxis an.
	vereinbaren (hat vereinbart)	....	Ich möchte einen Termin vereinbaren.
	ändern (hat geändert)	....	Ich muss den Termin ändern.
	absagen (hat abgesagt)	....	Ich muss den Termin leider absagen.
E2	vorbei·kommen (ist vorbeigekommen)	....	Kann ich einfach vorbeikommen?
	• die Ordnung, -en: in Ordnung	....	In Ordnung. Dann bis Freitag!
E3	dringend	....	Kann ich früher kommen? Es ist dringend.

Körperteile

TIPP

Spielen Sie ein Memo-Spiel zum Thema *Gesundheit und Krankheit.* Schreiben Sie einen Satz auf zwei Karten. Mischen Sie und finden Sie Paare.

Lernwortschatz

11 In der Stadt unterwegs

FOTO-HÖRGESCHICHTE

1	• die Werkstatt, ⸚en 		Sie bringen das Auto zur Werkstatt.
	• die Apotheke, -n		Gibt es hier eine Apotheke?
	• die S-Bahn, -en		Sie fahren mit der S-Bahn.
	• die Autobahn, -en		Wo ist bitte die Autobahn?
	• die Tankstelle, -n		Ich suche die Tankstelle.
	• die Brücke, -n		Die Autobahn ist vor der Brücke links.
	• die Ampel, -n		Wir warten an der Ampel.
2	rechts 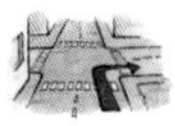		Fahren Sie nach rechts.
	geradeaus		Fahren Sie geradeaus.
	links 		Fahren Sie nach links.
3	selbst		Warum macht Walter das nicht selbst?
	zu·machen (hat zugemacht)		Wann macht die Werkstatt zu?
4	• der Weg, -e		Das Navi zeigt den falschen Weg.
	schnell		Lara möchte einmal richtig schnell fahren.
	bedeuten (hat bedeutet)		Was bedeutet „Alles im grünen Bereich"?
	okay		Alles ist okay.

A

A2	• der Bahnhof, ⸚e		Entschuldigung, ich suche den Bahnhof.
	• die Metzgerei, -en		Ich suche die Metzgerei.
	• die Schule, -n		Lili geht in die Schule.
	• der Kindergarten, ⸚		Früher ist Lili in den Kindergarten gegangen.
	• die Post (Sg.)		Wo ist hier die Post?
A3	• die Nähe (Sg.): in der Nähe		Ist hier ein Hotel in der Nähe?
	fremd		Tut mir leid, ich bin auch fremd hier.

B

B1	fliegen (ist geflogen)		Womit fliegen die Personen?
	• das Flugzeug, -e 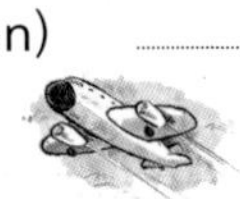		Wir fliegen mit dem Flugzeug.
	• die Straßenbahn, -en		Sie fahren mit der Straßenbahn.
	• das Taxi, -s 		Ich fahre mit dem Taxi zum Bahnhof.

	wohin	....	Wohin möchten die Personen?
	weit	....	Das Paar will zum Filmmuseum, aber zu Fuß ist das zu weit.
B2	• der Hauptbahnhof, ⸚e	....	Sie sind am Hauptbahnhof.
	• die Station, -en	....	Fahren Sie mit dem Bus bis zur Station „Schwimmbad“.

C

C2	• der Lkw, -s	....	Zwei Lkws stehen auf dem Parkplatz.
	stehen (hat gestanden)	....	Zwei Lkws stehen auf der Straße.
	• der Kiosk, -e	....	Ein Mann kauft am Kiosk eine Zeitung.
	• die Buchhandlung, -en	....	Ein Mann kauft ein Buch in der Buchhandlung.
	sitzen (hat gesessen)	....	Ein Paar sitzt im Café.
	• die Bücherei, -en 	....	Die Bücherei ist über der Bäckerei.
	• die Bäckerei, -en	....	Die Bäckerei ist neben dem Café.
	• der Baum, ⸚e	....	Ein Baum steht zwischen der Post und der Bank.
	• die Bank, -en	....	Ein Baum steht zwischen der Post und der Bank.
	an	....	Die Kinder warten an der Bushaltestelle.
	auf	....	Zwei Lkws stehen auf dem Parkplatz.
	hinter	....	Ein Baum steht hinter den Häusern.
	über	....	Die Bücherei ist über der Bäckerei.
	unter	....	Die Bäckerei ist unter der Bücherei.
	zwischen	....	Ein Baum steht zwischen der Post und der Bank.
C3	neben	....	Der Parkplatz ist neben der Fußgängerzone.
	• die Fußgängerzone, -n	....	Der Parkplatz ist neben der Fußgängerzone.

D

D1	holen (hat geholt)	....	Wir gehen zu Walter und holen das Auto.
	• das Geschäft, -e	....	Geschäfte: Bäckerei, Metzgerei, Apotheke, ...

D2	• die Konferenz, -en		Der Chef ist im Konferenzraum.
D3	• das Stadion, Stadien		Wir gehen ins Fußballstadion.
	• der Kunde, -n / • die Kundin, -nen		Paolo hat viele Kunden.
D5	kopieren (hat kopiert)		Wo kann ich kopieren?
	• die DVD, -s		Ich möchte eine DVD ausleihen.
	aus·leihen (hat ausgeliehen)		Wo kann ich Bücher ausleihen?
	(da) vorne 		Der Copyshop ist gleich da vorne.
	(da) hinten		Es ist gleich da hinten.
	(da) drüben		Es ist gleich da drüben.
	• die Ecke, -n 		Es ist da an der Ecke.
D6	unterwegs		Meine Person ist viel unterwegs.

E

E1	ab·fahren, du fährst ab, er fährt ab (ist abgefahren)		Der Zug fährt von Gleis 8 ab.
	• das Gleis, -e		Der Zug fährt von Gleis 8 ab.
	ein·steigen (ist eingestiegen) 		Die Fahrgäste sollen einsteigen.
	• die Verspätung, -en		Der Zug hat Verspätung.
	an·kommen (ist angekommen)		Der Zug kommt zehn Minuten später an.
	um·steigen (ist umgestiegen) 		Die Fahrgäste können in einen Zug nach Berlin umsteigen.
	aus·steigen (ist ausgestiegen) 		Die Fahrgäste sollen aussteigen.
E2	direkt		Sie kann direkt fahren.
	• der Schalter, -		Sie kauft die Fahrkarte am Schalter.
	• der Bahnsteig, -e		Der Zug fährt gleich am Bahnsteig gegenüber.
	achten		Bitte achten Sie auf die Durchsagen.
	• die Durchsage, -n		Bitte achten Sie auf die Durchsagen.
	• der Anschluss, ¨-e		Sie haben Anschluss nach Ulm.
	hin und zurück		Einfach oder hin und zurück?
E3	• der Fahrplan, ¨-e		Der Fahrplan ist im Internet.

In der Stadt

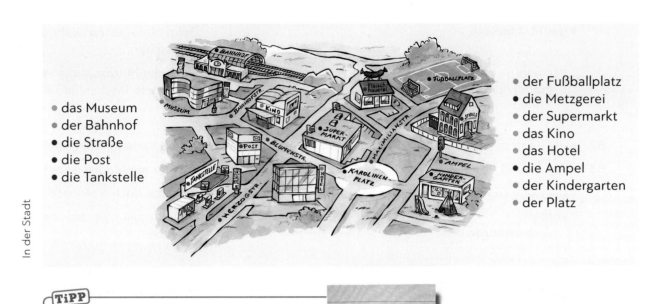

- das Museum
- der Bahnhof
- die Straße
- die Post
- die Tankstelle

- der Fußballplatz
- die Metzgerei
- der Supermarkt
- das Kino
- das Hotel
- die Ampel
- der Kindergarten
- der Platz

TiPP
Lernen Sie Verben und Nomen zusammen: abfahren – die Abfahrt

12 Kundenservice

FOTO-HÖRGESCHICHTE

1	• die Tasche, -n		Laras Tasche ist neu.
	• die Tüte, -n		Der Verkäufer gibt Lara eine Plastiktüte.
	• die Rechnung, -en		Lara hat noch die Rechnung.
	• der Verkäufer, - / • die Verkäuferin, -nen		Der Verkäufer ist nett.
	kaputt		Laras Tasche ist kaputt.
2	reparieren (hat repariert) 		Der Verkäufer repariert die Tasche.
4	sauer		Lara ist sauer.
	unfreundlich 		Der Verkäufer ist unfreundlich.
	normal		Der Service ist normal.

A

A3	• die Kleider (Pl.) 		Vor dem Frühstück sortiert sie Taschen und Kleider.
	• die Reparatur, -en		Vor der Mittagspause macht sie Reparaturen.
	nähen (hat genäht)		Vor der Mittagspause näht Frau Müller.

	• das Mittagessen, -		Beim Mittagessen liest sie ein bisschen.
	verkaufen (hat verkauft)		Nach der Mittagspause verkauft sie viele Taschen und Kleider.
B			
B2	• die Kamera, -s		Meine Kamera funktioniert nicht.
B3	• das Modell, -e		Was für ein Modell ist es?
	• die Garantie, -n		Ich habe noch 6 Monate Garantie.
	vorbei-: vorbeibringen		Dann bringen Sie das Gerät bitte vorbei.
C			
C1	zurück-: zurückgeben		Würden Sie mir dann bitte mein Geld zurückgeben?
C2	an·machen (hat angemacht)		Könnten Sie bitte den Computer anmachen?
	• die Tür, -en 		Könnten Sie bitte die Tür kurz mal zumachen?
	zu·machen (hat zugemacht)		Könnten Sie bitte die Tür kurz mal zumachen?
	• das Fenster, - 		Könnten Sie bitte das Fenster aufmachen?
	auf·machen (hat aufgemacht)		Könnten Sie bitte das Fenster aufmachen?
	• das Papier (Sg.)		Könnten Sie bitte Papier für den Drucker kaufen?
	• der Drucker, -		Könnten Sie bitte Papier für den Drucker kaufen?
	• das Licht (Sg.) 		Könnten Sie bitte das Licht ausmachen?
C3	• die Bitte, -n		Formulieren Sie höfliche Bitten.
	empfehlen, du empfiehlst, er empfiehlt (hat empfohlen)		Würden Sie Hustensaft oder Tabletten empfehlen?
D			
D1	• das Institut, -e		Frau Nutall arbeitet am Institut für Analytische Chemie.
	• der Flug, ⸚e		Unser Flug hat leider Verspätung.
	Bescheid sagen/geben		Sag bitte den Zimmermädchen Bescheid.

	gründlich	....	Sie sollen gründlich suchen.
	• die (Bank-)Überweisung, -en	....	Er bezahlt per Überweisung.
D2	• die Mailbox, -en 	....	Frau Wegner spricht auf die Mailbox.
	• der Fehler, -	....	Frau Wegner spricht auf die Mailbox und macht Fehler.
D3	zurück·rufen (hat zurückgerufen)	....	Bitte rufen Sie zurück unter ...

E

E1	• die Hilfe, -n	....	Hilfe im Alltag
	• das Ausland (Sg.)	....	Herr Berger fliegt oft ins Ausland.
	• der Flughafen, ¨-	....	Er fährt mit dem Auto zum Flughafen.
	sparen (hat gespart)	....	Er möchte Geld sparen.
	• die (Kaffee-)Maschine, -n 	....	Die Espressomaschine von Lena und Bert funktioniert nicht mehr.
	• das Zeugnis, -se 	....	Eine Freundin braucht für die Universität Zeugnisse und Dokumente auf Deutsch.
	• das Dokument, -e	....	Eine Freundin braucht für die Universität Zeugnisse und Dokumente auf Deutsch.
	reinigen (hat gereinigt)	....	Wir reinigen zu Ihrem Wunschtermin.
	• die Reinigung, -en	....	Wählen Sie aus unserem Angebot, z. B. Fensterreinigung.
	putzen (hat geputzt)	....	Wir putzen alles aus Glas, auch Dachfenster und Wintergärten.
	• das Dach, ¨-er	....	Wir putzen auch Dachfenster.
	• der Mitarbeiter, - / • die Mitarbeiterin, -nen	....	Wir haben auf der ganzen Welt Mitarbeiter.
	• die Übersetzung, -en	....	Unser Büro bietet Übersetzungen in vielen Sprachen an.
	bestellen (hat bestellt)	....	Jetzt online eine Pizza bestellen!
	• die Nudel, -n 	....	Jedes Nudelgericht nur 5 Euro.
	• das Gericht, -e (Essen)	....	Jedes (Nudel-)Gericht nur 5 Euro.

	günstig	Günstig parken am Flughafen.
	genießen (hat genossen)	Genießen Sie unseren stressfreien Transfer.
	• das Terminal, -s	Genießen Sie unseren stressfreien Transfer zu Ihrem Terminal.
	• die Freude (Sg.)	Wir reparieren Ihr Elektrogerät mit Freude!
	• das Ersatzteil, -e	Ersatzteile haben wir auf Lager.
	• das Lager, -	Ersatzteile haben wir auf Lager.
	• die Beratung, -en	Telefonische Beratung unter ...
E3	• der Snack, -s	Wir bieten Snacks in der Mittagspause an.
	• die Laune (Sg.)	Bringt gute Laune mit!

TIPP

Notieren Sie Gegensätze.

aufmachen – zumachen

13 Neue Kleider

FOTO-HÖRGESCHICHTE

1	• die Jacke, -n	Sie kaufen eine Jacke für Lara.
2	• der Mantel, ¨	Ist der Mantel nicht toll?
	dünn	Ist die Jacke nicht zu dünn?
	passen (hat gepasst)	Die Farbe passt gar nicht zu dir.
3	allein	Zum Schluss kauft Lara allein einen Mantel.

A

A1	• die Kleidung (Sg.)	Laras Kleidung: der Mantel, die Jacke, ...
	• die Bluse, -n 	Wie findest du die Bluse?
	• das T-Shirt, -s	Wie findest du das T-Shirt?
	• der Schuh, -e	Die Schuhe sind nicht so schön.
	• die Hose, -n	Die Hose ist super!
	• der Rock, ¨-e	Sieh mal, der Rock da!
	• das Kleid, -er	Das Kleid ist sehr schön!
	• der Stiefel, -	Die Stiefel finde ich auch toll.
	• der Pullover, -	Der Pullover ist zu weit.

	• die Socke, -n	Und die Socken?
	• der Strumpf, ⸚e	Die Strümpfe finde ich hässlich.
	• / • die Jeans (Sg. oder Pl.)	Die Jeans finde ich sehr schön.
	• das Tuch, ⸚er	Sieh mal, das Tuch da!
A2	• das Hemd, -en	Das Hemd hier ist auch super!
	• der Anzug, ⸚e	Und der Anzug hier!
	• die (Sonnen-) Brille, -n 	Die (Sonnen-)Brille ist nicht schlecht.
	langweilig	Die Schuhe sind langweilig und auch zu teuer!
	• der (Regen-) Schirm, -e 	Wie findest du den Schirm?

B

B1	perfekt	Toll, die Jacke passt dir perfekt!
B2	stehen (hat gestanden)	Die Brille steht ihr richtig gut.
B4	• die Bratwurst, ⸚e 	Also, Bratwurst schmeckt mir nicht.
	• die Landschaft, -en	Mir gefällt die Landschaft.
	• der Berg, -e	Die Berge gefallen mir.
	• das Dorf, ⸚er	Das Dorf gefällt mir nicht.
	• die Nordsee (Sg.)	Mir gefällt die Nordsee.
	• der Strand, ⸚e	Mir gefällt der Strand.
	• das Meer, -e 	Mir gefallen das Meer und der Hafen.
	• der Hafen, ⸚	Mir gefallen der Hafen und das Meer.

C

C1	besser	Und hier, die Jacke ist noch besser.
	am besten	Aber mein Mantel, der steht mir am besten!
C2	• der Steward, -s / • die Stewardess, -en	Ich bin Stewardess von Beruf.
	• die Uniform, -en	Zu meiner Uniform gehören zwei Röcke und eine Hose.
	gehören (hat gehört)	Zu meiner Uniform gehören zwei Röcke und eine Hose.
	an·ziehen (sich) (hat angezogen)	Das Kleid ziehe ich nicht so gern an.

	am liebsten		Am liebsten trage ich die Hose.
	tragen, du trägst, er trägt (hat getragen)		Am liebsten trage ich die Hose.
	wunderschön		Die Kleidung ist wunderschön.
	• das Jogging (Sg.)		Zu Hause trage ich am liebsten meine Jogginghose.
	mehr		Ich lese viel und telefoniere noch mehr.
	am meisten		Am meisten schaue ich aber fern.

D

D1	• der Witz, -e		Soll das ein Witz sein?
	total		Die ist ja total langweilig.
	dies-		Welche Jacke meinst du? – Na, diese.
D2	• der Koffer, - 		Welcher Koffer gehört Mario?
D3	• der Wochentag, -e		Welchen Wochentag magst du am liebsten?
	mögen, ich mag, du magst, er mag (hat gemocht)		Welches Buch magst du am liebsten?

E

E1	• das Erdgeschoss, -e		Die Drogerie finden Sie im Erdgeschoss.
	• das Obergeschoss, -e		Da müssen Sie ins Obergeschoss gehen.
	• das Untergeschoss, -e		Die Lampen sind im Untergeschoss.
	• der Ausgang, ¨-e		Der Ausgang ist im Untergeschoss.
	• der Eingang, ¨-e		Der Eingang ist im Obergeschoss.
	• die Drogerie, -n		Die Drogerie ist im Erdgeschoss.
	• die Kosmetik (Sg.)		Kosmetik finden Sie im Erdgeschoss.
	• die Uhr, -en		Uhren und Schmuck gibt es im Erdgeschoss.
	• der Schmuck (Sg.)		Schmuck finden Sie im Erdgeschoss.
	• die Zeitschrift, -en		Zeitschriften gibt es bei den Büchern.
	• das Geschirr (Sg.)		Glas und Geschirr gibt es im Untergeschoss.
	• die Ware, -n		Bettwaren gibt es im Untergeschoss.
	• das Spiel, -e		Ich suche ein Spiel für meine Tochter.

• die Seife, -n 		Ich muss auch noch Seife kaufen.
• die Zahnbürste, -n 		Ich muss auch noch eine Zahnbürste kaufen.
• die Zahnpasta (Sg.) 		Ich muss Zahnpasta kaufen.
E2 • die Größe, -n		Haben Sie die Hose auch in Größe 52?
E3 an·probieren (hat anprobiert) 		Sie haben eine Jacke anprobiert.

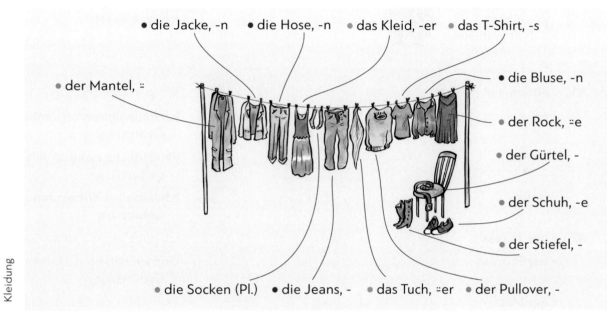

Kleidung

TIPP

Schneiden Sie Bilder aus und ergänzen Sie die Wörter.

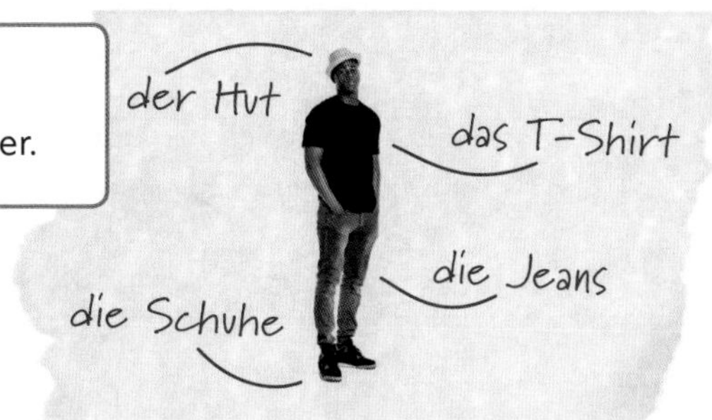

14 Feste

FOTO-HÖRGESCHICHTE

1 • das Ende, -n		Ende gut, alles gut.
• der Geburtstag, -e		Wer hat Geburtstag?
schenken (hat geschenkt)		Wer schenkt die Hausschuhe?
traurig		Warum sehen alle traurig aus?

	erzählen (hat erzählt)	....	Was erzählt Tim?
2	feiern (hat gefeiert)	....	Die Freunde feiern nicht nur Geburtstag.
	• der Abschied, -e	....	Sie feiern auch Abschied.
3	(sich) wünschen (hat gewünscht)	....	Ich wünsche dir viel Glück und Freude!
	• das Glück (Sg.)	....	Ich wünsche dir viel Glück und Freude!
	• der Glückwunsch, -e	....	Herzlichen Glückwunsch!
	gratulieren (hat gratuliert) 	....	Ich gratuliere!

A

A1	enden (hat geendet)	....	Wann endet der Kurs?
	erste	....	Ich habe am ersten Januar Geburtstag.
	zweite	....	Ich habe am zweiten Januar Geburtstag.
	dritte	....	Ich habe am dritten Januar Geburtstag.
A2	• der Januar	....	Ich habe am 4. Januar Geburtstag.
	• der Februar	....	Und ich habe am 11. Februar Geburtstag.
	• der März	....	Wann hast du Geburtstag? – Am 13. März. Und du?
	• der April	....	Ich bin am 29. April geboren.
	• der Mai 	....	Ich habe am 5. Mai Geburtstag.
	• der Juni	....	Ich habe am 16. Juni Geburtstag.
	• der Juli	....	Ich bin am 20. Juli geboren.
	• der August	....	Ich habe im August Geburtstag.
	• der September	....	Ich bin im September geboren.
	• der Oktober	....	Ich habe im Oktober Geburtstag.
	• der November	....	Im November fährt Lara nach Hause.
	• der Dezember	....	Ich bin am 6. Dezember geboren.

Monate

- der Januar
- der Februar
- der März
- der April
- der Mai
- der Juni

Januar Februar März	Juli August September
April Mai Juni	Oktober November Dezember

- der Juli
- der August
- der September
- der Oktober
- der November
- der Dezember

A3	• die Blume, -n 		Am 14. Februar soll man Blumen kaufen.
	• der Karneval (Sg.)		Der Karneval dauert bis zum 12. Februar.
	• die Veranstaltung, -en		Hier finden Sie alle Infos und Veranstaltungen.
	• die Jahreszeit, -en		Es gibt vier Jahreszeiten.
	• die Umfrage, -n		Wir machen eine Umfrage.
	mit·machen (hat mitgemacht)		Machen Sie mit und schreiben Sie.
	• der Feiertag, -e		Was machen Sie an diesem Feiertag?
A4	• die (Gruß-)Karte, -n		Ich schreibe (Gruß-)Karten an meine Freunde.

B

B1	lieb		Ich habe dich sehr lieb, Opa.
	lieb haben (hat lieb gehabt)		Ich habe dich sehr lieb, Opa.
B2	• das Geschenk, -e		Wir brauchen noch ein Geschenk für Andrej.
	(sich) lieben (hat geliebt) 		Ich liebe dich.
B3	• der Nachtisch, -e 		Wir müssen noch den Nachtisch machen.
B4	• der Laptop, -s		Mein Laptop ist kaputt.
	schmutzig		Meine Bluse ist schmutzig.
	waschen, du wäschst, er wäscht (hat gewaschen) 		Kannst du sie bitte waschen?

C

C1	denn		Sie feiern Abschied, denn Lara und Tim fahren nach Hause.
C2	• die Feier, -n		Lara und Tim organisieren eine Abschiedsfeier.
	organisieren (hat organisiert)		Lara und Tim organisieren eine Abschiedsfeier.
	Bescheid geben		Bitte gib Bescheid bis 25.11.
	• die Einladung, -en		Vielen Dank für die Einladung.

D

D1	werden, du wirst, er wird (ist geworden)	....	Am Donnerstag werde ich 30.
	ein·laden, du lädst ein, er lädt ein (hat eingeladen)	....	Ich lade Dich zu meiner Party ein.
	sich freuen (hat sich gefreut)	....	Ich würde mich freuen.
	• der Nachbar, -n	....	Ich lade meine Freunde und Nachbarn ein.
	eröffnen (hat eröffnet)	....	Wir eröffnen die Grillsaison.
	• die Saison, -s	....	Wir eröffnen die Grillsaison.
	• der Grill, -s 	....	Wir laden Euch zum Grillfest ein.
	herzlich	....	Wir laden Euch herzlich zu unserem Grillfest ein.
	• das Fest, -e	....	Das Grillfest ist am Samstag.
	sorgen (hat gesorgt)	....	Für Getränke sorgen wir.
	• das Weihnachten (Sg.) 	....	Auch dieses Jahr möchten wir mit Ihnen Weihnachten feiern.
	an·melden (sich) (hat angemeldet)	....	Bitte melden Sie sich bis 1.12 an.
D2	bitten (hat gebeten)	....	Bitten Sie um Antwort.
	• die Unterschrift, -en	....	Unter dem Brief steht die Unterschrift.

E

E1	• das Ostern (Sg.) 	....	An Ostern gibt es Ostereier.
	• das Silvester (Sg.) 	....	An Silvester gibt es ein Feuerwerk.
	• das Neujahr (Sg.)	....	An Neujahr wünschen wir uns Glück.
E2	bunt	....	Wir essen bunte Ostereier.
	verstecken (sich) (hat versteckt)	....	Sie verstecken Ostereier.
	• der Braten, -	....	Bei Bens Eltern gibt es Lammbraten.
	heilig 	....	Am 24.12. ist der Heilige Abend.
	an·zünden (hat angezündet)	....	Ich zünde die Kerzen an.
	• die Kerze, -n	....	Ich zünde die Kerzen an.

	zurück·kommen (ist zurückgekommen)		Dann kommen die anderen zurück.
	aus·packen (hat ausgepackt)		Wir packen die Geschenke aus.
	• der Bart, ⸚e		Der Bart vom Nikolaus ist weiß.
	• der Sack, ⸚e		Der Nikolaus hat einen Sack und ein Buch.
	vor·lesen, du liest vor, er liest vor (hat vorgelesen)		Der Nikolaus liest aus seinem Buch vor.
	vorher		Bei mir zu Hause kommt der Nikolaus schon vorher.
	stellen (hat gestellt)		Ich stelle abends meine Schuhe vor die Haustür.
E3	• die Hochzeit, -en		Wir gratulieren zur Hochzeit.

Feste

• die Hochzeit, -en

• das Ostern (Sg.)

• das Silvester/Neujahr (Sg.)

• der Geburtstag, -e

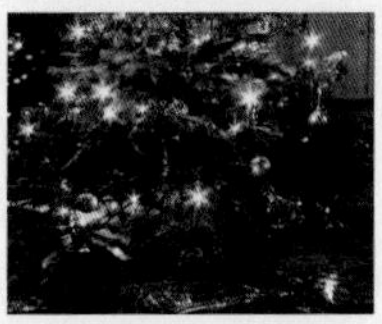
• das Weihnachten (Sg.)

• der Karneval (Sg.)

TIPP
Suchen Sie Wörter mit gleicher oder ähnlicher Bedeutung.

die Feier – das Fest

Nomen

Singular und Plural Lektion 3

Singular	Plural
● ein Apfel	● Äpfel
● ein Kuchen	● Kuchen
● ein Brot	● Brote
● ein Ei	● Eier
● eine Banane	● Bananen
● eine Kiwi	● Kiwis

ÜG 1.02

Artikelwörter und Pronomen

Possessivartikel: *mein/e, dein/e, Ihr/e* Lektion 2

maskulin	neutral	feminin	Plural
● mein Bruder	● mein Kind	● mein**e** Tochter	● mein**e** Kinder
● dein Bruder	● dein Kind	● dein**e** Tochter	● dein**e** Kinder
● Ihr Bruder	● Ihr Kind	● Ihr**e** Tochter	● Ihr**e** Kinder

ÜG 2.04

Personalpronomen: *er/es/sie* Lektion 4

		Personalpronomen
	Wo ist ...	
Singular	● der Balkon?	Er ist dort.
	● das Bad?	Es ist dort.
	● die Küche?	Sie ist dort.
	Wo sind ...	
Plural	● die Kinderzimmer?	Sie sind dort.

ÜG 3.01

Definiter Artikel Lektion 4, 6

	Nominativ	Akkusativ
	Wo ist/sind ...	Ich habe ...
Singular	● der Käse?	● de**n** Käse.
	● das Würstchen?	● das Würstchen.
	● die Cola?	● die Cola.
Plural	● die Tomaten?	● die Tomaten.

ÜG 2.01, 2.02

Indefiniter Artikel Lektion 3, 6

	Nominativ	Akkusativ
	Ist/Sind das ...	Ich habe ...
Singular	● ein Käse?	● ein**en** Käse.
	● ein Würstchen?	● ein Würstchen.
	● eine Cola?	● eine Cola.
Plural	● Tomaten?	● Tomaten.

ÜG 2.01, 2.02

Negativartikel Lektion 3, 6

	Nominativ	Akkusativ
	Das ist/sind ...	Ich habe ...
Singular	● kein Käse.	● kein**en** Käse.
	● kein Würstchen.	● kein Würstchen.
	● keine Cola.	● keine Cola.
Plural	● keine Tomaten.	● keine Tomaten.

ÜG 2.03

Verben

Konjugation   Lektion 1, 2, 5, 6

	leben*	heißen	arbeiten
ich	lebe	heiße	arbeite
du	lebst	heißt	arbeitest
er/es/sie	lebt	heißt	arbeitet
wir	leben	heißen	arbeiten
ihr	lebt	heißt	arbeitet
sie/Sie	leben	heißen	arbeiten

*auch so: *wohnen, lernen, kommen* ...   ÜG 5.01

	sein	haben
ich	bin	habe
du	bist	hast
er/es/sie	ist	hat
wir	sind	haben
ihr	seid	habt
sie/Sie	sind	haben

ÜG 5.01

	sprechen	schlafen	lesen	nehmen
ich	spreche	schlafe	lese	nehme
du	sprichst	schläfst	liest	nimmst
er/es/sie	spricht	schläft	liest	nimmt
wir	sprechen	schlafen	lesen	nehmen
ihr	sprecht	schlaft	lest	nehmt
sie/Sie	sprechen	schlafen	lesen	nehmen

auch so: *essen, treffen, fahren* ...   ÜG 5.01

Trennbare Verben   Lektion 5

auf/räumen	→	Ich räume auf.
auf/stehen	→	Lara steht auf.
ein/kaufen	→	Lara kauft ein.

auch so: *anrufen, fernsehen, anfangen*   ÜG 5.02

Grammatikübersicht

Modalverben: *„möchte", können* und *wollen* Lektion 6, 7

	„möchte"	können	wollen
ich	möchte	**kann**	**will**
du	möchtest	kannst	willst
er/es/sie	möchte	**kann**	**will**
wir	möchten	können	wollen
ihr	möchtet	könnt	wollt
sie/Sie	möchten	können	wollen

ÜG 5.09, 5.10

Perfekt mit *haben* Lektion 7

		haben + *ge...t*
üben	er übt	er hat geübt
machen	er macht	er hat gemacht
lieben	er liebt	er hat geliebt
kaufen	er kauft	er hat gekauft

		haben + *ge...en*
treffen	er trifft	er hat getroffen
finden	er findet	er hat gefunden
sprechen	er spricht	er hat gesprochen
schreiben	er schreibt	er hat geschrieben

ÜG 5.03

Perfekt mit *sein* Lektion 7

		sein + *ge...en* (• → •)
gehen	er geht	er ist gegangen
fahren	er fährt	er ist gefahren
kommen	er kommt	er ist gekommen

ÜG 5.04

Präpositionen

Temporale Präpositionen Lektion 5

Wann gehen Sie zum Deutschkurs?		
am Vormittag *aber:* in der Nacht	→	Tageszeit
am Montag von Montag bis Freitag	→	Tag
um zehn (Uhr) um Viertel vor/nach acht von neun bis fünf (Uhr)	→	Uhrzeit

ÜG 6.01

Negation

kein/keine Lektion 3

Das sind keine Äpfel.

ÜG 2.03, 9.01

nicht Lektion 4

Der Stuhl ist nicht schön. Walter wohnt nicht hier.

ÜG 9.01

Sätze

Aussage Lektion 1

	Position 2	
Mein Name	ist	Walter Baumann.
Ich	bin	Lili.
Ich	komme	aus Deutschland.
Sie	sprechen	gut Deutsch.

ÜG 10.01

W-Frage Lektion 1

	Position 2	
Wer	ist	das?
Wie	heißen	Sie?
Woher	kommen	Sie?
Was	sprechen	Sie?

ÜG 10.03

Ja-/Nein-Frage und W-Frage Lektion 3

Frage			Antwort
	Position 2		
Was	brauchen	Sie?	Eier.
Brauchen	Sie	Salz?	Ja./Nein.

ÜG 10.03

Trennbare Verben im Satz Lektion 5

	Position 2		Ende
Ich	räume	mein Zimmer	auf.
Lara	steht	früh	auf.
Lara	kauft	im Supermarkt	ein.
Stehst	du	gern früh	auf?

ÜG 10.02

Modalverben im Satz Lektion 7

	Position 2		Ende
Ich	kann	gute Tipps	geben.
Ich	will	das so gern wieder	lernen.
Kann	ich	das auch	lernen?

ÜG 10.02

Perfekt im Satz Lektion 7

	Position 2		Ende
Walter	hat	einen Reifen	gekauft.
Ich	bin	heute in die Stadt	gegangen.
Hast	du	schon einmal einen Kurs	gemacht?

ÜG 10.02

Verb: Position im Hauptsatz Lektion 5

	Position 2	
Robert	macht	*am Nachmittag* Sport.
Am Nachmittag	macht	Robert Sport.

ÜG 10.01

Ja-/Nein-Frage Lektion 3

Frage			Antwort
Position 1			
Haben	wir	Zucker?	Ja.
Brauchst	du	Reis?	Nein.

ÜG 10.03

Ja-/Nein-Frage: *ja – nein – doch* Lektion 6

Frage	Antwort	
Möchtest du ein Würstchen?	Ja.	Nein.
Haben wir den Käse nicht dabei?	Doch.	Nein.
Hast du keinen Hunger mehr?	Doch.	Nein.

ÜG 10.03

Artikelwörter und Pronomen

Possessivartikel Lektion 10

	Nominativ				Akkusativ
	Singular			Plural	Singular maskulin ⚠
ich	• mein Kopf	• mein Bein	• mein**e** Nase	• mein**e** Ohren	• mein**en** Kopf
du	dein	dein	dein**e**	dein**e**	dein**en**
er/es	sein	sein	sein**e**	sein**e**	sein**en**
sie	ihr	ihr	ihr**e**	ihr**e**	ihr**en**
wir	unser	unser	unser**e**	unser**e**	unser**en**
ihr	euer	euer	⚠ eur**e**	⚠ eur**e**	⚠ eur**en**
sie	ihr	ihr	ihr**e**	ihr**e**	ihr**en**
Sie	Ihr	Ihr	Ihr**e**	Ihr**e**	Ihr**en**

ÜG 2.04

Pronomen: *man* Lektion 9

Zuerst muss man das Ziel wählen.

= Zuerst müssen alle das Ziel wählen.

ÜG 3.01

Personalpronomen Lektion 13, 14

Nominativ	Dativ	Akkusativ
ich	mir	mich
du	dir	dich
er/es	ihm	ihn/es
sie	ihr	sie
wir	uns	uns
ihr	euch	euch
sie/Sie	ihnen/Ihnen	sie/Sie

ÜG 3.01

für mich/dich ...

Demonstrativpronomen: *der, das, die* Lektion 13

	Nominativ		Akkusativ	
• der Gürtel	Der		De**n**	
• das Hemd	Das	ist schön.	Das	finde ich super.
• die Jacke	Die		Die	
• die Schuhe	Die	sind schön.	Die	

ÜG 3.04

Frageartikel: *welcher?* – Demonstrativpronomen: *dieser* Lektion 13

Nominativ		Akkusativ	
• Welcher Mantel ...?	Dieser.	• Welche**n** Mantel ...?	Diese**n**.
• Welches Hemd ...?	Dieses.	• Welches Hemd ...?	Dieses.
• Welche Jacke ...?	Diese.	• Welche Jacke ...?	Diese.
• Welche Schuhe ...?	Diese.	• Welche Schuhe ...?	Diese..

ÜG 3.04

Adjektive

Komparation: *gut, gern, viel* Lektion 13

Positiv ☺	Komparativ ☺☺	Superlativ ☺☺☺
gut	besser	am besten
gern	lieber	am liebsten
viel	mehr	am meisten

ÜG 4.04

Verben

Konjugation Lektion 9, 13, 14

	helfen	mögen	werden
ich	helfe	**mag**	werde
du	hilfst	magst	wirst
er/es/sie	hilft	**mag**	wird
wir	helfen	mögen	werden
ihr	helft	mögt	werdet
sie/Sie	helfen	mögen	werden

ÜG 5.01, 5.16

Präteritum: *sein* und *haben* Lektion 8

	sein		haben	
	Präsens	Präteritum	Präsens	Präteritum
ich	bin	war	habe	hatte
du	bist	warst	hast	hattest
er/es/sie	ist	war	hat	hatte
wir	sind	waren	haben	hatten
ihr	seid	wart	habt	hattet
sie/Sie	sind	waren	haben	hatten

ÜG 5.06

Modalverben: *müssen, dürfen* und *sollen* Lektion 9, 10

	müssen	dürfen	sollen
ich	muss	darf	soll
du	musst	darfst	sollst
er/es/sie	muss	darf	soll
wir	müssen	dürfen	sollen
ihr	müsst	dürft	sollt
sie/Sie	müssen	dürfen	sollen

ÜG 5.11, 5.12

Imperativ Lektion 9

		⚠	⚠
(du)	Komm mit! Sieh mal!	Fahr langsam!	Sei leise!
(ihr)	Hört zu!		Seid leise!
(Sie)	Warten Sie bitte!		Seien Sie leise!

ÜG 5.19

Höfliche Aufforderung: Konjunktiv II Lektion 12

	Position 2		Ende
Könnten	Sie	mir bitte	helfen?
Würden	Sie	mir bitte das Geld	zurückgeben?
Könntest	du	mir bitte	helfen?
Würdest	du	mir bitte das Geld	zurückgeben?

ÜG 5.17

Verben mit Dativ Lektion 13

Der Mantel	gefällt	mir.
Das Hemd	steht	dir.

auch so: *gehören, passen schmecken*

ÜG 5.21

Präpositionen

Temporale Präposition: *für* + Akkusativ Lektion 8

	Singular			Plural	
Für wie lange?					
Ich suche für	• einen Monat	• ein Jahr	• eine Woche	• zwei Wochen	einen Job.

ÜG 6.01

Temporale Präpositionen: *vor, seit* + Dativ Lektion 8

	Singular			Plural	
Wann?					
Ich habe vor	• einem Monat	• einem Jahr	• einer Woche	• zwei Monaten	die Ausbildung gemacht.
Seit wann? / Wie lange?					
Ich bin seit	• einem Monat	• einem Jahr	• einer Woche	• zwei Jahren	selbstständig.

ÜG 6.01

Temporale Präpositionen: *bis, ab* Lektion 12

Wie lange ...?	Bis morgen / Montag / siebzehn Uhr / nächste Woche.
Ab wann ...?	Ab morgen / Montag / siebzehn Uhr.

ÜG 6.01

Temporale Präpositionen: *vor, nach, bei, in* + Dativ Lektion 12

				Plural
Wann?				
vor	• dem Kurs	• dem Training	• der Arbeit	• den Hausaufgaben
nach	• dem Kurs	• dem Training	• der Arbeit	• den Hausaufgaben
bei	⚠ • beim Kurs	⚠ • beim Training	• der Arbeit	• den Hausaufgaben
in	• einem Monat	• einem Jahr	• einer Woche	• drei Jahren

ÜG 6.01

Lokale Präposition: *bei*, modale Präposition: *als* Lektion 8

Wo arbeiten Sie?	Ich arbeite	als Hausmeister.
		bei TerraMax.

ÜG 6.03

Modale Präposition: *mit* + Dativ Lektion 11

				Plural
	• der → dem	• das → dem	• die → der	• die → den
mit	• dem Zug	• dem Auto	• der U-Bahn	• den Kindern

ÜG 6.04

Lokale Präpositionen auf die Frage „Wo?" + Dativ Lektion 11

				Plural
neben	• dem Kiosk	• dem Hotel	• der Post	• den Häusern

auch so: *an, auf, bei, hinter, in, neben, über, unter, zwischen, vor*

Wo ist Sofia? ◎	
Person:	• beim Arzt | • bei der Freundin | bei Walter
„Haus"/Ort/Geschäft:	• im Kindergarten | • im Bett | • in der Apotheke
Land/Stadt:	in Österreich/Wien | • im Jemen | • in der Schweiz | • in den USA/Niederlanden
⚠	an + dem = am bei + dem = beim in + dem = im
⚠	zu Hause

ÜG 6.02, 6.03

Lokale Präpositionen auf die Frage „Wohin?" Lektion 11

Wohin ist Paulo gefahren? ➔	
Person:	• zum Zahnarzt | • zur Freundin | zu Walter
Geschäft:	• zum Supermarkt | • zur Apotheke
„Haus"/Ort:	• in den Kindergarten | • ins Kino
⚠	zu + dem = zum zu + der = zur
Land/Stadt:	nach Österreich/Basel • in den Jemen | • in die Schweiz | • in die USA/Niederlande
⚠	nach Hause

ÜG 6.02, 6.03

Grammatikübersicht

Zahlwörter

Ordinalzahlen: Datum Lektion 14

1.–19. → **-te**				ab 20. → **-ste**	
1.	der erste	5.	der fünfte	20.	der zwanzigste
2.	der zweite	6.	der sechste	21.	der einundzwanzigste
3.	der dritte	7.	der siebte	...	
4.	der vierte	...			

Wann?
Am zweiten Mai. Vom zweiten bis (zum) zwanzigsten Mai.

ÜG 8.01

Sätze

Modalverben im Satz Lektion 9, 10

	Position 2		Ende
Er	muss	einen Antrag	ausfüllen.
Sie	dürfen	in der EU Auto	fahren.
Sie	sollen	zu Hause	bleiben.

ÜG 10.02

Konjunktion: *denn* Lektion 14

Sie feiern Abschied. Lara und Tim fahren nach Hause.

Sie feiern Abschied, denn Lara und Tim fahren nach Hause.

ÜG 10.04

Wortbildung

Nomen: Wortbildung Lektion 8

	 **-in**
• der Ingenieur • der Arzt	• die Ingenieurin • die Ärztin ⚠ • die Ingenieurinnen
⚠ • der Hausmann • der Krankenpfleger	• die Hausfrau • die Krankenschwester

ÜG 11.01

Lösungen zu den Tests

Lektion 1

1 **b** Guten Morgen **c** Guten Abend **d** Auf Wiedersehen **e** Tschüs **f** Gute Nacht

2 **c** Straße **d** Hausnummer **e** Postleitzahl **f** Stadt **g** Land **h** Telefon **i** E-Mail

3 **b** Woher **c** was **d** Wer

4 **a** **2** heißt **3** heiße **4** komme **5** sprichst **6** spreche **b** **7** ist **8** heißen **9** bin **10** ist

5 **a** Entschuldigung **b** Ich buchstabiere **c** Danke **d** Einen Moment **e** Tut mir leid

Lektion 2

1 **a** Mutter **b** Bruder, Schwester **c** Sohn, Tochter **d** Opa/Großvater, Oma/Großmutter

2 **b** neun **c** sechzehn **d** dreizehn **e** elf **f** zwanzig

3 **b** geboren **c** Hauptstadt **d** Familie **e** ledig

4 **a** Ihre, Sie **b** mein, dein, Er **c** Deine, sie

5 kommen, leben, sprechen, spricht, seid, Habt, bin, habe, ist, hat

6 **a** Und (wie geht es) dir; Wie geht es Ihnen / Wie geht's **b** wo wohnen Sie; Wie ist Ihre Adresse

Lektion 3

1 **a** Kartoffeln **b** Becher Joghurt **c** Flaschen Mineralwasser

2 **b** Kaufst du bitte Brot **c** Was möchten Sie **d** Brauchen wir Orangen **e** Was brauchen wir

3 **b** keine **c** ein, eine, keine, ein, kein, eine

4 **b** Kuchen **c** Würstchen **d** Kiwis **e** Eier **f** Brote

5 **b** Haben Sie **c** Wie viel kostet **d** Sonst noch etwas **e** Nein, danke

Lektion 4

1 **b** alt **c** hässlich **d** schmal **e** dunkel **f** groß

2 **Wohnung**: das Wohnzimmer
Möbel: der Schreibtisch, der Sessel
Elektrogeräte: der Kühlschrank, die Lampe

3 **b** die Wohnzimmer **c** die Schreibtische **d** die Sessel **e** die Kühlschränke **f** die Lampen

4 **b** Er **c** Es **d** sie **e** Sie

5 **b** nicht, keine **c** keine

6 **a** Sag mal **b** gefällt mir gut **c** neu und modern **d** Oh, das ist schön **e** Wie groß sind sie **f** er findet

Lektion 5

1 **b** der Mittag **c** der Abend **d** die Nacht

2 **b**  **c**  **d** 

3 **b** frühstückt, räumt ... auf **c** arbeitet **d** isst, geht ... spazieren

4 **b** Von ... bis **c** von ... bis **d** Am

5 **a** Hast du am Freitag Zeit **c** da habe ich Zeit **d** Ich koche nicht gern **e** Ich gehe gern ins Kino **f** Um wie viel Uhr

Lektion 6

1 **a** Wetter **b** Wolken **c** Süden **d** Sonne **e** regnet **g** Sommer

2 **b** wandert **c** fährt Ski **d** tanzt **e** joggt

3 **b** keinen, keine **c** einen, ein/ **d** eine

4 **a** den, Im **b** Im **c** Der, Im

5 **b** Doch **c** Ja **d** Nein

6 **b** Was sind deine Hobbys **c** Gefallen dir Krimis **d** Was machst du in der Freizeit

Lektion 7

1 **b** E-Mails schreiben **c** schlafen **d** kochen **e** das Klavier

2 **a** wollen **c** kann **d** kannst **e** wollt **f** wollen

3 **b** habe ... geschlafen **c** habe ... gefrühstückt **d** bin ... gefahren **e** haben ... gespielt

4 **b** Ich habe lange keinen Ausflug gemacht **c** Was möchtest du machen **d** Wir können Fahrrad fahren **e** Wann wollen wir losfahren

5 **a** das finde ich wichtig **c** nicht so gern **d** Nein, noch nie **e** Ja, super **f** Den Tipp finde ich gut

Lösungen zu den Tests

Lektion 8

1 **a** Arzthelferin **b** studiert, Job, Köchin **c** selbstständig, Praxis **d** arbeitslos, Stelle, Bewerbungen

2 **b** hatte **c** war **d** war **e** Waren **f** hatten **g** wart **h** waren

3 **a** Vor **c** seit **d** / **e** für **f** Seit

4 **a** Ich habe Ihre Anzeige gelesen **b** Ist die Stelle noch frei **c** wir suchen eine Verkäuferin **d** Und wie ist die Arbeitszeit **e** vier Stunden am Vormittag **g** Wir zahlen 450 Euro

Lektion 9

1 **a** Schlüssel, Gast, Plan **b** Frühstück, Einzelzimmer **c** Kreditkarte, Ankunft

2 **b** rauchen **c** abgeben **d** parken

3 **a** müsst **b** Darf, darfst **c** musst, muss

4 **b** Hört bitte Frau Müller zu. **c** Sei bitte pünktlich. **e** Zeigen Sie bitte den Pass.

5 **b** Möchten Sie Vollpension oder Halbpension **c** Ich brauche Ihren Ausweis **d** Wann muss ich am Sonntag auschecken **e** Hier ist Ihr Schlüssel

Lektion 10

1 **b** die Tablette **c** die Schritte **d** wehtun **e** der Kursleiter **f** der Kuss

2 **b** meine **c** Unsere **d** unseren **e** Unsere **f** Seine **g** ihren **h** euer

3 **b** Ich soll eine Salbe kaufen. **c** Wir sollen Sport machen. **d** Ida soll viel Tee trinken. **e** Du sollst dein Bein kühlen. **f** Flavia und Sofie sollen im Bett bleiben.

4 **von oben nach unten:** 3, 4, 7, 5, 2, 6

Lektion 11

1 **b** Haltestelle **c** U-Bahn **d** Ampel **e** Autobahn

2 **b** geradeaus **c** rechts **d** links

3 **a** dem **b** zur **d** dem **e** der **f** nach **g** zum **h** Zu **i** ins **j** die

4 **b** auf dem **c** unter dem **d** in der **e** zwischen den **f** vor der

5 **b** Fahren Sie mit der S-Bahn bis zum Barbaraplatz. **c** An der Ecke, neben der Apotheke. **d** Nein, das ist viel zu weit. **e** Da gehen Sie zur Bücherei.

Lektion 12

1 **a** empfehlen, Drucker **b** kaputt, reparieren, günstig **c** putzen, Lager

2 **a** nach dem, in **b** vor der, Ab, Bis, beim

3 **b** Würdest du bitte das Licht ausmachen? **c** Könntest du mir bitte helfen? **d** Würden Sie bitte heute noch einen Techniker schicken?

4 **a** 4 **b** 1 **c** 3 **e** 2

Lektion 13

1 **a** Jacke, Schuhe, Anzug, Mantel **b** Berg, Wald, Dorf, Meer, Strand

2 **a** Welcher, Der, Den **b** Welche, diese **c** Das, das, dieses **d** Welche, Diese, Die

3 **a** Mir **b** uns, euch **c** ihr

4 **a** am liebsten **b** besser, am besten **c** mehr, am meisten

5 **b** 5 **c** 2 **d** 1 **e** 3

Lektion 14

1 **a** August **b** Blumen **d** Geschenk **e** Einladung **f** feiern **g** Glückwunsch

2 **b** ersten, siebten **c** dritten **d** elfte

3 **a** es **b** euch, sie **c** ihn, dich

4 **b** Bob feiert seinen Geburtstag nicht, denn er findet Geburtstage nicht wichtig. **c** Henry fährt am Montag nach Mainz, denn es ist Karneval. **d** Mandy organisiert eine Party, denn sie hat eine neue Wohnung.

5 Ich habe am Mittwoch Geburtstag und werde 43 Jahre alt! Das möchte ich gern zusammen mit Euch feiern. Ich lade Euch zu Kaffee und Kuchen ein: am 13. Januar um 15 Uhr im Café Mozart. Kannst Du kommen? Ich würde mich freuen.
Viele Grüße Anastasia

Quellenverzeichnis

Cover: Bernhard Haselbeck, München S. AB 11: Ü7: a © iStockphoto/Ed Bock; b © Thinkstock/Jupiterimages; c © Thinkstock/iStock/BakiBG S. AB 14: Bernardo © Thinkstock/Purestock; Sara © Thinkstock/Photodisc/Maria Teijeiro; Max © Thinkstock/iStock/Jyliana; Ü19: Türkei © Thinkstock/Wavebreak Media; alle anderen © fotolia/createur S. AB 17: Ü29a: Umschlag © fotolia/picsfive; Marke © Thinkstock/iStockphoto; Ü30: Ärztin © Thinkstock/iStock/monkeybusinessimages; Hygieia © Thinkstock/iStock/Kreatiw S. AB 21: © Thinkstock/iStockphoto S. AB 22: Ü15 © Thinkstock/Photos.com/Jupiterimages; Ü17a © Thinkstock/Fuse; Ü17b © Thinkstock/iStock/byryo S. AB 25: Ü27 © fotolia/Jeanette Dietl S. AB 27: Ü31: 1 © PantherMedia/Paul Simcock; 2 © iStock/delihayat; 3 © Thinkstock/Goodshoot/Getty Images; 4 © PantherMedia/Radka Linkova; Ü32 © Thinkstock/iStock/repinanatoly S. AB 36: Ü25: A © Thinkstock/Hemera; B © Thinkstock/iStock/aarrows; C © Thinkstock/iStock/Reinhold Tscherwitschke; D © fotolia/Fotofermer; E © iStockphoto/evemilla; F © Thinkstock/iStock/Hyrma S. AB 40: Mann © iStockphoto/CandyBoxImages S. AB 43: Ü10 © Thinkstock/BananaStock S. AB 47: alle Fahnen © Thinkstock/Hemera S. AB 53: Omar © iStock/Juanmonino; Hoa © Thinkstock/Jupiterimages/Creatas S. AB 57: Ü19: © iStockphoto/Kemter S. AB 58: Ü20 © Thinkstock/iStock/TAGSTOCK1 S. AB 59: Ü23 © iStockphoto/mevans S. AB 61: Ü2 © iStockphoto/mevans S. AB 62: Luisa © Thinkstock/Hemera/Karam Miri; Ralf © Thinkstock/PHOTOS.com/NA; Nena © Thinkstock/iStock/Highwaystarz-Photography S. AB 63: Karten © Digital Wisdom; Windrose © fotolia/Ruediger Rau; Wetter Piktos © Thinkstock/iStock/Wonderfulpixel S. AB 64: Ü9: Jean © Thinkstock/Fuse; Enrique © Thinkstock/iStock/Daniel Ernst; Ping-Fei © Thinkstock/iStock/XiXinXing S. AB 70: Ü27 © Thinkstock/Photodisc/Stewart Sutton S. AB 72: Ü32: A © Thinkstock/Purestock; B © Thinkstock/iStock/mycola; C © Thinkstock/iStock/voltan1; D © Thinkstock/Ingram Publishing S. AB 74: © Thinkstock/iStock S. AB 78: Ü12: A © Thinkstock/iStock/SnowWhiteimages; B © Thinkstock/iStock/monkeybusinessimages; C © Thinkstock/iStock/XiFotos; D © iStockphoto/Steve Cole S. AB 80: Ü22 © Thinkstock/iStock S. AB 82: Ü28: Marke © fotolia/M. Schuppich S. AB 85: Ü2: 1 © Thinkstock/iStock/CandyBoxImages; 2: Florian Bachmeier, Schliersee; 3 © Thinkstock/iStock/g-stock-studio S. AB 86: Ü4: Florian Bachmeier, Schliersee S. AB 87: Ü7: a © Thinkstock/Digital Vision/David Oldfield; b © Thinkstock/iStock/monkeybusinessimages S. AB 89: Ü16 © Thinkstock/iStock/StockRocket; Ü17 © PantherMedia/andresr; Ü18 © Thinkstock/Ron Chapple Studios S. AB 90: Ü19 © Thinkstock/iStock/Daniel Ernst S. AB 92: Ü25 © Thinkstock/iStock/Juanmonino S. AB 93: Ü28: a © Thinkstock/Hemera/Bartomiej Magierowski; b © iStockphoto/gawrav S. AB 94: Ü31 © Thinkstock/Wavebreak Media S. AB 95: Ü33 © Thinkstock/Wavebreak Media; Ü34: Frau © Thinkstock/Wavebreak Media; Mann © Thinkstock/Fuse S. AB 99: Ü7: B, H © Bundesdruckerei GmbH; C © Colourbox.com; D © Thinkstock/Hemera/Laurent Renault; E © fotolia/Petra Beerhalter; F © Thinkstock/iStock/Josep Pena Llorens; G © Hueber Verlag; Ü8 © Thinkstock/iStock/AlexRaths S. AB 102: Ü18: a, d © fotolia/xiver; b, c © fotolia/vektorisiert; e © fotolia/LaCatrina; f © Thinkstock/iStock/zager S. AB 103: links © fotolia/vasilisa_k; rechts © iStockphoto/UygarGeographic S. AB 104: Ü23 © fotolia/JFL Photography S. AB 105: Ü26 © iStockphoto/maxphotography S. AB 106: Ü2: a © fotolia//LaCatrina; b, d © fotolia/vektorisiert; c © fotolia/xiver S. AB 109: Ü5: A © Thinkstock/iStock/Jowita Stachowiak; B © Thinkstock/iStock/DragonImages; Ü6 © Thinkstock/iStock/Juanmonino; Ü8 © Thinkstock/Eyecandy Images S. AB 110: Ü11 © PantherMedia/Kirill Ryzhov S. AB 113: Ü20: 1 © Thinkstock/Fuse; 2 © Thinkstock/iStock/waldru S. AB 114: Ü21: Natur © Thinkstock/iStockphoto; Essen © Thinkstock/iStock/larik_malasha S. AB 115: © Thinkstock/iStock/Achim Prill S. AB 116: Ü26: links © Thinkstock/Monkey Business Images; rechts © Thinkstock/Hemera/Timur Nisametdinov S. AB 117: Ü28 © Thinkstock/Photodisc/Getty Images S. AB 119: Ü1: A, E © iStockphoto/Bytedust; B © fotolia//LaCatrina; C © Thinkstock/iStock/Ecelop; D © fotolia/vektorisiert; Ü3: A © fotolia/Marem; B, E © fotolia/markus_marb; C © fotolia/T. Michel; D © Thinkstock/iStock/Baz777; F ©Thinkstock/Hemera/Julius Orpia S. AB 121: Ü9 © Thinkstock/Photodisc S. AB 122: Ü10 Gisela Specht, Weßling S. AB 125: Ü18 © Thinkstock/iStock/Milenko Bokan S. AB 129: Ü4: Gisela Specht, Weßling S. AB 130: Ü1 © Thinkstock/iStock/Minerva Studio S. AB 131: Ü1 © iStockphoto/mevans; Ü4 © Thinkstock/iStock/melis82 S. AB 134: Ü14 © Thinkstock/iStock/m-imagephotography; Ü15: links © PantherMedia/auremar; rechts © PantherMedia/wavebreakmediamicro S. AB 136: Ü21: Türe rechts: Gisela Specht, Weßling S. AB 137: Ü26 © fotolia/Syda Productions S. AB 138: Ü28 © iStockphoto/targovcom; Ü31 © Thinkstock/iStock/danielsbfoto S. AB 139: 35: Fenster, Wasser, Drucker: Gisela Specht, Weßling S. AB 141: Ü2: Ordner © Thinkstock/iStock/vladru; Papier © fotolia/Andreas Mueller; Kulis © Thinkstock/iStock/Volga2012 S. AB 146: Ü19 © Thinkstock/iStock/Jean-Philippe WALLET; Ü20: a © iStockphoto/Cameron Whitman; b © Thinkstock/Amit Somvanshi; c © Thinkstock/iStock/william87 S. AB 148: Ü27 © Thinkstock/iStock/Minerva Studio S. AB 150: Ü31 © fotolia/vbaleha S. AB 153: Ü1: A © Thinkstock/Fuse; B © Thinkstock/Monkey Business; C © Thinkstock/iStock/Highwaystarz-Photography S. AB 154: Ü3 © Thinkstock/Blend Images/John Lund S. AB 158: Ü16 © Thinkstock/iStock/Manuta S. AB 159: Ü20: A: Matthias Kraus, München; B © Thinkstock/Zoonar/D.Dzinnik; C © iStockphoto/michieldb; D © Thinkstock/iStock/Chrapuscule S. AB 160: Ü21: © Thinkstock/iStock/JackFrog; Ü22: a2 © Thinkstock/iStock/monkeybusinessimages; b1 © Thinkstock/iStock/Artranqb; b2 © fotolia/Patrick Hermans; c1 © Thinkstock/iStock/JiAA- HodeAek; c2 © Thinkstock/iStock/Brand X Pictures

Quellenverzeichnis

Lernwortschatz

S. LWS 3: Globus © Thinkstock/Top Photo Group S. LWS 4: Flaggen: PL, A, RU © Thinkstock/iStock; E, D, GB, F; I; GR © Thinkstock/Hemera; TR, CH © Thinkstock/Wavebreak Media; China © fotolia/createur S. LWS 9: Salz © Thinkstock/iStock/perysty S. LWS 11: Schokolade © Thinkstock/iStock/kuppa_rock; Banane © iStockphoto/ZoneCreative; Butter © iStockphoto/duncan1890; Ei © Thinkstock/iStock/Natikka; Milch © fotolia/seen; Brot © iStockphoto/SednevaAnna; Fisch © Thinkstock/iStock/Antonio Scarpi; Fleisch © Thinkstock/iStockphoto; Käse © fotolia/sumnersgraphicsinc; Apfel © fotolia/Aleksejs Pivnenko; Birne © iStockphoto/ZoneCreative; Brötchen © fotolia/seen; Kuchen © Thinkstock/iStock/Inga Nielsen; Orange © Thinkstock/iStock/Valentyn Volkov; Saft © Thinkstock/iStock/tbaeff; Joghurt © fotolia/ExQuisine; Kartoffel © iStock/jerryhat; Zwiebel © Thinkstock/iStock/Tamara Jovic; Tomate © iStock/ranplett; Wasser © Thinkstock/iStock/Hyrma S. LWS 16: Post-it © Thinkstock/iStock/Peshkova S. LWS 17: Uhr © iStockphoto/mevans S. LWS 21: Windrose © fotolia/Ruediger Rau S. LWS 26: tanzen © Thinkstock/Fuse; Gitarre spielen © Thinkstock/iStock/bradleyhebdon; wandern © Thinkstock/iStock/dulezidar; Rad fahren © fotolia/Gregg Dunnett; grillen © iStockphoto/small_frog; schwimmen © Thinkstock/Comstock; Freunde treffen © iStockphoto/Mlenny Photography; backen © iStockphoto/tacojim; malen © Thinkstock/moodboard; Ski fahren © Thinkstock/iStockphoto; Tennis spielen © Thinkstock/David Spurdens/www.ExtremeSportsPhoto.com/Fuse S. LWS 31: Journalistin, Pfleger © iStockphoto/jonathandowney; Ärztin, Arbeiter; Ingenieur © Thinkstock/iStock/monkeybusinessimages; Polizistin © fotolia/MAST; Kellner © fotolia/WavebreakMediaMicro; Koch © Thinkstock/Wavebreakmedia Ltd; Architektin © Thinkstock/Jupiterimages; Babysitter © Thinkstock/iStock/KatarzynaBialasiewicz S. LWS 42: Illu Präpositionen: Gisela Specht, Weßling S. LWS 50: Mann © Thinkstock/iStock/moodboard S. LWS 54: Hochzeit © PantherMedia/Ralph Rösch; Ostern © Thinkstock/iStock/kzenon; Silvester © Thinkstock/iStock/SamRyley; Weihnachten © PantherMedia/Carina Hansen; Karneval © irisblende.de S. Lösung 10: © iStock/mevans

Bildredaktion: Iciar Caso, Hueber Verlag, München